ここからどう進む？

対話型鑑賞のこれまでとこれから

アート・コミュニケーションの可能性

監修

京都芸術大学アート・コミュニケーション研究センター

編集

福 のり子・北野 諒・平野 智紀

淡交社

はじめに

福のり子

ニューヨーク近代美術館（以下Ｍ《モ》ｏＭ《マ》Ａ）で始まった対話型鑑賞が、日本に上陸して30年が経った。それを記念して２０２２年8月20日・21日、東京国立博物館で「ＶＴＣ／ＶＴＳ日本上陸30周年記念フォーラム２０２２　対話型鑑賞のこれまでとこれから」（以下フォーラム）を開催した。コロナ禍にもかかわらず、フォーラムには１６１名もの方々にご来場いただいた。オンライン配信も延べ約１３００名の方々に視聴いただくことができた。本書は、このフォーラムの記録集であり、かつ、「これから」に向けてフォーラム後に行われた考察をまとめた一冊である。

二日間のフォーラムは一つの対談、五つのパネルディスカッション、二つのレクチャーで構成され、19名に及ぶ各分野の専門家が登壇し、日本における対話型鑑賞の変遷や現状、そして「これから」に向けてのそれぞれの知見と問題点などを語り合った。もちろんその場だけで議論は尽くせず、いくつかの課題も残された。それを受けて、登壇者はフォーラム終了後もオンラインで議論を続けた。そのため、本書の二章から五章のパネルディスカッションには、当日の議論を要約したうえで加筆がなされている。また、総括となる八章は、各章を踏まえた上での新たな対談である。本書の出版がフォーラムから一年もかかったのにはこうした理由がある。

「対話型鑑賞」という名称は、ＭｏＭＡのVisual Thinking Curriculum（以下ＶＴＣ）を、私とフォーラムでもご登壇いただいた逢坂恵理子さんが、30年前に日本に紹介する際に作った造語だ。ところが今では、インターネットで「対話型鑑賞」を検索すると約１００万件もヒットする。対話型鑑賞の黎明期には、「アメリカ人はともかく、奥ゆかしい日本人が人前で芸術作品のことなんか語れるわけがない。ましてやナビゲイターなどできるはずがない」と言われた。「そんなことはない」と、私がナビゲイターを実演したら「それはあなたが大阪のおばさんだからできるのです」と言われたこともある。

当時私はニューヨークでインディペンデント・キュレーターをしていた。日本の美術館でシンディ・シャーマンやキース・ヘリング等の展覧会を企画するたびに、「対話型鑑賞をさせていただけないか」と美術館にお伺いを立てたが、様々な理由で断られた。「館内で喋るなんてもってのほか」、「福さん、キュレーターとして仕事をしていきたいのなら、鑑賞者や教育のことを話題にしない方が良い。キュレーターより一段下だから」と言う人もいた。

日本で最初に対話型鑑賞会をさせてくださったのは芦屋市立美術博物館、１９９７年のことだ。アメリカの美術館を巡回した「ランド・オブ・パラドックス」という、日本の現代写真の里帰り展を同館で開催した。恐る恐る「対話型鑑賞をさせてくださいませんか?」と尋ねる私に、笑顔で快諾してくださったのが、当時の学芸課長、河崎晃一さんだった。河崎さんはもうこの世にはいらっしゃらない。

人も社会もそして美術館を取り巻く状況も大きく変化し、対話型鑑賞の現在の状況にも隔世の感がある。今では対話型鑑賞は美術館や美術教育だけでなく、医療、科学、ビジネスなど様々な分野でも用いられている。だからこそ今回のフォーラムは、時間を切り詰めて、切り詰めて計画しても、二日間の長丁場になってしまったのである。ちなみにアメリカでは、警察やＦＢＩでも対話型鑑賞を用いたトレーニングがなされている。

　対話型鑑賞がこれほど普及したことは大変喜ばしい。同時に、この状況にいくつかの危惧もある。まず、今日に至る歴史を知らない若い世代が増えたこと。たとえば、『なぜ、これがアートなの?』という名著を出版し、同名の展覧会で対話型鑑賞を日本に定着させたアメリア・アレナスについて私が話しても――聴衆はこの分野に興味を持っているか、すでにそれを仕事としている人たちであるにもかかわらず――アメリアの名前すら知らない人たちがいる。ＶＴＣやその後に展開されたVisual Thinking Strategies（以下ＶＴＳ）に関しても、誤った情報がかなり流布している。次の世代の人々に、歴史や事実をまずはきちんと伝えておきたいと思ったことが、このフォーラムを企画した一番目の理由だ。

　ＭｏＭＡでは教師をナビゲイターとして育てるのに一年をかけていた。私は２００４年から大学で、１年生を対象に対話型鑑賞の授業を始めた。必修で、年間を通して行われる「Art Communication Project（ACOP：エイコップ）」と名付けたこの授業では、前期、学生たちは鑑賞者として研鑽を積み、後期には授業時間に加えて最低３００時間のナビゲイターとしての自主トレーニングを重ねた。鑑賞者としての実力と、ナビゲイターとしてのそれは大いに関連性がある。日本語の読み書きができるからといって小説が書けるわけではないように、ナビゲイターとしての腕を上げるためにはそれ相応の鑑賞経験とトレーニングが必要なのだ。しかし残念なことに、現在に至ってもこうした本格的なトレーニングの場はまだほとんど存在しない。

　極端な言い方をすれば、現在の対話型鑑賞は「１００万通り」ある。こんなカオスの中で、対話型鑑賞を実践する人も、批判する人も一体何を基準に「素晴らしい」と言ったり、批判したりしているのだろう。ということで、対話型鑑賞日本上陸30年を迎え、このあたりで一度、そもそも対話型鑑賞とは何かという根本的なことについて立ち戻り、話し合い、そしてみなさんと共に考えていきたいと思ったのが、フォーラムを開催した二番目の、そして最も重要な理由である。

> 答えのない問いに対して、答えがないからこそ考えることを学びました。そして考え続けていく中で「答え」を導くことはできなくても、その中でたくさんの「発見」に出会えることに気付けました。

これはＡＣＯＰを受けた学生の言葉だ。今回のフォーラムから、そして本書から一人でも多くの方々が何かを発見し、対話型鑑賞のこれからのために、さらに考え続けていって下さることを願っている。

最後にもう一つ学生の言葉で、「はじめに」を終わらせたいと思う。

> 鑑賞者の言葉は、ある意味、作品よりも生々しくあざやかだ。同じものを見てもひとりひとり違う考え、違う表現を持っている。それらを漏れなく聴けるのがナビゲイターの幸せなところ。そして、作品の可能性を閉ざさないためにも、鑑賞者の気持ちを汲み取るためにも、自分の器をもっともっと広げていくためにも、自分自身が常に鑑賞者であり続けることが大切なのだ。

ＶＴＣ／ＶＴＳ日本上陸30周年記念フォーラム2022
対話型鑑賞のこれまでとこれから　開催概要

開催日：2022年8月20・21日
会場：東京国立博物館 平成館 大講堂（及びオンライン同時配信）

主催：京都芸術大学アート・コミュニケーション研究センター
特別助成：公益財団法人 石橋財団
後援：文部科学省、一般社団法人 全国美術館会議、全日本博物館学会、日本ミュージアム・マネージメント学会、内田洋行教育総合研究所、経営学習研究所

登壇者（登壇順）

福　のり子：京都芸術大学 教授 、同アート・コミュニケーション研究センター所長
逢坂　恵理子：国立新美術館長
都筑　正敏　：豊田市民芸館 館長（元豊田市美術館 学芸員）
黒澤　伸　：金沢市民芸術村 総合ディレクター（元金沢21世紀美術館 副館長）
稲庭　彩和子：独立行政法人国立美術館 主任研究員
原　泉　：山口情報芸術センター［YCAM］エデュケーター
北野　諒　：大阪成蹊短期大学 幼児教育学科 講師
似内　達吉　：大阪市立東淀中学校 教諭
沼田　芳行　：埼玉県所沢市立向陽中学校 校長
末永　幸歩　：美術教育者、東京学芸大学 個人研究員
大野　照文　：高田短期大学図書館 館長（元京都大学総合博物館 館長）
森永　康平　：ミルキク代表／獨協医科大学 非常勤助教、MED AGREE CLINIC うつのみや 院長
三成　寿作　：京都大学 iPS 細胞研究所 特定准教授
平野　智紀　：内田洋行教育総合研究所 主任研究員
加藤　種男　：クリエイティブ・ディレクター
藤原　綾乃　：公益財団法人 福武財団 アート部門
臼井　隆志　：株式会社 MIMIGURI ファシリテーター・アートエデュケーター
森　功次　：大妻女子大学国際センター 専任講師
伊達　隆洋　：京都芸術大学アートプロデュース学科 准教授・学科長、同 アート・コミュニケーション研究センター 研究員

※所属は原則フォーラム開催当時。本書執筆者の最新の所属は巻末の執筆者紹介に記載。

一章 対談

対話型鑑賞の黎明期

アメリカ↓ドイツ↓日本

登壇者

逢坂 恵理子
国立新美術館長

福 のり子
京都芸術大学 教授
同 アート・コミュニケーション研究センター 所長

対談する福（左）と逢坂（右）

はじめに

福　二日間のフォーラムのはじめに、国立新美術館の館長である逢坂恵理子さんと「対話型鑑賞のこれまで」についてお話ししていきたいと思います。逢坂さん、今日は大変お忙しい中お越しいただきありがとうございます。

逢坂　皆様こんにちは、逢坂恵理子と申します。福さん、こちらこそこういう機会を作っていただいてありがとうございました。このフォーラムの企画をお聞きした当初、多くの方が集まってくださるのか心配していましたが、福さん、京都芸術大学のみなさんが本当に頑張ってくださって今日を迎えることができたのだと思います。また、ご参加くださいました皆様、ありがとうございます。

■対話型鑑賞の登場の経緯

福　日本の対話型鑑賞はニューヨーク近代美術館（以下Ｍ《モ》ｏＭ《マ》Ａ）が始めた鑑賞教育プログラム「Visual Thinking Curriculum（以下ＶＴＣ）」に端を発しています。そこでまず、ＶＴＣが登場するまでの経緯をお話しさせていただきたいと思います。

アメリカでは１９６０年代に人々の美術館離れが進みました。これは当時のアメリカ政府が、学校教育から美術の時間を削減したことが理由の一つだと言われています。その結果、70年代に入ると美術館来館者数は激減し、美術館は「冬の時代」に突入しました。アメリカでは私立の美術館が多いので、来館者の減少は即収入の減少に繋がります。そこで、彼らは生き残りをかけて、来館者を増やすための様々な試行錯誤や努力を始めました。それまでの「美術館は良いものに決まっている」という、いわゆる「美術館性善説」を問い直し始めたのです。「これまで来館者の理解の助けになると考えて解説を書いてきたけれども、理解してもらえないのはなぜだろう？」「鑑賞者は美術館に何を求めているんだろう？」「私たちがこれまでやってきたことは、これでよかったのか？」など、自問自答を重ねたわけです。

そんな中ＭｏＭＡは、「ひとくちに来館者と言うけれど、彼らをひと括りにしていいのか」という問いを立て、当時ＭｏＭＡの教育部長であったフィリップ・ヤノウィンが、発達心理学者アビゲイル・ハウゼンと協力して、来館者を知るための調査を始めました。80年代のことです。10年近い歳月をかけて何千人もの来館者にインタビューし、それを分析した結果、「来館者は一律ではない」という結論に達したのです。さらにその調査から、来館者を「美的発達段階」を基に5段階に分類しました（図1）。

五つの段階のうち第1と第2の段階の人々は、鑑賞する際に何らかのサポートを必要とし、第3から第5の段階の人は、サポートを必要とせず自力で作品をみたい、あるいはみることのできる人です。来館者のほとんどが、第1または第2の段階の人たちであり、第5段階にあたる人は数千人のうち数人しかいなかったということも判明しました。ほとんどの学芸員は第3段階だそうです。学芸員は展覧会のカタログや解説を書きますが、それは自分と同等のレベルの読者、つまり第3段階の人を想定して書いているので、第1や第2段階の人にはわかりづらいものになってしまっていたというわけです。

そこでＭｏＭＡは美的発達段階に即した鑑賞方法や、鑑賞者への適切なサポートの方法を考えて、ＶＴＣを開発しました。80年代後半のことです。同時に、その方法を検証するために、ニューヨーク市の小学校4年生から6年生（全75のクラス、３５００人以上の生徒）を対象に、5年以上かけてＶＴＣを用いた鑑賞の授業を行いました。事前に小学校の担任の先生たちを、鑑賞の際のナビゲイター（ファシリテーターとも称する）としてトレーニングし、ＭｏＭＡ教育部の人たちだけでなく、担任の先生たちにも鑑賞者へのサポートを行ってもらったのです。

結果、3年間ＶＴＣの授業を受けた生徒たちが、観察力、語学力、そして鑑賞力が最も向上したことが明らかになりました。しかし、この検証でＭｏＭＡが最も驚いたのは、ＭｏＭＡの美術史のプロたちのナビゲイトより、担任の先生たちがナビゲイトしたクラスの生徒たちの向上がより著しかったことです。このことから、ナビゲイターに必要なのは美術史の知識よりも、鑑賞者への理解とコミュニケーション力だということがわかってきたわけです。

逢坂　かつてフィリップ・ヤノウィンが研修会で、生徒たちには、時々美術館に行って学芸員の解説を聞くよりも、毎日顔を合わせている先生から聞く方がよく深く伝わる、と話していたのがとても印象に残っています。

同時に、私も含め美術館の学芸員が美的発達段階の第3

■第 3 段階：分類の段階

この段階の鑑賞者は、科学者のように客観的に作品をみて、美術史家のように分析的・批評的スタンスをとる。そのために積極的に文献等にあたり、作品の制作場所、流派、様式、時代や由来などを特定し、こうした事柄（事実・数字等）に基づいて作品を解読しようとする。作品が正しく分類されれば、作品の意味やメッセージは合理的に説明可能だと信じている。

■第 4 段階：解釈の段階

この段階の鑑賞者は、作品との個人的な出会いを求めている。線や形、色彩の機微をじっくりと鑑賞し、その意味が徐々にみえてくるのに任せることができる。批評的スキルを、作品に対する自分の感覚や直感を生み出すためのものとして活用し、作品が象徴する潜在的な意味を鑑賞できるようになる。新たな作品との出会いは、新たな比較、洞察、経験を積み上げる機会となることを理解している。作品の意味や価値は、解釈する人や時が違えば変わるものであるとわかっており、作品に対する自らの考えもまた、巡り合わせによって変わりうると理解している。

■第 5 段階：再創造の段階

作品を鑑賞し、考察するという長い人生経験を持つこの段階の鑑賞者は、「理解できないこと」にも楽しんで身を委ねることができる人たちだ。彼らにとって作品とは、親密な関係があるにもかかわらず、いまだに驚かされることも多い旧友のようなものであり、それは日常的なものであると同時に、敬意を払うべき高次の存在でもある。自らの価値観と照らし合わせながら、自身の人生や記憶を通して鑑賞でき、同時に、客観的な目線でもみることができる。個人的体験と普遍的問題をめぐる知見を統合し、これらを複雑に絡み合わせながら鑑賞できる数少ない人々である。

図1　美的発達段階

美的発達段階（Aesthetic Development Stage）

https://vtshome.org/aesthetic-development/ 及びアビゲイル・ハウゼンの論文やフィリップ・ヤノウィンによる解説も参考に福が作成

■第１段階：物語の段階

この段階の鑑賞者は、ストーリー・テラー（物語を語る人）である。自らの感覚や記憶、あるいは連想をもとに即物的な観察を行い、それを物語に織り込んでいく。自分が「わかるかどうか」、あるいは「好きかどうか」という評価基準で作品への価値判断を行う。作品の世界に入り込み、その一部となって物語を展開するので、意見は主観的で感情に彩られている。作品はアーティストによって作られたことはわかっているが、自身が鑑賞するときにはそのことは思考回路には入っていない。

■第２段階：構築の段階

この段階の鑑賞者は、知覚、自然の法則、常識、社会的・道徳的・通俗的価値観などをツールにして、作品を理解するための枠組みを構築しようとする。制作技術に巧みさがみてとれないか、手軽に作れそうにみえる場合、あるいは、作品の有用性や機能が明らかではない場合、さらにはテーマが不適切に思える場合、つまり鑑賞者自身の中にある「作品はこうあるべきだ」という姿とそれが一致しなければ、拒絶反応を示し、これには価値がないと判断を下す。彼らにとっては、作品のみた目が「現実的かどうか」は重要な意味を持ち、それが作品の価値判断の基準となることが多い。作品に対する主観的な反応が下火になるにつれ、徐々に自分と作品を切り離してみるようになり、作家や制作（手法）の意図にも関心を持ち始める。自分が思ってもみなかった価値観の存在に気づき始めるこの段階の人には、学びにつながる多くの「疑問」が生まれ始める。

段階にあたるとは誰も思っていなかった。皆、自分たちはもっと上の方だと思っていたんですね（笑）。でも実際は私たちの上にまだ第4、第5段階がある、と。これもヤノウィンが言ったことですけれども、第5段階にある人は美術に対する深い知識があるにもかかわらず、知識に縛られないで自由に発想できる。だけど、そういうふうになるためには、短期間ではなくて、長い人生経験が必要なので、該当する人たちはみなさん高齢者で、そうした人は本当に少ないそうです。

福　私も以前、美術館関係者が集まる場で「自分は何段階だと思いますか」と聞いたことがあります。第4～5段階だと自己申告した人は学芸員で、第2～3の段階だと言った人たちの多くがボランティアでした。次に、「来館者はどの段階だと思いますか?」と尋ねたら、学芸員の多くは「第3の段階」と答え、ボランティアの人たちからは「第1か第2の段階」という答えが返ってきました。結果、来館者とあまり触れる機会のない学芸員は、第3の段階の人たちに向けて解説やカタログを書く。ボランティアの人たちは来館者と触れる機会が多くあるので、よく彼らを理解していると思いました。来館者のほとんどは第1と第2の段階で、第3～5の段階は少ないと話しても、みなさんなかなか理解できなかったようです。

私は1991年半ばから1年間MoMAでインターンをしていました。この時にフィリップと同僚のアメリア・アレナスに出会いました。当時、アメリアのギャラリー・トークはとても刺激的で、それに参加するために毎週西海岸からプライベートジェットで飛んでくる人がいるほどでした。私自身、そのギャラリー・トークを聞いて、目からウロコが落ちました。そこで私はMoMAの人たちについて小学校に行かせていただいたり、調査した資料を読ませていただいたりと、1年間VTCについて学びました。その後、VTCをぜひ日本で紹介したいと思ったのですが、どこから手をつけて良いのかわからなかったのです。

そんな時に、ドイツのカッセルで開催される現代アートの祭典ドクメンタ(Documenta)を、日本から見に行くツアーが企画されていることを知りました。著名な評論家や学芸員の方々が参加すると聞いたので「チャンス!」とばかりに、現地合流という形で私はニューヨークからツアーに参加しました。その時、「VTCを日本で紹介するきっかけを作りたい」とアメリアに持ちかけて、同行してもらうことになりました。二人とも経済的に余裕がなかったので、アメリアの航空券は友人がマイレージで購入してくれて、ツアーには私一人が申し込み、ホテルの部屋はこっそり二人で使って（笑）。日本の美術関係者と数日間行動を共にして展覧会をみている間、アメリアにゲリラ・ギャラリー・トークをしてもらったり、みなさんと一緒に食事しているときにアメリアに合図して、ＶＴＣの話をしてもらうというようなことをしていました。その時、たまたま同じホテルに宿泊されていた逢坂さんと出会ったわけです。

逢坂　私はツアーではなく単独で参加していて、ホテルだけ一緒だったんですよね。そこで福さんに初めて会いました。翌日、私は電車でフランクフルトかケルンに行くことになっていて、早朝にホテルを出ると福さんに言ったら、福さんも同じ電車で移動するっていうことになって。初対面だったのに（笑）。

福　同じ電車で移動するのがもともとの予定だったのか、逢坂さんがそうすると聞いてあえて一緒に移動したのか、定かではないんですが、多分後者でしょう（笑）。

逢坂　私はその少し前までＩＣＡ名古屋という民間の組織で、現代美術の展覧会を担当していたのですが、現代美術を伝えていくことの難しさを痛感していたんです。とにかく「現代美術ってわからない」とみなさんに言われていたので、そのことを福さんに話しました。そうしたら「逢坂さん、ＭｏＭＡでＶＴＣっていうすごくいい鑑賞法があるんだけど、それを紹介したらどうかな」と言われて、二人で電車の中で盛り上がって（笑）。ＶＴＣを紹介するために、帰国後はお互い役割分担していこうという話にまでなりました。私は日本側で旅行代理店と相談してツアーを組み、ニューヨークに美術関係者を送り込む。福さんはＭｏＭＡの教育部と協力して、日本人の研修希望者を受け入れるプログラムを作って、実践できるようにする。当時は電子メールもなかったですから、ファックスと電話でやりとりしました。お互いがフリーランスの時代でしたね。

福　そうでしたね。フリーランスには国際電話代は痛かったです（笑）。

■対話型鑑賞の日本上陸

福　ここからは対話型鑑賞が日本に上陸する前後からのことを時系列に沿ってお話ししていきたいと思います。

逢坂　ドイツで福さんと出会った翌年、93年3月にMoMAで第1回の研修会を開催し、私自身も参加しました。作品を複数の人とみる、まず作品をよくみて、そこに何が描かれているかを自分の言葉で発言する。他の人の意見を聞いて、想像力をたくましくして……。それまで日本ではこういった鑑賞教育のメソッドはありませんでした。この研修で、鑑賞方法は一つではないこと、他者の意見との違いを知ること、言葉に出してアプローチしていくことによって、本質的に作品を深く知ることができることに気づいたんですね。本当に目からウロコでした。

福　2年間に3回ツアーを企画し、各回の参加者は20名前後でしたよね。

逢坂　はい。94年の3回目の時、私は水戸芸術館現代美術センター（以下、水戸芸術館）で働いていました。実際問題として、美術館の学芸員やエデュケーターが1週間もの休みを取って、自費で海外の研修に参加する、あるいは公費で出張することが日本ではどれほど困難かを痛感しました……。日本の美術館の人たちにもっとこういう機会を提供し、体験してもらいたいと思ったことがきっかけとなって、今度は水戸芸術館を会場にして、ニューヨークから3人を呼んで開催しようと考えたわけです。

福　1995年ですね。逢坂さんがフィリップ、アメリア、そして私を呼んでくださって、「ミュージアム・エデュケーションの理念と実際」という研修会と、パネルディスカッションやフリートークを企画してくださいました（図2）。

逢坂　実はこの研修会、企業研修並みに参加費が高くて、交通費・宿泊費別で4日間で5万円だったのです。参加者が多すぎても効果が上がらないからと募集定員は40名。1995年当時、5万円もする研修に40名も来てくださるかと心配しました。主催は水戸芸術館と全国美術館会議で、告知に最大限努力をした結果、定員の倍以上の申し込みがありました。

福　１００名近い申し込み、本当にびっくりしました。

逢坂　研修会ではアメリアやフィリップの講義、メソッドの研修を続けました。この時、水戸芸術館では韓国のアーティスト５人が新作を発表する「こころの領域―１９９０年代の韓国美術」という展覧会を開催していて、その作品をみながらＶＴＣを実践してもらうこともしました。

この研修会に参加した方がどういう反応だったかというと、方法論をぜひ自分たちの美術館に持ち帰って広めていきたいという積極派と、日本人はアメリカ人と違って水を向けられても自由にトークができないので不向きであるという消極派に分かれました。さらにもう一つ、こうした人々の思いを大切にしながら言葉を引き出すには、ナビゲイターの力量が非常に問われるので、それを日本では誰が研修して養成するのかという意見、ほかにも、これはナビゲイターが作品解釈の結論に誘導しているんじゃないかという意見も出ました。

福　懐疑派ですよね。

逢坂　そうです。それでも、鑑賞の際に、学芸員が一方的に知識を与えるのではなく、鑑賞する人々に委ねて、共にみて、他の人たちの意見を聞いて、想像して考える。そ

図2　アメリア・アレナスの講義を通訳する福

ういうことに繋げていく鑑賞方法が、ただの思いつきではなく、ハウゼンの統計や分析、そして実践的な検証に裏付けられた、練り込まれた方法論だということは、研修会の参加者一人一人の心に何らかの影響を与えたのではないかと思いました。

福　水戸芸術館でこの研修会を行った年、つまり１９９５年にはフィリップとハウゼンが非営利団体Visual Understanding in Educationを創設しました。そこで、Visual Thinking Strategies（以下ＶＴＳ）という方法を紹介して、活動を開始したわけです。なぜ新しい団体を作り名称をＶＴＣからＶＴＳに変更したかと言いますと、フィリップがＭｏＭＡを退職し、権利の関係上ＶＴＣという名称が使えなくなったからです。

その後、１９９８年にはアメリアの『なぜ、これがアートなの？』という本（図３）が淡交社から出版され、それがきっかけで同名の展覧会（図４）が行われました。この展覧会について逢坂さんからお話しいただけますか。

逢坂　アメリアの著書『なぜ、これがアートなの？』を

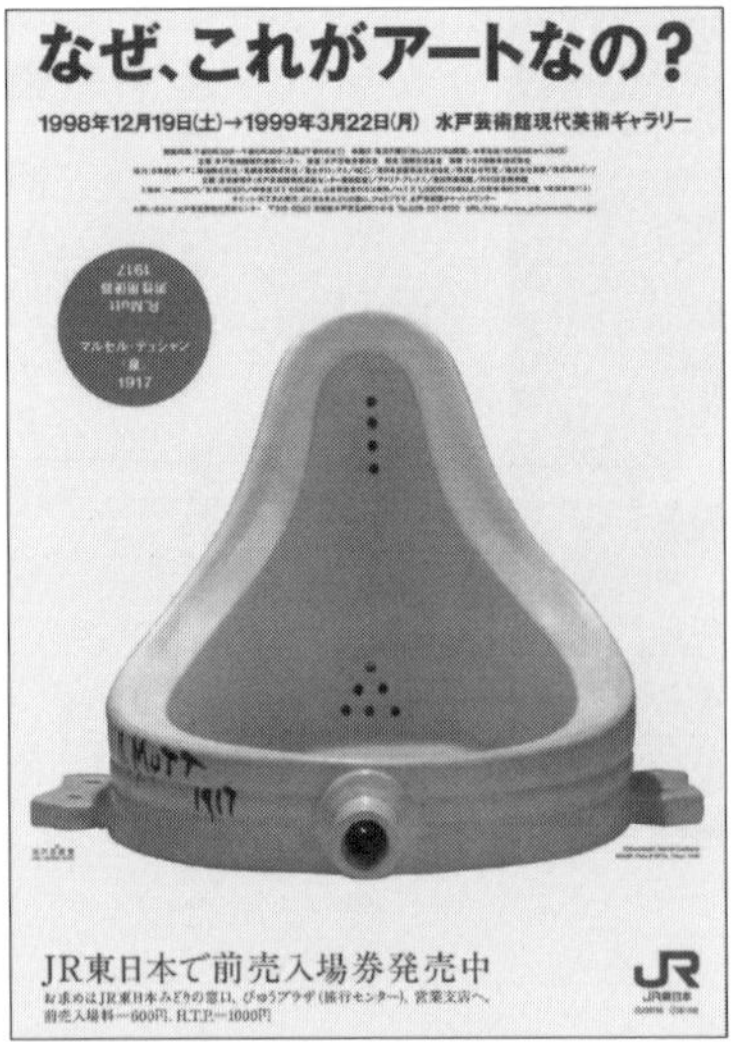

右・図3　『なぜ、これがアートなの？』書影
左・図4　「なぜ、これがアートなの？」展チラシ
提供：水戸芸術館現代美術センター

出版するにあたって、本だけではなくて、本の中で紹介されている作品を実際に展示して、その場で鑑賞の実践も同時にできればより効果があるのではないかとアメリアから提案があったんです。それで彼女をゲスト・キュレーターに迎え、アメリカン・アートのコレクションが充実していることで有名な川村記念美術館（現・DIC川村記念美術館）、非常に豊かな現代美術のコレクションがある豊田市美術館、コレクションはほとんどないが研修会を開催したからと水戸芸術館にも声をかけてもらい、3館が協力して展覧会を企画することになりました。

福　構成はアメリアが考えたのですよね。

逢坂　アメリアの、鑑賞者にいかに伝えていくか、初心者が美術にアプローチする回路をどう開いていくかを考えた構成方法は、今まで私たちが考えていた展覧会の構成の仕方とは全く違っていて、大変刺激的でした。まず全体的なことをお話ししましょうか。たとえば一般の人は、美術愛好家であっても展覧会に来て作品をじっくりみているかというと、意外にみる時間は短いんです。

福　ある調査では、美術館で一人の人が一つの作品をみるのは10秒前後だと言われています。作品よりキャプションを読む時間が長いという調査もあります。

逢坂　キャプションだけをみて作品をみた気になって帰る人も少なくない。ですから、この展覧会ではキャプションは一切つけないことになりました。各章の説明も、美術用語を散りばめた難解なものではなくて、極めてシンプルで中学生でも理解できるようなもの、そして短いものにしました。

展覧会の構成も、アメリアは作品を時系列に並べたり、美術史の文脈や主義に沿うのではなく、まず一番めが「アートを見る、アートを作る」、二番めが「形のない形」、これは抽象美術、抽象的な作品を紹介していくものです。続いて、「すっきりしたイメージ」「モノは語る」「私の内側私の外側」というふうに構成しました。キャプションをつけず自由にみてもらう。でも、やっぱり何らかの手がかりが欲しいということで、会場の最後に作品リストを用意して、欲しい人はそれをみながらもう一度、同じ展覧会をみてまわることもできるようにしました。まずは先入観にとらわれずに、とにかく自分の目で時間をかけて作品をみてくださいというものでした。たとえばヘレン・チャドウィックの《カカオ》はチョコレートの噴水で、展示空間には甘い匂いが充満していて嗅覚も刺激され、作品鑑賞は視覚だけでないことに気づかされます（図5）。

この展覧会の最後には、出品作品の名前がついたアクリルの筒と小さいボールを用意して、みなさんが一番好きな作品名の筒にボールを一つだけ入れてくださいということをしたんです（図6）。展覧会にはモネの作品もあり、一般的にはモネが圧倒的に人気があるのですが、この展覧会の一番人気は、水戸芸術館ではさきほどのチャドウィックの《カカオ》でした。

上・図5 ヘレン・チャドウィック《カカオ》
水戸芸術館現代美術ギャラリーでの展示風景
下・図6 展覧会の最後に設けられた、自分の一番好きな作品を選ぶコーナー
提供：水戸芸術館現代美術センター　撮影:黒川未来夫

福　展覧会全体の反応はどうでしたか。

逢坂　本当に多くの方々が来てくださったんですけど、特に10代、20代の人たちの反応がすごくよかった。学校の先生の反応もよかったです。展示の最後の作品はジェームス・タレル《ソフト・セル》でした。中に入ると真っ暗闇で、音も視覚も遮断されて、その暗闇の中で数分過ごすという作品です。周りには、ソフィ・カルが、先天的に目が見えない人たちに「あなたにとって美とは何ですか」と問いかけ、それで得られた回答と写真が掲げられています。会場の最後にはアメリアの文章を掲げました。

福　ここにその文章がありますので読みますね。

『あなたにとって美とは何ですか?』。1986年、ソフィ・カルは、生まれつき目の見えない人たちにこうたずねました。興味深いことに、彼らの答えの多くは、とても視覚的なものでした。彼らの言葉は、見ることばかりか、私たちが現代美術をどうとらえているのかについても、思いがけないことを気づかせてくれます。〝美〟という一つのことを取り上げても、全く同じように考え、述べる人を見つけるのは不可能に近いのです。だからこそ、20世紀の美術はこれと決まった一つの解釈では、はかれません。人の心を動かす〝美〟とは、私たちが見たものと見たと思っているもの、すでに知っているものと想像しているもの、アーティストが表現するものと、作品を見た私たちが表現するものとが、不思議に混ざり合って、個々の人の中に形成されるものなのです。

逢坂　展覧会の会場でアンケートも取りました。自分の感覚できちんと作品に向き合い、それを言語化していくという経験を経ることによって、「普段から持っていたアートに対するしこりが消えた」「こうした展覧会をもっと早いうちにやって欲しかった」「専門、難解な用語をちりばめられた解説を読むのに苦心してきたけれども、今回やっと見方は一つではなくていいんだということで背中を押された」「作品に近づいていけば、作品は何らかのメッセージを必ず語りかけてくれるのですね」などの回答がありました。

モネの作品に対しても、それまでモネへの世界的な信奉、モネだけが全てのように思っている風潮に対して非常に反感を持っていた方から、「モネの作品をじっくりみたら、モネが非常に前衛的だということがわかった。20世紀の美術の最初を飾るにふさわしい作品だということを改めて自覚し直して、目からウロコが落ちた」という回答もありました。

福　この展覧会に向けて、巡回した3館ではボランティアの人たちをナビゲイターとしてトレーニングされました。しかも展覧会が開催される2年も前の1996年から!!　本当にすごい試みですよねえ。

逢坂　水戸芸術館がMoMAの対話型鑑賞の研修会を実施した後、積極的に反応したのは、当時ギャラリー・トークを行っていた川村記念美術館の林寿美学芸員でした。ボランティア活動に関心があった豊田市美術館の都筑正敏学芸員と、ボランティアによるトークを独自に進めていた水戸芸術館も加わって、アメリアと協働して具体的な展覧会と、その会場で話すナビゲイター育成をセットで実現できたことは画期的でしたよ。3館のボランティア交流も実現して、鑑賞の質をあげることができたのは、やはりアメリアの存在が大きかったけれど、受容する側の体制も必要でした。

福　その後、1999年9月には、アメリアが主演の〈最後の晩餐・ニューヨークをゆく——僕たちが挑むレオナルドの謎〉というドキュメンタリー番組がNHKで制作されて、これが教育コンテンツを対象とした国際コンクールである日本賞のグランプリを受賞しました。さらに2001年に、対話型鑑賞に関する本『みる　かんがえる　はなす　鑑賞教育へのヒント』（アレナス著、淡交社）、『まなざしの共有——アメリア・アレナスの鑑賞教育に学ぶ』（上野行一著、淡交社）などが出版されます。

逢坂　2000年代初頭には、対話型鑑賞も徐々に日本に定着していくわけですね。

■ACOPの取り組み

福　私がMoMAで学んだことはたくさんありますが、その一つに、アート作品とアートは違うということがあります。作品は「モノ」です。一方、アートとは作品と見る人の間に起こる不思議な現象、深淵で興味深いコミュニケーション、「コト」なんだということを学びました。アートが生まれるためには鑑賞者の存在が不可欠なんですね。その「鑑賞者」には、専門家や学芸員だけでなく、サラリーマンから小学生やお年寄りまであらゆる人たちが含まれます。

数年前、埼玉県の高校生の前でギャラリー・トークをした時に、ある高校生がこんなことを言ってくれました。「見ているこちらがどう見るかで、『ただの絵』で終わるか、もっと魅力のつまったものになるかが決まるんだなあって思いました」。この言葉が忘れられません。

日本では毎年約2万人の人たちが大学で芸術を学んで巣立っていくといいます。そのほとんどが作る人です。「コトとしてのアートを生むために必要な鑑賞者は、一体どれぐらい巣立っているのか?」と考えていた頃、京都造形芸術大学（現・京都芸術大学）から美術史を教えないかとお誘いがありました。「美術史を教えるのなら私より適任者がいるはず。でも、鑑賞教育を教えさせていただけるのならお引き受けします」と、お答えしました。そこで、1年だけの予定で、家族も自宅も事務所もそのままにして、ニューヨークから京都に引っ越してきました。２００４年のことです。1年だけと言いながら、結局２０１８年までいたんですが（笑）。

逢坂　芸術表現・アートプロデュース学科ですよね。

福　そうです。この学科では、作品は制作しません。アーティストが制作した作品に意味や価値を付加していくこと、あるいは作品を社会や人と繋ぐこと、そして社会や人々のために、作品を最大限に活用することを学ぶ学科です。ですから、学生たちはまず自分で作品を理解しないといけない。次に、お客さんである鑑賞者を知らなければならない。そこで、「鑑賞者研究プロジェクト」という授業を始めました。

これは1年生を中心に表現演習科目を履修する学生のための年間必修授業です。学生たちは前期に鑑賞者としての腕を磨き、後期にナビゲイターとしてのトレーニングを受けます。その後、学外からボランティアで鑑賞者をお招きして鑑賞会を開きます。最初はこれを「鑑賞者研究プロジェクト」と呼んでいたのですが、ある学生が「名前が長ったらしいから、もっと短いのにしませんか?」と言ってきたので、「じゃ、あなたが考えて」と言ったら、「ＡＣＯＰ（エイコップ：Art Communication Project）」を提案してくれましたので、２００５年以降は、ＡＣＯＰとなりました。この名称は、次第にプロジェクトだけではなく「ピカソの作品でＡＣＯＰをする」のように1回ごとの作品鑑賞のことも意味するようになっていきます。

２００４年から２００８年まで、前期と後期に各1週間ずつアメリアを招聘し、講義や作品鑑賞などへのアドバイスをもらいました。また、２００４年から２０１８年までは毎年約２００ページにおよぶＡＣＯＰの報告書を出版しました。そこには学生自身のレポートや、心理学者や教育者による学生の変化・成長に対する分析も掲載しています。アメリアにも分析してもらいましたし、ハウゼンのお弟子さんにも、学生の文章を英訳したものを送って分析してもらうというようなことも行いました。

　美術作品はもちろんですが、私たちは古地図やレントゲン写真、あるいはブラウン運動といった理系の画像をみてＡＣＯＰをします。また、京都大学や東京大学との共同プロジェクトに取り組むこともありました。たとえば子どもたちとの鑑賞会にロボットを介することで、子どもたちはどういう会話をするのかを観察・分析する試みなどを行いました（図7）。

上・図7　東京大学「人ロボット共生学プロジェクト」でのワークショップ
下・図8　小学校への出前授業

　２００９年には学外からの要望などにお応えするため、大学内に「アート・コミュニケーション研究センター（以下ＡＣＣ）」を設立し、美術館や教育現場でＡＣＯＰを行いました（図8）。医療系の学校、看護師向けのトレーニングも始めました。ＡＣＣ設立の前年には記念シンポジウム「コミュニケーションと学びを考える」を行い、アメリアにも来日してもらいました（図9）。また２０１１年にフィリップを招聘し、連続セミナー「ヴィジュアル・シンキング・ストラテジー」（ＶＴＳＪ）を、３期１年にわたって企画しました（図10）。これはアメリカの学校教育の中でＶＴＳが広まっているということは聞きながらも、私自身、ＶＴＳは文献でしか知らなかったので、一度、本家本元から直接教えていただこうと企画したわけです。

逢坂　セミナーを通してあらためてＶＴＣとＶＴＳ、さらにＡＣＯＰについて俯瞰できましたか。

福　はい、この三つにはたくさんの共通点と同時に違いもあります。ＶＴＣは美術館の来館者を念頭に始められて、のちに教育現場に広がった。鑑賞の展開具合によっては作品についての情報も出します。ＶＴＳは、最初から複数回参加可能な小学校や中学校の生徒をターゲットにしてきたこともあり、少し方法が違ってくる。こちらは基本的に作品の情報は出しません。また、ナビゲイターは中立でないといけないというのがＶＴＳの基本ですが、完全中立のナビゲイターというのは、ロボットみたいで……。一方、ＡＣＯＰは、ＶＴＣに近いかなとは思うんですが、学生には、鑑賞者と共に作品をみているということを忘れずに、と言ってきました。ナビゲイターも鑑賞者であり、同時に彼らは作品だけでなく鑑賞者をも鑑賞する鑑賞者です。

　ＡＣＣでは２０１２年から対話型鑑賞を用いた企業向けの研修を行っています。２０１５年にフィリップ・ヤノウィンの『どこからそう思う？　学力をのばす美術鑑賞　ヴィジュアル・シンキング・ストラテジーズ』（淡交社）をＡＣＣが翻訳して出版しました。

　このように30年間、鑑賞、対話型鑑賞に関わってきて、「みる・かんがえる・はなす・きく」という多くの人が基本的に持っている能力を意識して使いながら作品を鑑賞することで、様々な能力が鑑賞者に身に付いていくことを実感しています。

　芸術大学の学生でも、特に1年生は「アートは難しい、

上・図9　シンポジウムで講演するアメリア・アレナス
下・図10　連続セミナーで講師を務めるフィリップ・ヤノウィン

わからん」と言います。でも作品をみて話し合っていくと「わからない。だから興味がない」じゃなくって、「わからない。だから興味がわく」と、彼らが変化していく様子が手に取るようにわかります。

逢坂　そういう変化をみられるのは嬉しいですね。

福　はい。ある時、一人の学生が私の部屋に入ってきて、「問題が発生しました」と言うのです。どんな問題なのかと聞くと、「今まで通り、道をスタスタと歩けません。信号が赤になったら止まるでしょ。待っていたら青になります。その時、この青は一体何を意味しているのかなあって考え始めたら、信号はまた赤に変わる。だから、今までのように道をスタスタと歩けない」と言うんです。笑いながら私が「それはなかなかええこっちゃ」と言うと、本人は「いいことなんてありません。これは病気なんです」と真剣な顔をしている。「何の病気?」と聞いたら「ＡＣＯＰ症候群」(笑)。

　意識を持ってみるという訓練を受けた学生たちは、授業中だけじゃなくて、日常の生活の中でも立ち止まって観察し、「なぜ?」と考えるようになる。それがＡＣＯＰ症候群。「なぜ?」と自分で思うんだから、知りたいじゃないですか。そうすると学生たちは自主的に知る努力を始めます。このような経験を重ねていくと、徐々にナビゲイターなしでも一人で作品鑑賞ができるようになります。これを学生たちは「一人ＡＣＯＰ」と呼んでいます。そんな学生が美術館に「一人ＡＣＯＰ」をしに行くと、たいてい怒られるそうです。美術館の人たちは、10秒、20秒程度作品の前で立ち止まる鑑賞者には慣れていますが、30分以上も一つの作品の前で立ち止まっている人には慣れていません。「一人ＡＣＯＰ」をしていると、大抵「移動してください」と言われる。でも、こうした学生にはセルフ・エデュケーション力が身についていると私は思います。自ら問いを立てて考えられるようになっているからです。逢坂さんは、対話型鑑賞の教育的効果みたいなものについて、どう思われていますか。

逢坂　福さんが京都芸術大学でＡＣＯＰを始められたことによって、対話型の鑑賞方法は本当に広がっていったと思うんですね。私自身は、紹介には関わりましたけれども、エデュケーターとして対話型の鑑賞方法を極めたわけではありません。私が在籍していた水戸芸術館は、開館当初からエデュケーションに非常に力を入れていまして、このあと登壇される黒澤伸さん、今も勤務している森山純子さんという素晴らしいエデュケーターのもと、ボランティアの方たちが訓練と経験を重ねて、今もどんな展覧会でもトークを続けています。私は教育チームに預けてしまった。とはいえ遠くからみていても、この鑑賞方法がどのように影響したのかといったら、大きなものがあると思います。

ここではちょっと視点を変えて、他のことをお伝えしたいと思います。スタンフォード大学で起業家のための講義をしていたティナ・シーリグ教授の、「創造性を高める九つのポイント」というものがあります。これは対話型鑑賞の教育的効果、特に現代美術の鑑賞と重なるところがあると思うので紹介します。

ビジネスの世界でも新しいことにチャレンジするためには、創造力が必要。これは美術鑑賞から得ることも大きいと思います。まずポイントの一つめはObservation。「観察」ですね。注意をよく払って物事を見ていくということが、洞察力や観察力を鍛える。

二つめはChallenge Assumption。これは自分の思い込みや前提を疑う。つまり先入観を取り払って想像力を鍛え、他の人の考え方や意見も受けいれられるか、耳を傾けることですね。

三つめのMetaphorは、関連のないものをつなげていく、つまり多様性を見出すことですね。

四つめがReframe the Problem。問題の捉え方を変える。一方的な見方ではなく、少し視点を変えて物事に対処していく、複数の視点を知る。

五つめはSpace Matters。これは直接的に鑑賞教育ということではないかもしれないですが、展覧会を構成するときに空間をどうやって使っていくかということ。空間の中に自分の五感を使って、自分の体をそのままその空間に置いて体験するのは、オンラインやデジタルでは伝わらない部分で、その空間は大切であると。創造的な異空間を作ることですね。

六つめがTeam Matters。チームワークですね。「一人ＡＣＯＰ」ができる人が最終ゴールかもしれないけれども、多くの方たちと共同する空気、空間を共有しながら意見交換をしていくのは、とても大切なことです。そうしますと、自分が思ってなかったことを他の方が言うことによって、その人たちの考え方も含めて異なる能力を認めてコミュニケーションを図れます。

七つめはTime Matter。これはビジネス的な発想かもしれませんけれども、限られた時間を有効に使う。

そして、八つめはTry Lots of Things & Know What Works。これはいろんなことを試みて、何が有効であるかを自ら見出すこと、つまり失敗を恐れないで実践していくことですね。言い方を変えると、負を正に転ずる柔軟性ということになるでしょうか。

最後がAttitude。これは自分自身の心の持ちよう、態度といいますか、積極的に関わっていこうとするその態度。それがあれば、独自の発想や想像力に繋がるということです。

これらはビジネス界で起業家たちに必要だと言われている事柄ですが、ＶＴＣが伝えようとしていたことと重なると思いました。私たちがＶＴＣに求めてきたことは、決して美術の世界だけではなく、社会の中で様々な分野で有効であることの一つの証左だと思います。すでに、福さんたちが科学者とか医学関係者の方たちと対話型鑑賞の場を設け実践されてきたことも、それを裏付けていると思います。

■30年を振り返って

福　最後にこの30年を振り返って思うことをお聞かせくださいますか。

逢坂　学芸員としては、来館者に対しての考え方が変わりました。先ほどのハウゼンの美的発達の5段階ですが、多くの美術館は、第1や第2の段階ではなく自発的に来る第3段階以上の人に向けて様々なプログラムを組んでいたというのは、その通りだと思います。以後、展覧会を作るときにも、この展覧会はどの段階の人たちをターゲットの中心にして作る展覧会かを考えるようになりました。展覧会はもちろん五つの段階すべての人に向けて開かれているものではあるんですけれども、第1や第2の段階の人を中心にしたものなのか、それとも第3段階以上の人のためのものなのかを意識的に考え、展覧会を作るだけではなくて、どういう情報の出し方がより来館者にとって必要なのかということも考えるようになりました。

もう一つ、以前、水戸芸術館の館長で音楽評論家だった吉田秀和さんに「美術関係者の人たちの書く文って、どうしてあんなに難解で装飾が多くて、修辞的なんだ。優れた書き手というのは、中学生ぐらいの人たちでもわかるような平易な言葉で、奥の深いことを伝えられる人なんだよ」と言われたことがありました。私自身、難解な文章を書くのはどちらかというと得意ではなかったので、これ以後も、なるべく平易な言葉で、展覧会の趣旨が伝わるように心がけるようになりました。

日本では日々たくさんの展覧会が開かれています。この2、3年はコロナ禍で展覧会を開く機会が遮られていましたが、それでも、世界的に見ても日本の美術展の数は多いと思います。美術展を見に来る人は多くても、本当に美術が自分の人生に必要であるとか、社会に必要であると思っている人がどれだけいるだろうかと考えると、真の美術愛好家というのは30年前と比べてもさほど変わらず、まだまだマイノリティだと思います。全人口、そして社会の中で、美術に対して非常に開かれている人はとても限られている。

福　外国に住んでいて感じることは、日本のアーティストたちのレベルは決して低くない。しかし、それをサポートする人たちの層は、日本はまだまだ浅いと思います。やっぱりアートという「コト」を生んでくれる鑑賞者やサポーターがいてはじめてアーティストたちも切磋琢磨ができるし、彼らの生活も可能になると思うんですけどね。

こんな調査があります。子どもたちに「美術館などに作品をみに行きたいですか」と問うと、「行きたくない／どちらかといえば行きたくない」という否定的な回答が小学校6年生では約70％、中学校3年生でも55％に達します。そして「図画工作は将来の生活や社会に役立つと思いますか」という問いには小学生6年生が30％、中学生は半数以上が「役立たない／どちらかというと役立たない」と答えています（平成2～3年、国立教育政策研究所）。

逢坂　美術館で働く私たちとしては、将来的に美術館をサポートしてくれる人をどう見出していくかが大切ですね。現在、本当の意味で美術館を支援しましょうという人たちは、世界的にみてもどちらかというとビジネス界や政界でトップクラスの人たちが多いです。そういう人たちはコレクションを自分たちで作ることができて、寄贈することもできます。しかし第1段階、第2段階の人たちも、将来美術を支えてくれるスタートラインに立っている人ですから疎かにはできない。良質な鑑賞者を育てることが本当に大切です。そして結果的にそれが第３段階、第５段階にアップしていくことにつながると思うんですね。

今、ロシアのウクライナ侵攻をはじめ、全世界で対立や戦争が絶えないですし、コロナ禍の問題もまだ解決してないので、先行きが見えない時代ではあるのですけれども、日本において持続可能な美術館運営のためには、本当に良質の愛好家を増やすことが大切だと思います。今後への提言もあります。

福　お願いします。

逢坂　この何年か心に留め、課題と思っていることがあります。今はまだ経済大国日本ではありますが、その中で孤独死や、若い人と中高年の自殺が多いですし、育児放棄も常にニュースで報じられています。世界的な調査で「幸福か」という問いに「幸福だ」と肯定的に答える人の数は、日本では少ない。日本は先進国の中では、幸福度が低い国なのです。

相対的に見ると、日本人は本当に真面目でよく働くと思うのですが、デジタル化が進むと、単純作業はＡＩがやり、人間がやることではなくなっていく可能性が高い。そうすると私たちはどういう世界に生きていくか。デジタル化が進むのは自明の理ですけれども、アナログ的なことを大切にしていくこともやはり重要だと思うんですね。身の丈に合った生活で、助け合いも必要。日本では、東京が特にそうなのかもしれませんけど、電車の中で、大変そうな人を助けるとか、ベビーカーが乗り降りする時に手を差し伸べる人、高齢者に席を譲る人が極めて少ない。欧米ではまだ結構助けてくれるんですよ。

この違いは何だろう。そうしたときに、作品を通してまず自分のことを知ること、それから他者のことを知ること、つまり世界や人間を一つの見方ではなくて、批評的な視点も含めてまず複眼的な視点でみることに気づかせてくれるところが、対話型鑑賞への一つの期待ですね。

それから、自分たちが社会の、そして世界の一員であるという感覚を見いだせること、自分たちは社会から切り離されていて孤立無援ではなくて、世界の一員であるということを気づかせてくれることが大切だと思います。

対話型鑑賞で、自分たちが立っている場所、状況を確認して、自分と似ている人とか、自分とは異なる人々の存在を理解する。チームワークで、共同作業の楽しさを知る。そういうことから自分を肯定的に捉え、他者も肯定的に捉え、共に助け合うということができれば、複雑な時代を乗り越えるための一つの力になっていくと思います。

　少し大げさかもしれないですが、そういうことを伝えてくれるのが、この対話型鑑賞の一つの大きな魅力なんじゃないかと思います。私自身はこの30年間、対話型鑑賞の実践者としての現場に立っていたわけではありませんが、複雑な時代にいて、本当にそう実感します。

福　ありがとうございます。今（2022年8月）、国立新美術館で李《リ》禹《ウ》煥《ファン》さんの展覧会をされていますよね。私、15年ぐらい前に李さんがお話しされている場所にいたことがあります。李さんはこうおっしゃっていました。「僕は、常に作品と対峙して制作をしてきました。ところがある日ふと気づいたんですね。これは僕と作品という相互の関係ではなくて、実は三角関係なんだって。三角関係のもう一点は鑑賞者。僕はずっとそれを忘れていた、というか気づかなかった。それに気づいてから、そのことを意識して制作をしています」と。ぜひ新美術館に李禹煥展をみに行かせてもらいますね。

逢坂　ありがとうございます。

福　私は講演などでよく「対話型鑑賞で身につく一から十」についてお話しします。でも今日は、逢坂さんが私とは異なるアプローチで、しかしとても似たことをティナ・シーリグの九つのポイントを使いながらお話ししてくださいました。

　私にとって対話型鑑賞は、一つの正解を見つける作業ではありません。あるいは、「みんな違ってみんないい」と満足して終わるものでも決してありません。対話型鑑賞は「わかった気にならないで問い続ける作業」だと思っています。それから、異論を持ち寄って、聞き合って対話を重ねながら、その場、その時の、その人たちの集合知みたいのものを共同で作り上げる作業。逢坂さんが先ほどアナログとおっしゃいましたが、これはＡＩにはできない。人間にしかできないことです。もし、世界中の人が優れた聞き手になって、こういう集合知をみんなで話し合って作り上げることが可能となったら、ひょっとしたら、戦争も起こらない世の中になるんじゃないかと私は思っています。

逢坂　その通りです。

福　それでは時間も来たようですので、ここで対談を終わらせていただきます。今日は本当にありがとうございました。

逢坂　こちらこそ、どうもありがとうございました。

二章 パネルディスカッション

美術館と対話型鑑賞

登壇者

黒澤 伸　金沢市民芸術村 総合ディレクター（元金沢21世紀美術館 副館長）

稲庭 彩和子　独立行政法人国立美術館 主任研究員

原 泉（執筆）　山口情報芸術センター［YCAM］エデュケーター

モデレーター

都筑 正敏　豊田市民芸館 館長（元豊田市美術館 学芸員）

（左から）登壇する都筑・稲庭・黒澤・原

はじめに

本章は、日本各地の美術館における対話型鑑賞の受容と実践について報告したパネルディスカッション「美術館と対話型鑑賞」の内容とその後の議論を、登壇者の一人である原泉がまとめたものである。

アメリカの美術館が「冬の時代」といわれた１９７０年代、それまで一括りに捉えられてきた「鑑賞者」の再検討が行われた。詳細な調査と分析を経て、鑑賞者には大きく分けて５段階（一章12ページ参照）があることがわかり、ＶＴＣは第１・第２段階の鑑賞者へのアプローチを考慮した教育プログラムとして開発された。前章では、ＶＴＣを日本に紹介し、対話型鑑賞という名称で普及を行った逢坂恵理子氏と福のり子氏によって、当時の経緯が語られた。それに続く本章の位置付けと構成を示すため、モデレーターを務めた都筑《つづく》正敏氏が作成した年表をご覧いただこう（図１）。

この年表は、戦後の社会的・文化的な背景から、日本の美術館や博物館の特徴や役割の変化を示した伊藤寿朗の「博物館世代論」等を参考に作成されている。対話型鑑賞が紹介された１９９０年代は「参加・体験志向」が重視

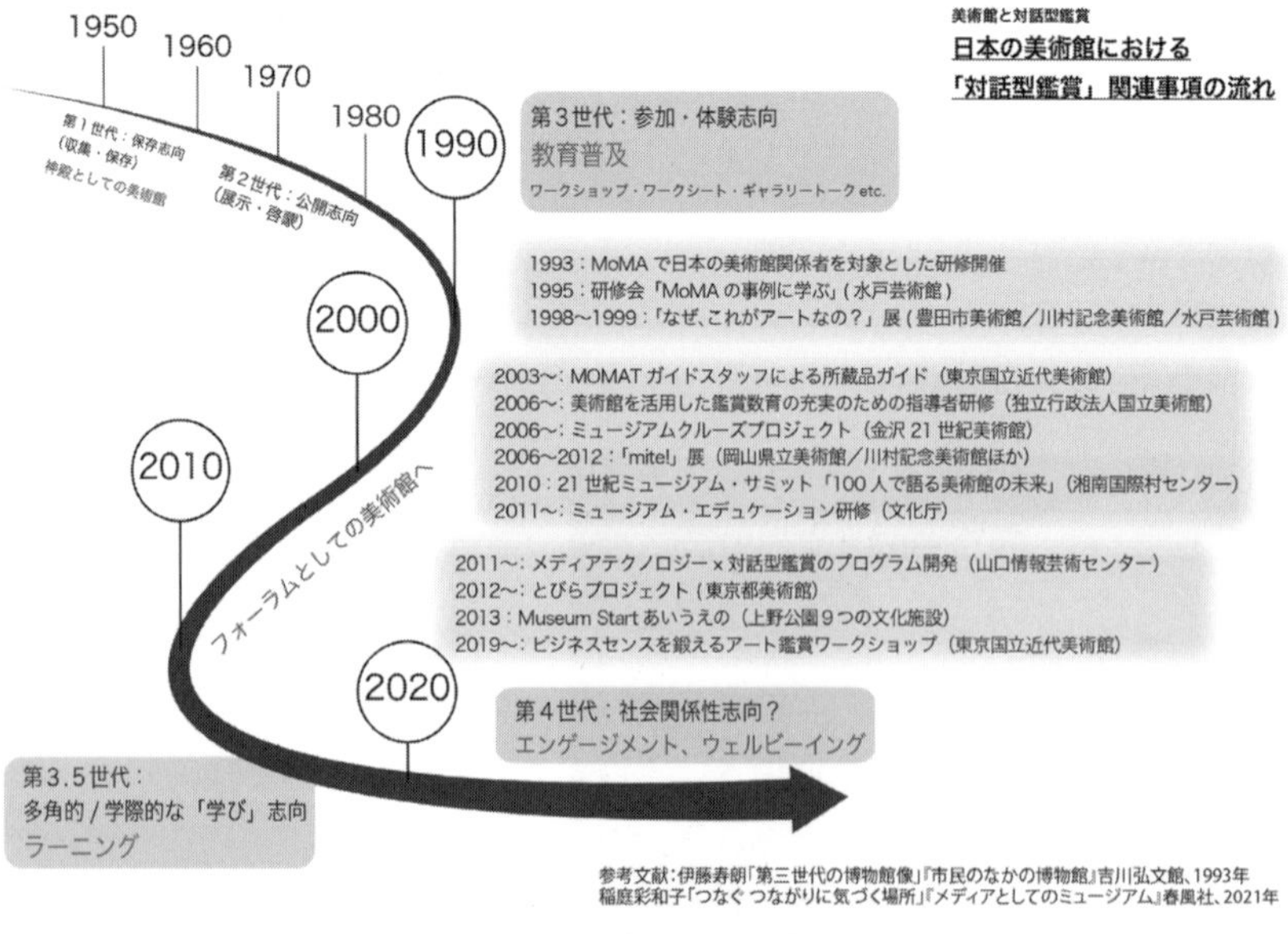

図1　日本の美術館における「対話型鑑賞」関連事項の流れ
作成：都築正敏

されてきた第3世代にあたり、この論が提唱された当時は最先端の世代でもあった。都筑氏はそこから現代に続く第3・5世代、第4世代を加えて、さらに、本フォーラムの主題である対話型鑑賞に関連した各美術館の実践例を列挙している。

　この年表に沿いながら、本章では対話型鑑賞が日本に持ち込まれた1990年代初頭から現在までの30年間を3区分し、黒澤伸氏（1990年代〜2000年代）、稲庭彩和子氏（2000年代半ば〜2010年代）、そして本章筆者の原泉（2010年代後半〜現在）の順で、それぞれの年代での取り組みを紹介する。最後に、現在から未来に向けて、美術館教育の「これから」についての考察を深めるディスカッションを展開する。

■体験を重視するプログラムを生み出す（1990〜2000年代）

――黒澤伸氏のプレゼンテーションより

　インターネットで「美術館　鑑賞プログラム」と検索すれば、多数の美術館が参加・体験型の学習プログラムを実施しており、その中には対話型鑑賞を取り入れたものも多数あることがわかる。このようなプログラムの企画や運営は、美術館では基本的に「教育普及担当」や「エデュケーター」という役職が担っている。しかしながら、どのような経緯で現在のような教育普及の役割が誕生し、ワークショップや教育プログラムが展開されてきたのだろうか。まずはその黎明期に当事者として活動していた黒澤伸氏の活動を紹介しよう。

　逢坂氏と福氏がドクメンタの会場で出会った1992年、黒澤氏は水戸芸術館に所属していた。今でこそ一般化した「ワークショップ」は、当時の美術館では耳慣れない言葉だった。「ワークショップをやります」と言えば「なんのお店を開くのですか」と返事をされるような時代だった。さらに、当時多くの美術館は教育普及のみを専門にする職員はかなり少なかったうえに、「私はエデュケーターです」と名乗る人もいなかった。そもそもティーチング（教える）に対するエデュケーション（育む）という言葉さえ浸透はしていなかった。それが、今ではラーニング（学ぶ）としてさらなる広がりを見せている。このように、教育普及の領域で使われる用語が変化してきた背景には、学ぶ側の主体性をより重んじていこうとする変化があったのだろうと、黒澤氏は語る。

現在よりもはるかに「教育普及」の認知度が乏しかったこの90年代初頭に、黒澤氏が初めて本格的に子どもたちに向けて取り組んだ鑑賞プログラムが「アバカノヴィッチ探検隊」（以下、「探検隊」）である。このプログラムでは、子どもたちが展示会場を探検ツアーのように巡っていくのだが、その過程にさまざまなワークが散りばめられていた。

たとえば展示室で行うワーク「ブラインドゲーム」では、二人一組のペアの一方が目隠しをして、もう一方は目隠しをした相手の体にできるだけ触らないようにしながら言葉だけで誘導していく。これは相手の立場に立ち、右か左か、何歩歩くのかといった会話ができないとうまくいかない。「探検隊」では展覧会に関する解説も用意されているが、それは「ブラインドゲーム」を経て展示室の中を探検した後に行われる。つまり、体や頭を使った体験そのものをまずは行う設計になっているのだ。

また、展覧会の解説はゴールではなく、そのあとさらに鏡を使った「逆さまミラーウォーク」というワークが続く。手に持った鏡を目の下に水平に当てながら歩くと、床であるはずの位置に鏡を通して天井が映る。天井の高低差が部屋ごとに違う水戸芸術館の場合、天井の低い部屋から高い部屋に入ろうとすると、自分が踏み出す一歩先がまるで奈落のように見えてしまうのだ。

「ブラインドゲーム」も「逆さまミラーウォーク」も、それ自体は作品鑑賞でもなければ解説でもない。しかし、ほんの些細な仕掛けによって「ものを見るとはどういうことだろう」という内省を促すこのワークは、鑑賞の萌芽を育むものでもある。なぜなら、そこでの経験は視覚をはじめとした自分の感覚が時によっては頼りにならない可能性を理解することにつながり、「より注意深く作品を観察しよう」、「隣にいる相手と見たものを共有しよう」というマインドセットの役割を担うからだ。

黒澤氏の考えるワークショップの特徴や本質は、双方向性、多方向性、実験性が高く、途中で変更や修正が可能（＝オープンエンド）なことにあるという。つまり「どうなるかわからないけど、とにかくやってみよう」という発想が形になったものだといえる。この「探検隊」を皮切りに、黒澤氏はこれまでに多くの実験的な鑑賞プログラムを世に送り出してきた。

水戸芸術館は、ほとんど収蔵品を持たない「アートセンター」と呼ばれる施設で、主に現代美術の作品を扱ってきた。このような作品には、アーティスト、学芸員、そして観客にとっても、黒澤氏の言葉を借りれば「これは何だ」という感覚を突きつけてくるものが多い。そのような環境で、同館の教育普及では大きな2本の柱が立ち上がっていった。一つは「生々しく体験するプログラムを行うこと」、もう一つは「アート・コミュニケーションを行うこと」だ。

黒澤氏は「探検隊」に続けて、一つめの柱「生々しく体験するプログラム」の例を紹介した。20メートルほどの長さに繋げられた一輪車のような彫刻作品を、実際に大勢で乗りこなすことを試みるものだ（図2）。鳥の大群は一斉に向きを変えることができる。では人間の場合、たとえば先頭の人が右に行こうとしたとき、どうやってその意思を後ろの人に伝えるのだろうか。当時の映像には、一斉に皆がバランスを崩し、将棋倒しのように転んでいく様子が映っていた。「これ、絶対に怪我した人いますよ」と黒澤氏。まさに「身をもってやってみよう」という、彼なりのワークショップのコンセプトをそのまま具現化した例だ。

教育普及という仕事に身を置いていると、常に身体的・心理的な安全性を意識したワークショップ設計が求められる。その重要性は言うまでもないが、もしかしたら、怪我をしかねないくらいの経験（傷がつく、摩擦が起こる）によって、筋繊維や皮膚組織が強化されていくかのように深まる学びの形もあるのかもしれない。「失敗から学ぶ」という

図2　曽根裕の彫刻作品に乗るワークショップ（1993年）

言葉もあるように、不慮の事故（ハザード）ではなく、熟慮の上での失敗（リスク）を促し、かつ、その後のフォローやケアをしっかりと見込んだワークショップは、純粋に羨ましいと思ってしまう。なにより当時の記録映像の中の参加者たちは、派手に転んだ時にこそ楽しそうに笑っているのだから。

１９９２年、水戸芸術館はボランティアの募集を始める。そのきっかけは、１９９０年のクリスチャン・ボルタンスキーの展覧会だったという。この展覧会場の設営には、茨城大学の大学生たちも参加していた。一通り設営が終わった後、アーティスト自身が腕組みしながら「ここ、ちょっとやり直そう」と言い始めた。皆、正直「えーっ」と思いながらも、作家は学生たちとやり直していく。すると驚くほど展示が良くなったという。

黒澤氏は、「その時の学びがいかに大きいかを、僕自身はその学生たちの変化によって実感した」という。これも、ある意味では失敗から生まれる学びの形と言えるだろう。さらにここには、アート作品を介してその場に携わる人々の間に起こるコミュニケーションの様子も見てとれる。黒澤氏は、このような経験の機会をより幅広く作りたいと考え、ボランティアを募ることにしたという。

募集を始めて2年ほど経過した頃に、ボランティアスタッフたちは実際にギャラリー・ツアーのガイド役としてデビューすることになった。まさにこの時期に、水戸芸術館ではＶＴＣの研修「ミュージアム・エデュケーションの理念と実際」（１９９５年）が開催された（一章参照）。こうして同館の二本めの柱である「アート・コミュニケーション」を行うプログラムが、対話型鑑賞の日本上陸の後押しを受けて展開されていったのである。

１９９５年頃になると、東京都現代美術館、豊田市美術館が開館し、現代美術をより広めていくための動きが見られるようになる。しかしその一方で、90年代後半から日本の美術館も「冬の時代」に突入した。黒澤氏の言葉を借りれば「それはもう恐ろしいぐらいに」館を運営するための予算が削られていった。この状況下で美術館は自らの存在意義と役割を問い、模索していくようになる。

当時、教育普及の担当者の中で強く意識されていたのは、（特にアメリカでの）オーディエンス研究、つまり来館者について理解しようとする研究だったという。この研究はふだん美術館に来ないような人たちも含めて、美術館はどう役立っているのか、あるいはどうあるべきか、ということを問うていた。そして、その動きに拍車をかけるように持ち込まれたのが対話型鑑賞だった。このように、アメリカの美術館がたどった過程を約20年遅れる形で日本の美術館もたどることになった。

２０００年以降になると「大地の芸術祭　越後妻有《つまり》アートトリエンナーレ」などの地域芸術祭が始まる。美術館でもギャラリーでもない場所で続々と現代美術が展示され、そこでは鑑賞ツアーも行われるようになった。冬の時代に自らの存在意義を問うようになった美術館は、さらに、芸術祭と自らを相対化していく必要にも迫られた。

この冬の時代に計画されていたのが、黒澤氏が次に仕事をすることになった金沢21世紀美術館（以下21美）だった。21美にはその計画の段階、建築設計、運営理念に至るまで通底していたキーワードがあったという。それこそが「他者」だった。「コミュニケーションには他者が必要不可欠だ」というように「他者」は、対話型鑑賞の中でよく耳にする言葉でもあるが、ここで述べられている他者とはいったいどのようなものなのだろうか。

21美開館の年でもある２００４年から始まった「ミュージアム・クルーズ・プロジェクト」は金沢市内に住んでいる小学１年生から中学３年生までの「全員」を美術館に招待しようという一大プロジェクトだった。金沢市の学校数はおよそ95校、人数は教職員も含めると約４万２千人だったという。これは実に金沢市の人口の10％弱を占める。この数字だけで、どれだけ大規模なプロジェクトだったかが窺い知れる。黒澤氏も「ほとんど社会実験だと思っていました」と言う。では、なぜこのように大規模でなければならなかったのか。それは、「全ての」小中学生を一つの「他者」と見なすことができるからだという。子どもたちは勝手に美術館に来てくれるわけではないし、美術館も彼らに向けた展覧会を作ることがほとんどない。そんなふだんは接点のない「他者」である彼らだからこそ、一度、美術館に足を運んでほしかったと黒澤氏は強く思っていた。

「もっと長く作品を鑑賞し、より多くの人に深く味わってほしい」というのは、ほとんどの美術館関係者の願いであろう。黒澤氏はその第一歩として、みたものをまず言葉にしてみることや、その言葉を自分で改めて考えてみるプロセスが深く作品を鑑賞するうえで必要だと語る。フォーラムでの壇上の発言を紹介する。

「私は『Aだ』と考えた。それに対して例えば稲庭さんが『Bだ』といった。お互いにすり合わせてみて『なぜBなの?』『Aではだめなの?』てやっていくうちに、『だったらCっていうのもあるね』『いやXかも』のような、より創造的なプロセスになる。それって間違いなく自己肯定とか自己形成、他者理解みたいなものに繋がるんじゃないかと思うんです。正直なところ、なかなかそこまではいかないかもしれないけど、でも少なくとも『今より味わい尽くす』ってことをやって帰ってほしい」。

ゴールや結論がない状態から、複数で意見を交換し合いながら解釈を作り上げていくこと。黒澤氏がワークショップや教育プログラムを開発する上で行った試みは、まさにコミュニケーションを通した他者との合意形成を目指す対話型鑑賞とも大きく通じているのである。

30年前の教育普及の黎明期、美術館冬の時代を生き抜いた黒澤氏の活動は、日本各地の美術館へと伝播し、いわば鑑賞教育の「芽吹き」を促した。次に、２０００年以降の美術館の教育普及を稲庭氏の活動からみてみよう。

■アートを介してコミュニティを育む（２０００年代半ば～２０１０年代）
——稲庭彩和子氏のプレゼンテーションより

「１９９５年は、新しい活動やシンポジウムなどが盛んに行われ、とてもワクワクドキドキするような美術館教育の黄金期だった」と稲庭氏は話し始めた。

当時大学院生で、東京国立博物館でアルバイトをしながら日本美術を学んでいた稲庭氏は、各地で活発に巻き起こっていた教育普及活動を目の当たりにして、「若者からなかなか関心を持たれない日本美術という分野でも、人と作品を繋ぎたい」と考えるようになった。それがきっかけとなり、日本美術の教育普及活動を活発に行っていた大英博物館で2年間のインターンシップを行い、同時にロンドン大学で博物館学を社会学の視点から学んだ。この経験を経て２００３年より神奈川県立近代美術館で教育普及担当となり、対話的要素を持つ展覧会や鑑賞プログラムの企画を実践。２０１１年に東京都美術館（以下、都美）に移り、「とびらプロジェクト」に代表されるようなアート・コミュニケーション事業を立ち上げることになる。

この取り組みは、単に美術館の展覧会に紐づいた教育普及プログラムではなく、社会を巻き込み、かつ美術館を起点に中長期的な市民のコミュニティを形成する、美術館を拠点にした文化プロジェクトという大きな目的を持っていた。

この30年間で「教育普及」は「エデュケーション」へ、さらに２０００年代頃からは「ラーニング」とも呼ばれるようになった。そして２０１５年頃からは新たなキーワードとして「エンゲージメント」や「ウェルビーイング」も登場し、美術館でも、「作品」の専門家としての学芸員だけではなく、作品と人や社会を繋ぐ専門家が求められるようになったという。稲庭氏はこの背景の一つに、人が作品に出会った時の認知的な変化（あるいは学び）についての専門的な知見が必要だという理解が広まったことを挙げた。言い換えれば、作家や作品という「作り手側」の専門的な研究だけではなく、美術館や公共施設を利用する鑑賞者、広く言えば市民という「受け手側」について理解する必要性が美術館に認識されてきたということだ。これは黒澤氏の発表にもあった「オーディエンス研究」とも通じている。

続けて稲庭氏は、自身のこれまでのテキストを挙げて、このようなニーズに関連する事例を紹介した。「感性を育むミュージアム・エデュケーション」（雑誌「教育と医学」２０１０年12月号に寄稿）には、２０１０年代以降、社会の中で「主体的」「対話」「教育から学びへ」「ケア」のような用語や動きが出てきたことが紹介されている。さらにそうした動きは、たとえば２０１５年に国連でＳＤＧｓ（持続可能な開発目標）が採択されたことなども追い風となり、美術館業界にも影響を与えるようになった。『こどもと大人のためのミュージアム思考』（２０２２年、左右社）は、美術館に限らず博物館や動物園などの文化施設でものを見ることを通して、人々がどういう思考（thinking）をしているかを検証した本だ。参考事例として、この10年間、都美や東京藝術大学が推進役となり上野エリアの文化施設9館で行ってきた「Museum Start あいうえの」というプロジェクトの取り組みが挙げられている。

美術館・博物館が長期的・学際的に鑑賞プログラムを企画してきた端緒として、稲庭氏は、２０１０年に湘南国際村で開催された「１００人で語る美術館の未来」という国際シンポジウムを紹介した。これはおそらく国内としては初の、ＶＴＳ（一章参照）や対話型鑑賞に焦点を当てた大規模な催しの一つであったという。アメリカとフランスの事例に続き、稲庭氏も「絵の力は『生きる力』につながるか?」というタイトルで日本の事例を紹介した。ワールドカフェの手法で参加者100人によるオープンな議論も行われた。稲庭氏はこのシンポジウムをふりかえり、「単に高名な人の話を聞くという場ではなく、肩書きにとらわれないフラットで対話的な場が生まれていたのが非常に印象に深く残っています」という。

稲庭氏が都美に移った2011年以降へと話は続く。東日本大震災の翌年、都美はリニューアルオープンを迎えた。この時、同館は「創造と共生の場=アート・コミュニティを築き、生きる糧としてのアートに出会う場とする」というミッションを掲げた。稲庭氏はこれを達成すべく、展覧会活動と並行して前述したアート・コミュニケーション事業「とびらプロジェクト」を立ち上げた(図3)。

「とびらプロジェクト」は、70年代初頭に、当時のブルックリン・ミュージアムの館長ダンカン・キャメロン(Duncan Cameron)が提唱した「テンプルからフォーラムへ」という理念に触発されているという。テンプル、いわば神々がいる高尚な場所としての美術館から、対話が生まれ誰もが

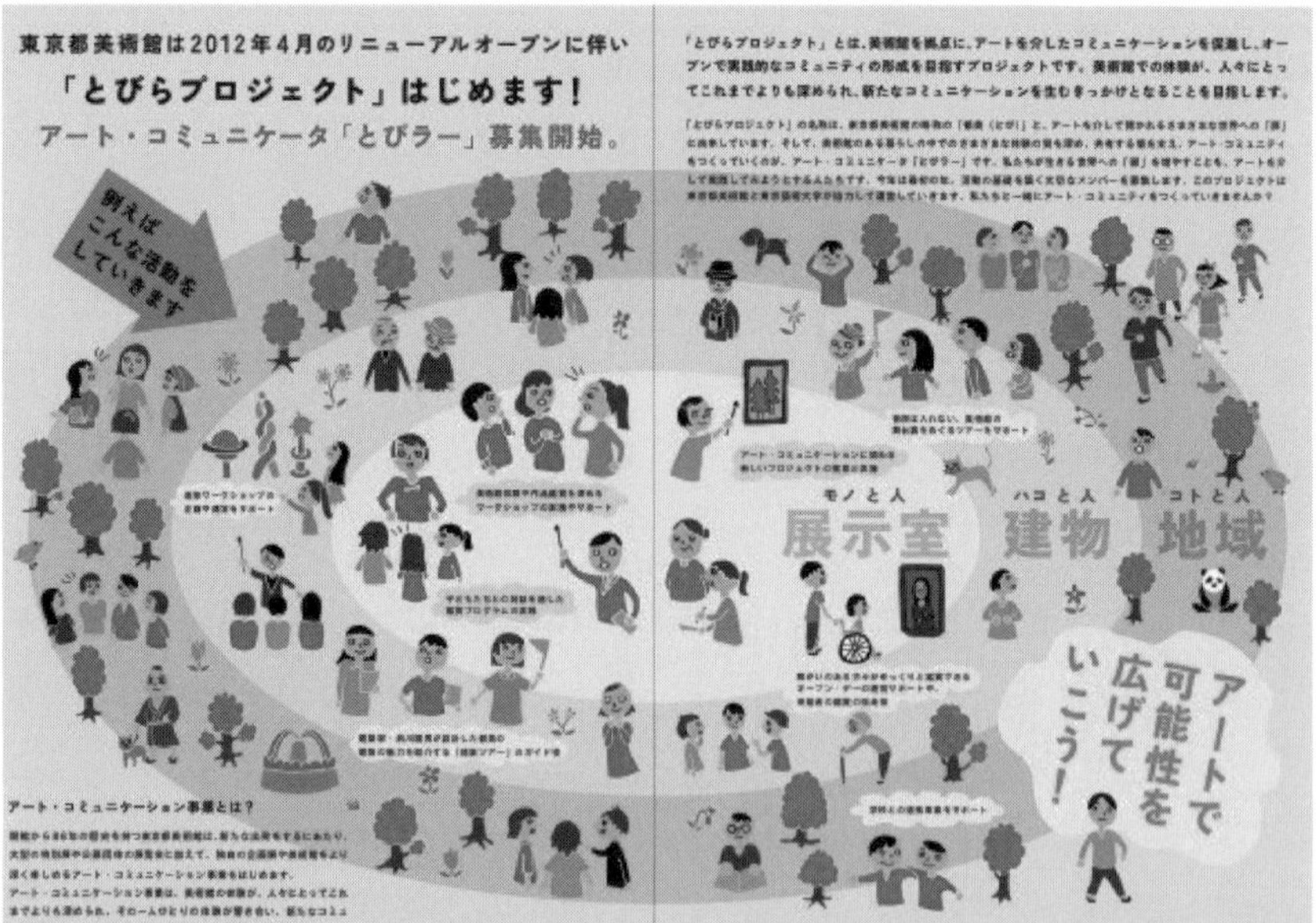

図3　とびらプロジェクトの参加募集チラシ(2012年)

発言できる場所、つまりフォーラムのような場に変容していくというイメージが、稲庭氏のアート・コミュニケーション事業にはあった。この「とびらプロジェクト」には、現在約１３０名のアート・コミュニケータたちが、アートを介した人と人、人と作品をつなぐ活動をしている。この活動は黒澤氏が述べていたボランティア＝奉仕活動からも、また一段階フェーズが変わっているという。それは美術館と市民との関係がフラットで、対話を通じて共に価値を作り、再構築していくという点だ。

「とびらプロジェクト」に参画する市民は、その活動の中でさまざまな講座を受講・実践できるようになっている。これらの講座のなかでも、特に重点が置かれているのが「みる力」と「きく力」についての講座だ。

まずはみる力について稲庭氏は「視覚的思考（ビジュアルシンキング）」と言い換えつつ紹介した。講座では、一目では把握できない、多義的な意味を持つ視覚情報にあふれたこの世界を複数の視点で把握し、共同構築的な知の交流を行うことを促進する。ＶＴＣやＶＴＳは複数の鑑賞者と作品をみていく中で予定調和ではない学びが生まれるプログラムだが、この講義でも、ものをよく見ることを通して他者と、世界と、そして自分との繋がりについて思考していくことを目指している。

また「きく力」の講座は、プランニング・ディレクターの西村佳哲氏を講師に招いて行われる。同氏は、人の捉え方のヒントとして、まず島と海のイラストレーション（図４）を用いて説明を行う。図の一番上の島として見える部分は、他者の目に映っている個人を表している。個人の下に広がる海は深く、一見すると他者からは見えない領域だ。この海はどのくらいの深さなのか、海中はどのような世界なのかを知るために、相手の言葉に耳を傾けることが必要だと学んでいく。

みる力の講義もきく力の講義も、一見すると見落としがちな、あるいは見たつもりになっている作品を注意深く観察し続けるために、他者の言葉に耳を傾けて対話を続けていくという対話型鑑賞のプロセスに通じている。このとき、稲庭氏にとって作品という存在は「人が人の境界を越えて交わることを促すもの、バウンダリー・オブジェクト」でもある。その作品があることによって、お互いの領域にそれぞれが少しずつ踏み込み、交わることが可能になる。稲庭氏はこのような対話を通じて他者理解、ひいてはコミュニティ形成をめざすプロジェクトの社会的な意義を話す。

「人々の繋がりは、美術館（とそこにある文化資源）を通じて対話的に促され、育てられます。『とびらプロジェクト』でアート・コミュニケータと呼ばれる人たちは、さまざまな社会課題に対しても対話的に関心を持ち、お互いに当事者的視点を持つようになります。こうしたことから、包摂的な社会を考えたり、超高齢社会の中で美術館にどのようなことができるのか、ということを考えることに繋がっていくと考えています」。

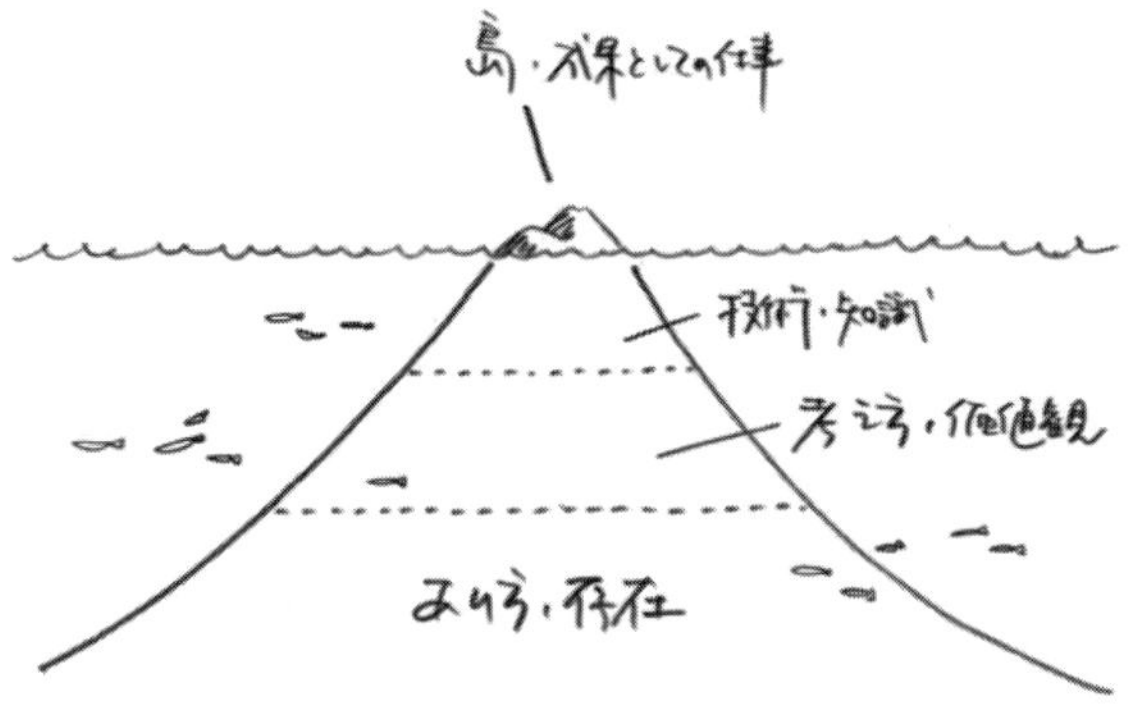

図4　西村佳哲氏による島と海のイラストレーション

国内の様々な美術館で対話を通した鑑賞教育の活動の種を蒔き、萌芽を促してきた黒澤氏の世代の活動は、稲庭氏たちの世代によってより学際的なアプローチとして、美術館の外も広く含む社会的なプロジェクトとして花開いた。このような経緯を踏まえた現在、対話型鑑賞と教育普及にはどのような応用の可能性や課題があるのだろうか。続いて筆者（原）の取り組みを紹介していく。

■これからのアート（＝コト）をつくる（2010年代後半～現在）
——原泉のプレゼンテーション

筆者は逢坂氏と福氏がドクメンタで出会った1992年に生まれた。京都造形芸術大学（現・京都芸術大学）でアートプロデュースを学んだが、高校を卒業するまでは「お勉強」や「先生」が非常に苦手だった。大学選びも、いかに学力テストを受けずに早期合格できるかが基準になっていたし、いざ入学が決まれば、毎日何をして遊ぼうかと考えていた。なんと不純な学生だっただろうか。

一章でも紹介されたように、この学科は出来上がった作品をどのように社会と繋ぎ、意味や価値を付加できるかを考える学科だった。入学して数ヵ月もしないうちに、勉強嫌いだった私がついに学ぼうと決意する機会が訪れる。それがまさに対話型鑑賞を取り入れた通年の必修授業、いわゆるＡＣＯＰだった（一章23ページ参照）。この授業では、作品に関して意見を述べる際、どこからそう思ったのか、その根拠を作品の中に見出して、それを言語化しなければならない。これを繰り返し行うことで、たとえば、同級生との日常会話や、なにかトラブルが起こったときも、作品鑑賞と同じように根拠を持った対話を通して解決案を考えていくようになる。ただし、これをこじらせてしまうと、福氏も信号機の例を挙げていた「ＡＣＯＰ症候群」になり、見えている世界が簡単には信じられなくなってしまう。私の場合は、授業中に「あの先生、厳しそうだな」と思ったあと、「待てよ。私はどこからこの人を厳しそうだと思ったんだろう」と考え出してしまい、もう先生の話が耳に入ってこなかった。

極めつけは、コミュニケーションの謎が深まり、人と話せなくなってしまうことだ。たとえば、会話のなかできちんと意味が分かっていないにもかかわらず、うんうんと相手に相槌を打ってしまったことを数日悔やみ続けたり、相手の「言ったこと」ではなく「言おうとしていたこと」を考え出したりして、相手に返事をするのを忘れてしまう、といった具合である。

これは、歩き方を考えながら歩こうとすると、歩くこと自体がぎこちなくなってしまうのに似ている。いま思えば、これこそがアンラーニング（学びほぐし）の過程だったのだ。それまでに学んだこと、自分の思考や意識にこびりついてしまった経験を、一度立ち戻って考え直す。そのことをＡＣＯＰで学んだ。いや……ほぐされ、崩され、揺さぶられたのだろう。こうした経験から私は、対話型鑑賞は、作品の深い理解だけにはとどまらず、世界について意識を持って注意深く観察し、他者との関係性についても思考するような「営みそのもの」だと思うようになった。

ＡＣＯＰを経験したことで学ぶことの面白さを味わった私は、その後、九州大学大学院で視覚と脳の情報処理を学び、さらに大阪大学の医学系の博士課程へと進んだ。その原動力は「人がアート作品をみるとはどのようなことなのか」という好奇心に他ならなかった。

　進学後、ＡＣＯＰを受講する中で考えていたあらゆることは、実は理系の分野でも深く研究されているということに気がついた。たとえば、作品を含む、目の前にある物事の情報を、私たちは驚くほどたくさんの錯覚をしながら受け取っている。それが、印象や情動を生み出す脳内の神経機構に伝わるのだ。自然科学など理系の研究者たちは、だからこそ注意深く細部まで観察することを怠らない。彼らは、研究には、そして観察には終わりがないことを知っている。しかし、こうして見出されたさまざまな成果が、世の中に知られぬままになってしまっていることも多々ある。そのことを実感した私は、研究成果（≒作品）を社会と繋げることができて、同時に、科学と芸術の橋渡しができる場所を求め始めた。そうして、山口情報芸術センター「ＹＣＡＭ」（ワイカム）に辿り着いた。

　ＹＣＡＭは、２００３年に山口県山口市に開館したアートセンターで、展示空間や劇場のほか、映画館や図書館などが併設されている。ここは収蔵品を持たないかわりに、アーティストをアシストしてともに作品を制作している。そして最大の特徴は、開館以来、メディア・テクノロジーを用いた芸術表現を探求していることである。

　情報の媒体という意味を持つ「メディア」。その媒体の機能を持った技術のことを指す「メディア・テクノロジー」。インターネット、照明や音響や映像などの技術がそれにあたる。ただし、これらの電源がなければ使えないものだけがメディア・テクノロジーなのではない。言語、あるいはその使い方や身振り手振りの所作もまた、情報を伝えるためのメディア・テクノロジーだといえる。これらを踏まえて、ＹＣＡＭではこれまでに舞台公演、展覧会、映画制作など多岐にわたる作品やプロジェクトを制作・実施してきた。美術館というよりは、試行錯誤を続ける実験場・工房に近い性質を持つラボや研究機関のように捉えるといいかもしれない。

　ＹＣＡＭでは発表する作品のほぼ全てが新作で、しかも体験的なものが多い。これは言うなれば、まだ誰も味わったことのない料理を出すレストランのような場所だ。そのため、ＹＣＡＭではその実験的な料理（作品）を口にして、新たな価値や意味、つまり批評をしてくれる鑑賞者をつねに求めている。そこで、対話型鑑賞を取り入れたプログラムも積極的に開発・実施してきた。

長い時間をかけて批評家や世間の評価を得てきた「名画」とは違って、生まれたばかりの新作は、まだ「モノ」でしかない。人々が鑑賞し、意味を考え、批評し、そしてそこに価値を見出していくことで、「モノ」である作品がようやくアートという「コト」になる。この変化が生じるためには、こうした能動的な鑑賞を行う「ひと」が必要なのだ。

そういう「ひと」を育てるためにＹＣＡＭではさまざまな試みを行っている。その一つが、２０２１年から始まった講座「わたしもアートがわからない」である。シリーズ名の通り、これはアート作品を目の前にしたときの「わからない」という感覚を出発点に、作品を鑑賞し味わうコツを、ゲスト講師とともに探っていくというものである（図５）。

能動的な鑑賞者の存在が重要だとすると、鑑賞を促すファシリテーターと、その鑑賞を通した学びを促すエデュケーターも重要になる。そのため、専門性の高いファシリテーション技術を学べる研修「鑑賞ナビゲーターキャンプ」も実施してきた。

図5　「わたしもアートがわからない」の様子（2022年）
講師：福のり子　企画担当：原泉

さらに、ＹＣＡＭが制作している作品は大半が映像や音、身体表現であり、鑑賞中に刻一刻と変化していく。つまり、多くの美術館で目にするような絵画や彫刻のようにじっとしていてはくれないのだ。すると、「じっくりみて、かんがえる」対話型鑑賞はそのままでは使えない。そこで、このような作品で対話型鑑賞を行うための手法の開発にも挑戦している。

たとえば２０２１年の《ヴォイス・オブ・ヴォイド―虚無の声》展では大型のインスタレーション作品を展示。会場内には複数のスクリーンが設置され、そこから映像と囁き声のようなナレーションが流れていた。この囁き声を妨げないよう作られたワークショップが「サンカクトーク」だ。

これは作品・自分・他者という三点を繋ぐように対話を行うことを目指して開発された。このプログラムの最大の特徴は、シートに言葉を書いていくことで、参加者同士が匿名でコミュニケーションを行う点だ。サンカクトークの参加者は、作品をみて「わからないから他の人と考えてみたいこと」を書く。その後いったん回収、シャッフルされたシートが他の参加者へ渡る。別の誰かの問いを受け取ったら、手紙のように返事を書く。これを繰り返す。

私が大学時代に経験したＡＣＯＰの一番の醍醐味は、「わからないからこそ考え続けられる」ということであった。このワークショップでは、自分と、さらに他の鑑賞者の「わからなさ」も加わっていくことで、終わらない思考と対話が促進されるのである。

ここまで、作品の形態（音や映像など）に適応させるための鑑賞プログラムを紹介してきた。それと同じように、この社会の変容に対しても鑑賞方法をマッチさせることができるかもしれない。コロナ禍以降、多くの人が以前にも増してインターネットを使うようになった。多くの美術館も同様に、鑑賞プログラムや展覧会自体をオンラインへ移行させていった。そのような状況の中で、山口県立美術館との連携で一つの鑑賞プログラムが生まれた。それが「見ないほうがよくみえる」（２０２０・２１年）だ（図６）。

このプログラムの特徴は、オンライン参加者と美術館の来館者が同時に参加できるワークショップだったことである。まずはオンライン参加者だけに、拡大も自由にできる高解像度の作品画像を提供し、美術館にいる参加者（来館者）に向けて気づきや疑問を言葉だけで伝えてもらう。一方の来館者たちの前にある展示ケースには衝立《ついたて》が設置されていて、作品を見ることができない。そのため、彼らはオンライン参加者に向けて、作品の手がかりを見つけ出すために質問を繰り返す。

ある程度コミュニケーションが深まると、来館者はようやく実物の作品と対面できる。とはいえ、展示室内は作品保護のため展示空間の照明は暗めに設定され、しかも作品と来館者はガラス越しに1メートル離れていた。ここから全ての参加者は、「どちらがよく作品をみたといえるのだろう」という問いについて考えていくことになる。何重にも「見る」ことを揺さぶる仕掛けがなされたプログラムだ。

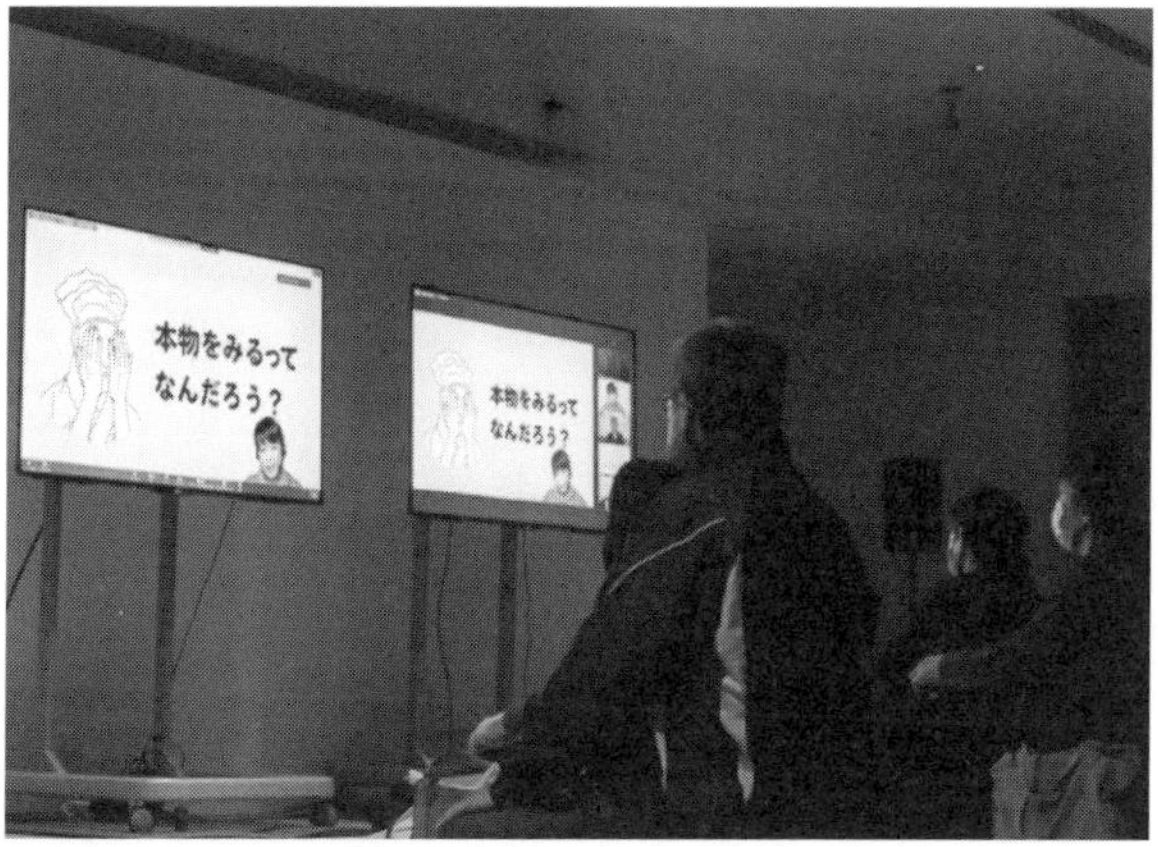

図6　山口県立美術館との連携企画「見ないほうがよくみえる」（2020年）
企画担当：原泉

最後に、あらためてＹＣＡＭの核である「メディア・テクノロジー」に立ち戻ろうと思う。時折、ＹＣＡＭは、「奇抜な技術で斬新な芸術作品を作っているところ」だと評価されることがある。しかしながら芸術史という視点で広く捉えれば、技術（テクノロジー）と芸術はそもそも遠い昔から切っても切れない縁があった。たとえばモネが外光の下で絵を描けたのは、チューブ入り絵の具という技術の開発があったからだ。ターナーが描いた蒸気機関車も、これから到来する近代の産業革命の象徴だ。天体望遠鏡も顕微鏡も写真術もしかりで、技術史と芸術史は常に深く関わってきた。そんなテクノロジーに「媒体」という意味のメディアを付け加えてみれば、科学／芸術のメディア、日常／アートの世界のメディアというように幅広く考えることができないだろうか。そして、教育普及という仕事も、作品と鑑賞者のメディアになる仕事だといえる。そもそも「人間」という言葉だって「人の間」と書く。それなら、ヒトと人間との違いはなんだろう……。

　科学技術が発展していけば、芸術作品もまた変化していくだろう。そうなれば、「これから」の作品と鑑賞者のメディア、そして技術でもある対話型鑑賞もまた更新されていくことが求められるのではないだろうか。

■公共の美術館活動の使命とは

ここまで、三名による美術館での対話型鑑賞の取り組みについて紹介してきた。そのうえで、これからの美術館はどのような存在になっていくのだろうか。モデレーターの都筑氏とともに、対話型鑑賞を一つのキーとしたディスカッションを行った。

対話型鑑賞がもたらす効果

都筑　日本での対話型鑑賞プログラムであるＶＴＣ、ＶＴＳの実践は美術館からスタートしましたが、今日では教育、医療、ビジネスなど多様な現場で活用されています。だからこそ、ここであらためて「公共の美術館」という場で対話を通じた鑑賞を行う意義や目的について確認しておきたいのです。公共施設としての美術館には他にはない特質があると思います。対話型鑑賞は公共施設としての美術館でどんな効果をもたらすのでしょうか。この点について、稲庭さん、いかがでしょう？

稲庭　対話型鑑賞プログラムが実践されてきたこの30年は「美術館は誰にも開かれている場」である必要性がより意識されてきた30年でもありました。対話を伴うことで「作品鑑賞が深まる」「創造的な鑑賞ができる」という直接的な意味だけでなく、公共施設である美術館にとっては、実は文化的な権利の問題でもあったのです。欧米では１９８０年代頃から、帝国主義的なあり方を含む展示に対して反省的な議論が盛んになりました。「ポストコロニアリズム」と呼ばれていますが、これは「美術館では、知識階級にいる家父長的な考えを持つ西洋の白人男性の歴史観・価値観が一方的に示されてきた。しかし私たちが生きる世界を理解していくには、それでは偏りがあり、不適切なのではないか？」という議論です。

日本では、ポストコロニアリズムと対話型鑑賞を繋げて語られることが少ないのですが、20世紀後半の脱植民地主義的な流れと人権の問題が意識される中で、美術館側と鑑賞者側の開かれた対話的な場というのが、国際的には重視されてきました。さらに２０００年代に入ると、美術館は単に分け隔てなく平等（Equality）に開かれた場になるだけでなく、個人差を考慮し、配慮する工夫を行う公平

（Equity）な場としていく意識が醸成されてきました。

ただし、大切なのは作品の前で鑑賞している時だけではなく、プログラムに参加してもらう際にどのように呼びかけ、当日は美術館の入り口から作品の前にどのようにいざなうのか、心理的に安全な場をどう作るのか、そうしたことをファシリテーターは意識し、作品の前での対話が生まれる安全な環境作りを目指すことです。公共的な場である美術館における対話型鑑賞は、教育、医療、ビジネスなどで広がるものと活動的には同じ要素を持っていますが、根底にあるヴィジョンや踏まえるべき理念は違うところがあるのかもしれません。作品世界をどれだけ深く理解できるかということの重要性はありながらも、その前提としての「作品を尊重するとともに、それを見ているあなたも同じように尊重される」というような社会的参加の場を美術館で実現することこそが重視されてきたのではないかと思います。

都筑　公共の場である美術館において対話型鑑賞がもたらす効果について大きな視点からお答えいただきました。社会や文化の中で支配的なるものを検証していこうとする世界の潮流のなかで、対話を通じた鑑賞の活動が、さまざまな背景を持つ来館者の社会的参加の糸口になってきたということですね。続いて、原さん、黒澤さん、いかがでしょうか。

原　稲庭さんの発言の、特に後半の「誰もが社会的な参加が実現できる」ように美術館が担う役割については基本的に同意見です。つけ加えて、私も美術館に何が出来るかを考えてみました。公共文化施設としての美術館と、医療、教育、ビジネスの現場との違いは、おそらく「試験をパスしたかどうか」「特殊なスキルを持っているかどうか」に関わらず来場できることだと思います。職種も年齢も異なる人が訪れる機会がより多いのが美術館ということです。特に私の勤務するＹＣＡＭは複合文化施設ですので、映画館や図書館が併設されており、単に芸術作品を鑑賞することが目的でない人も同じ施設を利用しています。

教育普及担当という仕事柄、館内を歩いていると様々な意見や思想を持つ人と話すことがあります。勤務1年目のある日、「あなたたちのやっている芸術活動とやらは税金の無駄だ。公共施設なら我々市民に意味のあることをするべきだ」と言われたことがありました。それを受けて私は今でもずっと考え続けています、「公共施設で意味のある芸術活動とはなにか」と。

黒澤　人権のことや、職種も年齢も異なる様々な意見や思想を持つ人のことなど、お二人の言う通りですし重要なポイントですね。とにかく色々な方がやって来る、目的も学習とは限らない……それは前提です。金沢のような場所だと大半は観光で来ていたりします。あるいはおよそ美学や美術史のようなこととは無関係な毎日を送っている、という人たちも大勢います。

　ですが、そうした来館者にとっても、目の前にある作品はどうやら「何か興味深いもの」として存在しているようで、そのことをまずは信頼・尊重するところが対話型鑑賞の入り口なわけです。そのような他者の「何か心のざわめき」を大切にしながらさらに先へと向かうことがファシリテーターの役割なのだと思います。であれば当然、参加者それぞれの経験や知識が尊重されることも前提となりますよね。ただ、実はその「何か」が起こり得ること自体が、美術館がずっと大切にしてきた特性なのではないかと思っています。つまり、観念的な解説以前に、まずはこの「何か」と出会う体験を大切にしようとするスタンスです。何よりまず「展示」自体をそのように作ろうとデザインしている。たとえば鑑賞者自身がその体験のただ中にありながらそのことを自覚していない場合には、まずはそこに意識を向けてもらう工夫から始めます。実際、美術館の教育プログラムはここにずいぶん資源を費やしているように思います。そこがうまくいくだけでその後の展開は広くも深くもなるわけで。つまり、その体験の先に鑑賞者が自ら語り始めることができる、と。

都筑　たしかに、美術館という場においては、言葉より先に、ものに驚きや不思議を感じるような「何か」の体験そのものが重要であるということはとてもよく分かります。美術館では、作品と作品、作品と空間との関係を通じて、その場と観客との間に「何か」が生じるように細心の注意を払いますから。まずは何より作品の前で心が揺さぶられるような体験への信頼と尊重がなければ、ファシリテーターも、対話型鑑賞という方法論をただ振りまわすことに終始してしまいますからね。

原　写真家の畠山直哉さんが、「アートはコミュニケーションである、という言葉にはいつも何か不足しているように思われる。なぜなら、作品を前にした時の「驚き」がまず最初にあるからだ。コミュニケーションは作品と鑑賞者のこの驚きの交換が運よくうまくいったその後にやってくるものだ」と、おっしゃっています（東京藝術大学院映像研究科 OPEN STUDIO2019 のステイトメント）。いま話している「何か」はこの驚きという体験を指すのかもしれませんね。

対話型鑑賞と私は、大学入学以来12年の付き合いです。様々な人と様々な作品を鑑賞しました。経験したことのある方なら心当たりがあるかもしれませんが、対話型鑑賞の鑑賞者たちは、作品について語っているようで、実は自身の経験や価値観を、作品に鏡のように投影させている時があります。また、誰かの意見に誰かが深く感動したり、あるいは誰かを傷つけてしまう可能性もあったりします。自分と反対の意見をもつ人と同じ場にいる場面も多くあります。そしてそのような多様な意見を語らせてしまう力を持つ作品が、美術館には数多く保管・展示されています。稲庭さんがおっしゃるように、誰かを傷つけてしまう可能性のある対話の場では、心理的な安全を確保することはとても重要だと思います。私はそれに加えて、相手を肯定することに留まらず、安心して反対意見を言えたり、臆さずに相手に疑問を投げかけたりできる場を作りたいです。なぜなら、このような場が公共性を実現するキーなのではないかと思うからです。

そうすると、公共施設である美術館にできることは、多種多様な人の意見を受け入れることだけではなく、理解の及ばない他者と同じ場にいる意味はどんなことだろう？　と「ともに考える」機会をできるだけ多く作ることかもしれません。

黒澤　稲庭さんの言われるところの「誰もが作品鑑賞を通して社会的な参加が実現できる」場としての美術館……のことですね。冒頭で言われた「家父長的な歴史観や価値観」が支配的であるのとは異なるベクトルをもった環境構築への実践——それはそれである種エクササイズ的で、もっと言えば理想論であるのかもしれませんが。

都筑　ありがとうございました。今や世界ではシロクロがつかない複雑な課題が多発しています。そしてＳＮＳ上には、そうした社会が抱える問題に対して、原さんが言われるような「ともに考える」という姿勢ではなく、ただ激しく攻撃し合う言論が日々飛び交っているように感じます。こうした状況のなかで、公共の場である美術館で作品を介して行われる対話の営みは、単に「作品鑑賞が深まる」だけにはとどまらず、社会や日常、他者との向き合い方にも有用な気づきを与えてくれる、そんな思いを強くしました。

美術館における対話型鑑賞の課題

都筑　では次に、これまで公立の美術館で対話を通じた鑑賞を実践するなかで、みなさんが課題と感じてきたことなどをお話しいただけないでしょうか。黒澤さん、いかがでしょう。

黒澤　長期間の学校教育の中で「正解の存在」を信じさせられ続けてきたことの根深さや、社会人としてステレオタイプでいることの「楽チンさ」をどう乗り越えるのかが課題なのではないかと思います。美術館における様々なワークショップや対話型鑑賞というプログラム自体も、実はこの課題に向き合っていると考えて良いのではないでしょうか。「正解」にも一理あるあたりが難しいのですが、それを認めた上で「新しい目を持つ」価値はある。それと、「対話」も決して魔法ではなく、「話せばわかる」というのもかなり幻想であるという気がします。とはいえ、ある種の対立が生じるにせよ、それを再認識することには意義があるし、そのことを含めてコミュニティ形成という点では公共施設としての初段の役割がある。発言が封じられるよりは、よほど健全でしょう。

一方で、健全なコミュニティ形成のための人権保障や、人の尊厳のようなものを学ぶ、滋養するというのは、実は対話からというより「作品」からなのではないか、対話はそのためのプロセスなのではないか、とも思っています。そうした観点から鑑賞に関する課題を挙げてみると、これまでの話と逆のことを言うようですが、たとえばファシリテーター養成に関して、学術的な学習やそこにある考え方、素養を養う機会が不足していることが挙げられるかもしれません。必要なのは、芸術や人間の歴史、文化への信頼と尊重。その確信をどう獲得できるか。時間がかかりますよね。だからこそ常に作品そのものに立ち返りたい、美術館はそのような場であるはずだ、と思いたいわけです。

都筑　優れた芸術作品は「みる哲学」とも言えますからね。「対話」というプロセスを通じて、いかにそういった作品そのものに「立ち返る」か、という点も含めて、稲庭さん、いかがでしょうか。

稲庭　「常に作品そのものに立ちかえる」のは確かにとても大事なところです。対話型鑑賞では、たとえばファシリテーターは「どこからそう思ったの？」と「作品に立ち返る」ことを促し、みんなで「いま目の前にある存在」をじっくりと見て、思考を共同構築していきます。黒澤さんが「その『何か』こそが、美術館がずっと大切にしてきたこと」と言われましたが、対話型鑑賞で参加者が作品を知覚して紡ぐ言葉（ナラティブ）は、学術的言語とは異なる、話者のリアリティでしか迫れない体験をもたらします。非常に個人的な知覚の認知プロセスが一部露呈するような。それが作品の存在にとっても重要です。

　ここで課題を考えてみると、対話型鑑賞に適した場の提供、つまり、展示室で作品を前にして適切なファシリテーターが介在する状況をつくること自体が、日本の美術館においてはそう頻繁にできる状況にないというのが、まずは課題かもしれません。対話を取り入れた鑑賞環境を常に設けている美術館というのは数えるほどしかなく、たとえば東京国立近代美術館が２００３年から開催してきた「ＭＯＭＡＴガイドスタッフによる所蔵品ガイド」は、事前予約不要、無料で参加できるプログラムとして、開館日は毎日、年間約３００回というペースで開催してきました。これは本当に稀有な例です。

　多くの美術館でなかなか実現できない理由は様々あるのですが、その一つは日本の美術館が、20世紀に育まれた「美術館とはこうあるべし」というあり方を大切にしているから。言い換えれば時代に伴って規範を書き換えて、次の価値を作る一歩を踏み出す力が弱いからだと思います。日本で対話型鑑賞の広がりが足踏みをしているのは、ジェンダーギャップが先進国の中で最低レベル、アジア諸国の中でも中国、韓国、ＡＳＥＡＮ諸国より低い結果なのと相関性があるのではないかなと思います。欧米やアジアの諸外国でも対話的な鑑賞の場というのは広がって、今や次の段階に進んでいっているのですが……。

　また、もう一つの課題は、対話型鑑賞が単に美術館が「教育して普及するための」プログラムの一種だと認識されていることです。対話型鑑賞は、美術館が、様々な立場や経験、文化的背景を持つ人々が対話できる場所、つまり「フォーラム」になるための実践でもあるのです。対話型鑑賞は、単なる教育普及活動の一プログラムを超える意味を持っていると考えています。

都筑　そうですね、確かに日本では美術館と社会が抱える課題とのつながりが十分に意識されないまま運営されているように感じます。当然のことながら日本の美術館も世界の潮流のなかにあることを視野に入れつつクリエイティブな活動を提案することが求められているのだと思います。では続いて、メディア・テクノロジーを援用したプログラムを多く実践しているＹＣＡＭでの経験を踏まえて、原さんお願いします。

原　稲庭さんの「ナラティブでしか迫れない体験」について考えてみたのですが、その人だからこそ、またその場だからこそ語れるナラティブは、実はスクリーンやディスプレイに投影された作品画像や映像でも、その見せ方にさえきちんと気を配れば引き出されることは大いにあります。私は対話型鑑賞を大学の教室で学んでいましたから、実物よりもスクリーンに投影された画像を鑑賞することの方が多かったです。それにもかかわらず、「ここまで深く鑑賞することができるのか」「一つの作品をみているに過ぎないのに、こんなにも人の言葉、自分の言葉に重みがあるのか」と驚く経験をたくさんしてきました。加えて、ここ数年の美術館はオンラインでの鑑賞イベントにも積極的です。ＹＣＡＭも持ち前の技術力を活かしながらオンラインや映像技術を援用した鑑賞プログラムを作ってきました。

一方で、美術館を離れて複製技術を利用する鑑賞体験には、確かにこぼれ落ちるものもあります。たとえば、展示室の仄暗さや少し張り詰めた緊張感、作品のサイズなどです。オンライン環境になると、隣にいる人と同じ作品を鑑賞する時の息遣い、首を傾げたり、手をソワソワさせている仕草も見えにくくなります。「周りの人や環境と自分がどのように影響し合っているか」を捉えることは、美術館でこそ得られる経験なのだと思います。

黒澤　「話せばわかる」は幻想、のような言い方もしましたが、一方で「ナラティブの体験」あるいは「対話」が意外な気づきや発見につながることは往々にしてあることです。大げさに言えば異文化体験のような……。ですので、時には誤解や受け入れ難さに出会うこともあれば、一旦本筋を離れて寄り道をしながらも舞い戻って、発展的なエピソードや解釈が生まれたりすることもある。それはやはりとても創造的なプロセスと言えるのではないでしょうか。たまたまその場にいる人たちにしてみても、ポジティヴなことであれネガティヴなことであれ、そこで起こることは自分自身の人生のプロセス上のエピソードとしてあるわけです。そう考えると稲庭さんが言われるように美術館での対話型鑑賞自体も「フォーラム」へのプロセス、その実践であるという理解は分かり易いです。

それと美術館に限らず、感想カードを掲示したり、感想ノートを共有したり、そのようなシェアの感覚、共創の意識はここ30年の間にかなり広まってきていると思います。最近では映画や観劇の感想シェア会や哲学対話がオンラインでも行われたりしています。

原　美術館って「失敗が許されない」感じがすごくします。もちろん実物の作品を前にした時の緊張感というか、背筋がちょっと伸びちゃう感覚は大切なことなのですが、それとは別の要因で萎縮したり、長く作品の前に立たなかったり、意見を求められると困ったような反応をするのかもしれません。

このような状況で改めて対話型鑑賞がどんな実践になりうるのかを考えてみると、たとえば定期的に館内で鑑賞ツアーを行いながら、毎回そこにいる人たちが「作品理解のひとつのプロトタイプ（試作品）」を共同構築していくというようなことができるかもしれません。少なくともその対話型鑑賞の場では正解がないので、参加者は失敗もしない。そして美術史や専門知識は、ただ一つの正解や頂点ではないけれど、プロトタイプの精度を上げるためには必要な要素であるということを学んでいくことができるのではないでしょうか。そこにいる人の経験から紡がれる言葉と、美術館が大切にしてきた美術史等の知見が互いに折り重なっていくような。

都筑　ここまでお三方に、美術館と対話型鑑賞をめぐる課題とそれを乗り越えていくための手がかりをお話しいただきました。対話型鑑賞は、作品理解のための実践であるのと同時に、美術館を権威としての「テンプル」のような場から、対話ができる場所「フォーラム」へと開いていくための実践でもあり、今はまだその道半ばであること。そしてこの移行を実現していくには、長期間の学校教育や社会生活のなかで培われてきた価値観、20世紀に確立された美術館はこうあるべしというあり方、そして作品の見方には正解があるといった考え方などを、一つ一つ丁寧に解きほぐしていかなければいけないことが浮かび上がってきたと思います。これは、これからの美術館にとって、じっくり向き合うべき課題といえます。みなさんのお話を聞いて、あらためて私たちが「対話の場」を介して拓こうとしているのは、作品鑑賞の可能性であるのと同時に、未来の美術館のあり方そのものなのだと感じました。

　さて、ずっと気になっていることがあります。それは、このディスカッションの序盤での、原さんが来館者から投げかけられた「あなたたちのやっている芸術活動とやらは税金の無駄だ。公共施設なら我々市民に意味のあることをするべきだ」という言葉です。ここでいう「芸術活動」とは、展覧会や教育普及活動など美術館が行う幅広い活動を指していると捉えることができるでしょう。この来館者からの指摘は、公共の美術館で活動する私たちにとって大切な投げかけであると感じます。では、公共施設である美術館にとって、人々（社会）に向けた意味のある芸術活動、目指すべき教育普及的活動とは何なのでしょうか。みなさんそれぞれの思いをお話しいただいて、このディスカッションを終えたいと思います。

原　「公共施設で意味のある芸術活動とはなにか」と来館者に問われてから4年が経ちました。語弊があるかもしれませんが、私は必ずしも公共施設のミッションは市民の要望をそのまま叶えることだけではないと考えています。要望に応じたサービスをするだけではなく、たとえ規模は小さくても、「多くの市民（他者）と対話をする機会がある」のが美術館のもつ特徴ですし、何よりそれこそが、美術館が公共空間・フォーラムたりえる必要最低条件でもあるのではないかと思います。

黒澤　知らないこと、理解しがたいことに対する反発は誰にもあるし気持ちもわかります。特に美術とか芸術を「感動」という言葉と紐づけてイメージされている方も多く、そこに期待があると、作品が良い、悪い以前の「？」であること自体が腹立たしいものとなってしまったり。何故そのようなモノが公共の場にあるのか、百歩譲ってやめろとまでは言わないが、一部の人々の趣味的行為のために公金は使うな、ということにもなります。ですが、まさにそのことについて語り合うためにも作品や作者と出会い、人の歴史や現在、これからの社会、その連関や様々な価値観について考え、対話を重ねていくことが実はそのまま「フォーラム」なのだと思います。

だとすれば、「どこからそう思われましたか？」という対話への一歩は、ここでも重要かもしれません。皆が皆、正面から素直に入ることはできないかもしれないけれど、色々と迂回路を用意したり別な通用口や裏口を一緒に探したり……。大切なのはともかく扉を閉ざさない努力と工夫でしょうか。多くの人々が参加できる多様なチャンネルをどう作って行けるのかは、今後の美術館にとってやはりとても大切なことになりそうです。

稲庭　公共の美術館の使命は、芸術的価値のあるものを継続的に見出して、共有し、長期にわたってそのバトンをつないで、社会とつながる文化的資本にしていくことだと思います。それには黒澤さんの言われた「どこからそう思われましたか？」という対話や「ともかく扉を閉ざさない努力と工夫」が必要だとすると、ではその対話と扉を閉ざさないで、多様なチャンネルをどのように実現するのか、そこが難しいと思います。これだけグローバルになりインターネット上に多様な情報が行き交う、一人が１００年生きる時代に「大切なもの」を多くの人々と共有し、長期にわたってバトンをつなぐには、新しい回路を作り続ける必要があります。10歳の子どもと１００歳の大人では１世紀ちかい価値観のギャップが出てくる。その両方の人の世界の捉え方、前提となる常識も全然違うでしょう。そして少し前に黒澤さんが「シェアの感覚、共創の意識はかなり広まってきている」と言っていたように、時代と共に価値あるものをシェアする感覚やフラットな対話は若い世代を中心に、より日常になってきています。

それに対して「教育普及活動」から想起されるような、美術館側からのプログラムの「提供型」だけではもう限界がきているように思います。もちろん基礎的な活動としてそれは重要です。しかし、その提供型の教育普及活動にひそむ美術館側のある種の権力的な立ち位置に気づき、もう一つの回路として、人々が自立して主体的に美術館活動や芸術活動に当事者として関わり、共創できるしくみが求められているのではないかと思うのです。原さんが来館者から投げかけられた「あなたたちのやっている芸術活動とやらは税金の無駄だ。公共施設なら我々市民に意味のあることをするべきだ」という物言いは、もしかしたらその人がもっと主体的に関わる場があれば、そうしたクレーム的な言い方ではなく当事者的な視点での意見になったのかもしれません。

原　「提供型」ではないプログラムの形は、ＹＣＡＭも模索している最中です。どんなに「参加型」を謳っていたとしても、参加者は「美術館の決めたアイデアに乗っている」という構図から逸脱できないのではないかという自問があるからです。たしかに、作品の前に人を集めて、皆で話しましょう、という対話型鑑賞の場は美術館が用意したものです。ただし、その作品を前にして鑑賞者が同じ道（思考の回路）を歩くとは限りませんし、むしろ他者の回路と必ず交わるように設計されています。作品を用意するのは美術館かもしれませんが、美術館がその作品をめぐる思考の道のりを完全にコントロール・支配することはできないようになっています。だからこそ、鑑賞者（来場者）が公共空間を共創できるしくみになりうる可能性があるのではないかと思うのです。

黒澤　なるほど「提供型」だけではなく、共創できるしくみ……。関わり方が変わるのだから当然美術館も観客も姿を変えていく。まさにそうした包括的な全体状況を創発させるための「意識」を生み出す場や活動が求められている、ということになりますね。

都筑　そうですね。このパネル・ディスカッションでは「公共の美術館における対話型鑑賞の特質、課題、展望」を主な論点に、さらには「公共の美術館活動の使命」という根源的なテーマに至るまで、さまざまな角度から議論を進めてきました。これまでの実践を俯瞰的に見つめ直すとともに、これからの活動への手がかりを探る上でもとても有意義な機会になったと思います。日本の美術館の教育部門に携わる学芸員同士の対話は、美術館に教育担当が位置づけられるようになった１９９０年代には盛んに行われましたが、その後あまり積極的に行われてきませんでした。対話型の鑑賞プログラムが日本の美術館で実践されて30年。日本の美術館教育セクションの活動自体も成熟期を迎えた今日、あらためて情報や問題を共有、議論すべき時期にきているのではないかと思っていたところでした。今後は我われ学芸員同士も折を見て対話の場をつくるように努力していきましょう。長時間にわたり、ありがとうございました。

三章　パネルディスカッション

学校教育と対話型鑑賞

登壇者

似内 達吉　大阪市立東淀中学校 教諭

沼田 芳行　埼玉県所沢市立向陽中学校 校長

末永 幸歩　美術教育者
東京学芸大学 個人研究員

モデレーター・執筆

北野 諒　大阪成蹊短期大学 幼児教育学科 講師

（左から）登壇する沼田・似内・末永・北野

はじめに

本章は、パネルディスカッション「学校教育と対話型鑑賞」について、各登壇者から提供された話題をモデレーターである北野が整理したうえで、あらためて総合的な考察を追加したものである。ディスカッションの進行順（似内《にたない》達吉氏→沼田芳行氏→末永幸歩氏）に振り返りつつ、最後にモデレーターによる考察を補足する形で構成されている。

この進行順は、以下のような構想のもと決定された。似内氏からは、中学校の美術科教員として、学校現場における対話型鑑賞の具体的な実践事例が報告されるであろう。続く沼田氏からは、校長として学校全体で対話型鑑賞をどのように位置づけていくかというコミュニティ形成の可能性が提議されるはずだ。そして末永氏からは、氏が提唱する「アート思考」と「対話型鑑賞」のエッセンスが共鳴しうる部分が示唆されるのではないか。

つまり大きな流れとしては、個別の授業実践から組織全体での実践へと対話型鑑賞が展開していくこと、美術教育を起点とした汎用的な学び（アート思考）の観点から対話型鑑賞が応用されていくこと、この二つの「対話型鑑賞のこれから」の可能性が想定されていた。これらの企図が果たされたかどうか、本章であらためて確かめてみたい。

■みるからはじまる美術の授業
——似内達吉氏のプレゼンテーションより

似内達吉氏は大阪市の中学校美術科教諭であり、学生時代には京都造形芸術大学（現・京都芸術大学）にて、ACOP（Art Communication Project）を受講し対話型鑑賞を学んでいる。一人の学習者として対話型鑑賞の活動に飛び込み、その経験をもとに教育者として美術の授業実践を試みる似内氏の活動は、学校教育と対話型鑑賞の結び目を示す恰好の事例であった。

似内氏の発表は、「対話型鑑賞をすることが目的になってはいないだろうか?」という疑問を提示するところからスタートした。つまり、対話型鑑賞が一種の手法としてのみ捉えられ、「鑑賞」の授業時間を充当するためのインスタント教材のように扱われてはいまいか、という疑念である。中学校教員としての実感からその点を危惧し、そのような断片的な対話型鑑賞の濫用ではない在り方を考えていかなければならない、という問題意識を最初に示したわけである。

では、そのためにはどうすれば良いか。「鑑賞」の活動と「表現」の活動とを一体として扱うことで、対話型鑑賞の学びを、より持続的に美術の授業に組み込んでいけるのではないか。中学校の美術科は学習指導要領上、その教育内容が大きく「表現」の活動と「鑑賞」の活動に区分されているが、対話型鑑賞の活用を考える際、「鑑賞」の活動としてのみ別個に考えるべきではない、ということだろう。似内氏の発表タイトルは「みるからはじまる美術の授業」であったが、みる（鑑賞）からはじまり、それをどのように美術の授業（鑑賞と表現の総合）に接続できるのか、という含意が込められていたのかもしれない。

対話型鑑賞で得られる学びとは何か

具体的な授業実践の紹介に移る前に、そもそも対話型鑑賞で得られる学びとは何なのか、という考察が述べられた。冒頭に示された危惧（手段の形骸化）を回避するためにも、そもそも何のために、どんな学びを生むために対話型鑑賞を実践するのか、という確認は欠かすことができないだろう。

対話型鑑賞（特にＡＣＯＰ）における学びは、似内氏により以下の三つの観点から整理された。①鑑賞者としての学び、②ナビゲイターとしての学び、③マネジャーとしての学び、である。

まずは①鑑賞者としての学び。もちろん、観察力や批判的思考など、様々なスキル・コンピテンシーを挙げることができるのだが、特に強調されたのは「他者と鑑賞することで自分が変容すること」であった。自分とは異なる他者の意見に触れ、その共通点や相違点を探り、より包括的な解釈の可能性を共に模索していくことは、自分自身の判断や思考の在り方そのものを更新していくことにもなりうる。このような自己の変容にまで及ぶ学びは、「色々な意見が出ましたね」と短時間で意見を羅列して終わる鑑賞では、確かに到達することはできないであろう。

続いて②ナビゲイターとしての学び。ＡＣＯＰでは「ナビゲイター」という名称であるが、一般的に言われるところの「ファシリテーター」としての学び、ということである。ここで最も力点が置かれたのは、「鑑賞者の鑑賞を鑑賞すること」。つまり、広い意味での「きく力」である。似内氏は、発言の字義的な内容だけには留まらない、その意図や前後の文脈なども含めたより多義的な聴取がナビゲイターには求められると言う。これは、複数の解釈の可能性を内包したアート作品と同じような対象として「鑑賞者の意見」を捉えて鑑賞する、という構えを意味することになるだろう。

最後の③マネジャーとしての学びに関しては、ＡＣＯＰにおいて特異的なものであるかもしれない。ＡＣＯＰでは、学生同士でグループを形成し、鑑賞ボランテイアを招いた「鑑賞会」の開催に向けて、鑑賞・ナビゲイションのトレーニングを行っていく。その過程は一筋縄ではなく、学生たちは様々な衝突や葛藤をマネジメントしていくことになる。

そこでは「グループを鑑賞する」ような面白い現象が起こっていたと述懐された。グループでの話し合いや関わりにおいては、もはや直接アート作品は介在していないにもかかわらず、そこでのコミュニケーション自体を「鑑賞」しているかのようであった、というわけである。似内氏の言葉を借りれば、【作品】対【人】から、【人】対【人】へどんどん応用されていくベクトルが、対話型鑑賞の場には働いていると言えるのかもしれない。

これら三つの観点を総合し、対話型鑑賞で得られる学びは「コミュニケーションを介した作品鑑賞（作品の見方を広げ新たな意味を生成する）」と「作品鑑賞を介したコミュニケーション（他者と自己への理解を深め、関わり合いのなかで変容する）」であるとまとめられた。では、これらの学びの可能性は、どのように美術の授業において具現化しうるのだろうか。

題材は「宝物から私へのメッセージ」

似内氏が中学校3年生での実践事例として紹介した授業題材は「宝物から私へのメッセージ」と名付けられていた。これは、考えてみると少し奇妙なタイトルである。たとえば「自分の大切なものを描こう」や「自分の思いを込めた宝物を作ろう」などの題材名であれば、中学校の美術科教育として違和感がない。つまり、生徒の内面にある感情や思考を美術表現としてアウトプットする、という流れが容易に想像できる。しかしこれは、「宝物から私へ」という逆転を示唆するものである。それがいったいどのような企図によるもので、どのような実践を行うものなのか、具体的に内容を追っていこう。

まず、題材設定の理由について。そのきっかけには、自画像課題への生徒の抵抗感があったと言う。「自画像」は教科書にも頻出する典型的題材であり、自己を内省し、自己認識を描き出していくというそのプロセスは、確かに重要な学びに繋がりうるものであろう。また、自己への理解を深めることは対話型鑑賞における学びとも密接に関わるものである。しかし、思春期の渦中にいる生徒にとっては、精神的負荷が強い課題であることもまた自明の理である。筆者も様々な学校現場の先生方から異口同音の実感を耳にすることが多い。

そこで似内氏は、「作品や他者との関わり合いのなかで意味を生成していく」という対話型鑑賞の特質にあらためて着目することになる。自己を直接にみつめるのではなく、作品や他者を介して自分という存在を浮かび上がらせていこう、というわけだ。

⑴ゴッホの作品を鑑賞する

授業の一歩めは、フィンセント・ファン・ゴッホの《ゴッホの椅子》という作品を鑑賞するところからスタートする。この作品は、モチーフとしては木製の椅子や室内の様子が描かれているが、鑑賞を進めていくと、それぞれの要素が帯びている比喩的な意味が編み目を成し、作者であるゴッホの自画像のようにも読み取ることができる。

グループでの対話型鑑賞や、ワークシートを用いた鑑賞内容の記述を行うことによって、生徒からは以下のような感想が得られたという。

> 初めて見た時はただの椅子が描かれているだけの絵だったけど、置いてある位置や、ものについて考えれば考えるほど印象が変わりました。絵は変わっていないので、考える力はすごいなと思いました

絵が変わったのではなく、自らの思考や判断が変容したのだという、まさにねらいとするところの気付きが生まれている。また、この鑑賞を行うことで、人の個性や特徴がモノに託されうるということを、実感をもって生徒たちは体験することができたようだ。

⑵宝物の対話型鑑賞と詩作

そこから授業は、徐々に「表現」の活動との接続・往還の段階に移行していく。似内氏による端的な説明を借りれば、自分が大事にしているもの（宝物）を描くという課題であるが、「もの」自体を精細に描くことが目的ではない。

自分と宝物との間にある思い出や感情といった「こと」を表現することに重きが置かれている。そのために、まず宝物を擬人化した視点に乗り移って、宝物から自分に向けてのメッセージを詩にする、というプロセスを経ることになる。つまり、まず各々が持ち寄った宝物をグループで対話型鑑賞し、それを擬人化したうえで自己へのメッセージを想像する。そこから、その内容をもとに詩による言語表現を行うことで、描くにあたっての主題（対象物・動機・意図・意味）を明確化するという試みである。

　アート作品ではないものを鑑賞するということについて、想像しがたい部分があるかもしれないので、生徒による鑑賞中の発言の事例をいくつか引いておこう。

「ここにある傷って何でついたん？」
「こういうタイプのものたくさん持ってるけど、どこが好きなん？」

　このような吟味と検討を行うことで、持ち主自身が気づいていなかった自分の経験・記憶・特徴・性格を、あらためて発見するきっかけになるのだという。この鑑賞をもとに作成された詩の一例も挙げてみよう。

深く響く音色
心が安らぐ音もあれば
急いで激しい音もある
あんなに小さかった君の手が
とても大きくなったよね
それでも君の音色は変わらない
これからもずっと
いつまでもずっと

この詩のモチーフは、生徒が幼い頃から触れているピアノで、作者の成長や未来に対する期待を感じさせるものである。

　ちなみにこの詩作の部分は国語科とのコラボレーションによって実施されたとのことであり、教科横断的な事例としても意義のあるものだったと言えるかもしれない。共同で授業実践を行った国語科教員は「宝物目線ということで無意識に感情移入してしまい、普段なら絶対に口に出さないような赤裸々な言葉がにじみ出るように書かれていました」という感想を述べられたそうだ。擬人化によって、いわば疑似的な他者の視線から自分の一側面を言語化することができた、ということだろう。

(3)宝物を制作する

ここまでの積み重ねを経て、いよいよ制作の段階である。具体的にどんな作品が生まれたのか、実際に紹介された二つの作品の事例（絵画表現＋詩）を掲載する。

オレはピッカピカのボールだった
だが1年もすればこれさ
オレは蹴られるのが
あまり好きじゃねぇ
でもあいつが上手くなるために
雨の日でも
オレは
蹴られるぜぇ

生徒作品①（図1）では、主題であるサッカーボールが、様々な試行錯誤によって描かれていることがまず感じられる。白黒で記号的に描かれがちなモチーフであるが、詩に書かれているような生徒自身の経験や実感をもって、黄ばみ、傷、汚れまで含めて丁寧に表現されていることがうかがえる。また、描かれたサッカーボールには一部に実際のグラウンドの土が貼り付けられているとのことである。

図1　生徒作品①

生徒に意図を尋ねたところ「ここの土はすごく自分にとっては意味がある。練習のつらさとか、ゴールを決めた嬉しさといった記憶が土の中に残っている」という返答があったという。

対話型鑑賞を契機として表現との接続・往還を図ることで、主題が明確化し、さらには表現方法・材料の選択においても、生徒自身の主体的で能動的な思考や判断が引き出されている作例と言えるだろう。

僕は駅で買われた小学定期券
あれは何年前のだったかなぁ
僕は毎日改札口を通ってたのに
ある日突然パタっと
通らなくなってしまった
使用人は僕を嫌いになったのかなぁ
いやいやそんなことあるはずがない
また使われるときがいつかやってくるさ
多分……

生徒作品②（図2）で扱われている宝物は、作者が小学校の頃に使っていた定期券である。ただ、定期券はあくまでワンポイントとして描かれており、奇妙に長い改札や、その向こう側の群衆がむしろ印象的である。ここにはどんな思考・判断・表現のプロセスがあったのだろうか。

題材の振り返りレポートから抜粋すれば、生徒は「この

図2　生徒作品②

定期券には使われなくなった寂しさと、使用者が成長したことの嬉しさの両方がある」と考えていたようである。全く別の感情を同時に表現することに難しさを感じつつも、「殺風景な駅」で寂しさを、「長い改札」で成長の道のりを、「その先の人々」で自分を迎え入れてくれる大人たちを、それぞれ描こうと試みたとのことであり、多義的・比喩的な表現を自覚的に深く構想している様子がうかがえる。

　以上の授業の実践例からは、表現の活動と接続することで、対話型鑑賞の学びのエッセンスが、より実質的かつ持続的に機能している様子が見てとれたのではないだろうか。モデレーターとして筆者が印象的に感じたのは、鑑賞から表現へという単線的な移行ではなく、授業の各段階、すなわち《ゴッホの椅子》の鑑賞、宝物の絵画表現と詩作、振り返りレポートで、つねに鑑賞が織り込まれている、まさに往還的活動であったことだ。本授業において鑑賞と表現が密接に結びついていたことは、生徒の次のような言葉からも見てとれる。

　「そこで私は考えました。いつも美術で鑑賞するときのように自分の絵にも意味を込めようと」

　最後に似内氏は、対話型鑑賞がねらいとする学びと、今回の実践事例との対応関係を次のように整理し、プレゼンテーションをまとめた。すなわち、対話型鑑賞と一体的に行う表現活動においては「自分との対話」「他者との対話」「モチーフとの対話」「（自作も含んだ）作品との対話」の四つの観点が想定される、と。

　このうち、特に「モチーフとの対話」「（自作も含んだ）作品との対話」の二つは、美術科の授業において表現と相補的に対話型鑑賞を試みたからこそ示された論点であるように感じられる。本発表は、ごく具体的に参照可能な事例報告でありつつ、対話型鑑賞のさらなる適用範囲や応用可能性を模索するものでもあったと言える。表現、あるいは制作との関係をどのように切り結んでいくのかは、学校教育の文脈に留まらず、対話型鑑賞そのものに投げかけられた問いであるだろう。

■朝鑑賞と学校——沼田芳行氏のプレゼンテーションより

　続いて、沼田芳行氏による発表「朝鑑賞と学校」が行われた。沼田氏は、所沢市立三ケ島《みかじま》中学校、所沢市立向陽《こうよう》中学校と校長を歴任しており、その両校において全校的な活動として「朝鑑賞」を行ってきた。

朝鑑賞とは、各クラスでの「朝の会」で、月に2～4回のペースで10分程度の対話型鑑賞を行う取り組みである（図3）。沼田氏は「美術の教員だけではなく、教師全員がやってきたところに大きなポイントがある」と言う。

図3　「朝鑑賞」実践の様子

VTCの研究においては、美術館に勤める専門家が対話型鑑賞を実践するよりも、生徒との信頼関係が構築できている小学校の学級担任が対話型鑑賞を実践する方が、より教育的効果が上がった、という報告がある（一章参照）。前提条件が異なるため、一概に比較することはできないが、非専門家が対話型鑑賞を行うことで、どのようなことが起こるか？　という意義深い論点が、朝鑑賞では示されていると言えるだろう。

朝鑑賞のねらいとはじまり

沼田氏は、朝鑑賞のねらいを「考える、考えたことを口にする」ことによる「生徒の思考力・表現力の伸長」と、「教師のファシリテーション力の向上」であるとした。その背景には、ある危惧があった。号令と返事しか聞こえない授業や、挨拶の声がピシッとして、大人からしたら良く頑張っているねと言いたくなるような授業、いわばあまりにも管理と規律が徹底された授業によって、何も考えない子どもたちを育んではいないか、という懸念である。「何かの反復ではなくて、他の手段で学ぶ力の育成が図れないかと考えていた」と沼田氏は言う。この取り組みにおいては、生徒の成長と同時に、教師がいかに変容するか？　ということがつねに問われている。対話的な学びの実践においては、教師自身がその渦中に参加すること、一人の学習者としても在ることが不可欠であると言えるだろう。

そんな折、朝鑑賞の実践について、沼田氏はかつての同僚であった三澤一実氏（現・武蔵野美術大学教授）からアイデアと提案を受けた。前例のない取り組みであったが、武蔵野美術大学の学生の協力を得ながら、まずは作品に触れる機会を校内に作り出していくところからスタートしていった。会議室に作品を展示して「美術館」にする、教員同士で対話型鑑賞を行ってみるなど、様々な試行錯誤を続けるなか、奥村高明氏（日本体育大学教授）からもアドバイスを得て、朝鑑賞の進め方が一つのシートにまとめられた。「この作品は何を描いたものかな？」「どこからそう言えるの？」「もっと発見できる人はいる？」という発問を基礎としながら、「題名を付けてみよう」「どんな思いで描いた絵かな？」「違う見方ができる人はいるかな？」など、応用的な問いかけを例示するものであった。

模索を続けながら、徐々に形を成してきた朝鑑賞。その中で生徒たちと先生方はどのように感じ、何を学んで来たのだろうか。

生徒たちの反応

発表の中では、多種多様な生徒の声が紹介されたが、まずは一人の生徒の変化を追ってみたい。女子生徒Sさんは、1年生の朝鑑賞では次のような感想を残している。

「最初は何でやるんだろう、めんどうくさいな、と少し思っていたところもあったけど、ずっと見ていくにつれて、自分もその作品を進んで見たり、みんなと話し合っていろいろ考えることができました。これからもたくさん発表していきたいです」

2年生のときには感想を白紙で提出したが、3年生のときには、また次のような感想が書かれていたという。

「これから日常生活では、自分の意見を通すのではなく、他の人の意見をしっかりと聞き、考えていきたいと思いました。社会に出ても、人の思っていることの違いなどを見つけて、これからに活かしていきたいと思います」

　このような変化がなぜ起きたのか。「1年生の朝鑑賞は、すごい活発で、意見もたくさん出る。笑いもあったり、時には何か真剣な眼差しになったりということもある。しかし2年生の秋口から、知らないとか、分からないとか、自分の内心を伝えなくなってくる」と沼田氏は言う。白紙での提出には、そのような朝鑑賞自体の状況が影響しているのかもしれない。ただ、この膠着状態にもまた転機が訪れ、2年生の2月くらいから、少しずつ変わってきて、3年生になるとまた言葉を発するようになるそうだ。

　モデレーターとして興味深く感じたのは、1年生時の感想には「話し合って考えることができた」と書かれているのに対し、3年生時には「他の人の意見をしっかりと聞き」「思っていることとの違いなどを見つける」ことの重要性に触れられている点だ。学びの視点が、自分自身から他者の存在へと移行していることが指摘できる。

　これはあくまで一つの解釈に過ぎないが、先の似内氏の発表にもあったような思春期の葛藤、他者の目線の想像と自己認識の再構築によって「足踏み」をしている状況が、2年生時の白紙として現れたのではないだろうか。だとすれば、それは単なる停滞ではなく、変化・成長の一過程であると考えることができるだろう。このプロセスを考えるための手懸かりとして、次のような生徒の言葉も紹介された。

　「この時間は自分と向き合い考えることができる貴重な時間です。この時間があるからふと立ち止まれたり、友達の良さを見つけたり、友達の意見に対し、そうだねと共感できたり。だって思春期の自分たちが素直にありのままを答えるのは恥ずかしいときもあるし、難しいこともあるし、意見が出なくても感じる心と考える力は着実についていています」

　ここからは、生徒たち自身が自分の心身をメタ認知的に振り返り、学びを深めてくれている様子がうかがえる。また、朝鑑賞における生徒たちの学びは、その実践の特性（担任教員による教科外での実践）に応じた形で、より汎用的な資質・能力に関する言及が多く見られることも指摘できるだろう（メタ認知もまさに汎用的能力である）。

沼田氏は3年生全員と面談の時間を設けている。そこでは「図形の学習で、見方を変えてみることで、新しい考えを見つけることができた」という教科横断的な学びの活用や、「大人と話すのが苦手だったけど、話ができるようになった」という日常のコミュニケーションへの応用、などの声が聞かれると言う。朝鑑賞がねらいとしていた「生徒の思考力・表現力の伸長」は、生徒たちの具体的な実感としても現れているようだ。

先生方の反応

一方で、先生方の反応はどうであったか。当初はやはり美術への抵抗感があったと言う。「普段はたいてい自分がわかるものを持って、答えがあらかじめ用意されている状態で子どもたちの前に立っているのに、絵については自分もわからないために、わからないものをもって生徒の前に立つのが怖くて仕方がない」という様子であったとのこと。また「沈黙に耐えられない」ということもあったと言う。どんなに発問を変えても意見が出ないまま10分が終わってしまったことも実際にあり、教師が知識・情報を教え、まとめて終わる授業の在り方との違い、ジレンマが感じられていたようだ。

そのような七転八倒を繰り返しながらも、実践から2年目、3年目になってくると、変化の兆しが現れはじめた。「授業が変わってきました。話し声が聞こえるようになったんです。学び合いが生まれるようになり、子どもたちがお互い見合って評価しあったりとか、そんなことが起きるようになってきました」と沼田氏は振り返る。

さらに、授業以外の、たとえば保護者対応の場面などでも変化があった。「教員と保護者の間で折り合いがつかず、私が対応することが往々にあったのが、先生たちが保護者の話を聞けるようになり、両者の間で完結するようになった」と言う。

これらのエピソードは、朝鑑賞のもう一つのねらいであった、「教師のファシリテーション力の向上」が、狭義の授業力向上に留まらず、より幅広い文脈・場面において、汎用的能力として結実している証左と言えるだろう。「先生たちが朝鑑賞を使って、考える行為を育てる術を試行錯誤する気運が生まれてきた」ように沼田氏も感じていたと言う。

モデレーターとして筆者が象徴的に感じたのは、教師自身の発案により、先に挙げた「朝鑑賞シート」の内容が更新されたという点だ。それは朝鑑賞をトップダウンの既決事項として処理するのではなく、自分事として捉え返し、与えられた枠組みを再構築しようとする試みである。

　更新された朝鑑賞シート（図４）の内容をみても、より詳細な発問や展開が想定されていることが見てとれる。特に「問いかけはファシリテーターがいちばん聞きたいことを生徒にぶつける。そして返ってきた言葉に反応する」という、姿勢・心構えとして挙げられているポイントは、知識教授型の授業からの大きな変容に繋がりうる重要なカギであるだろう。

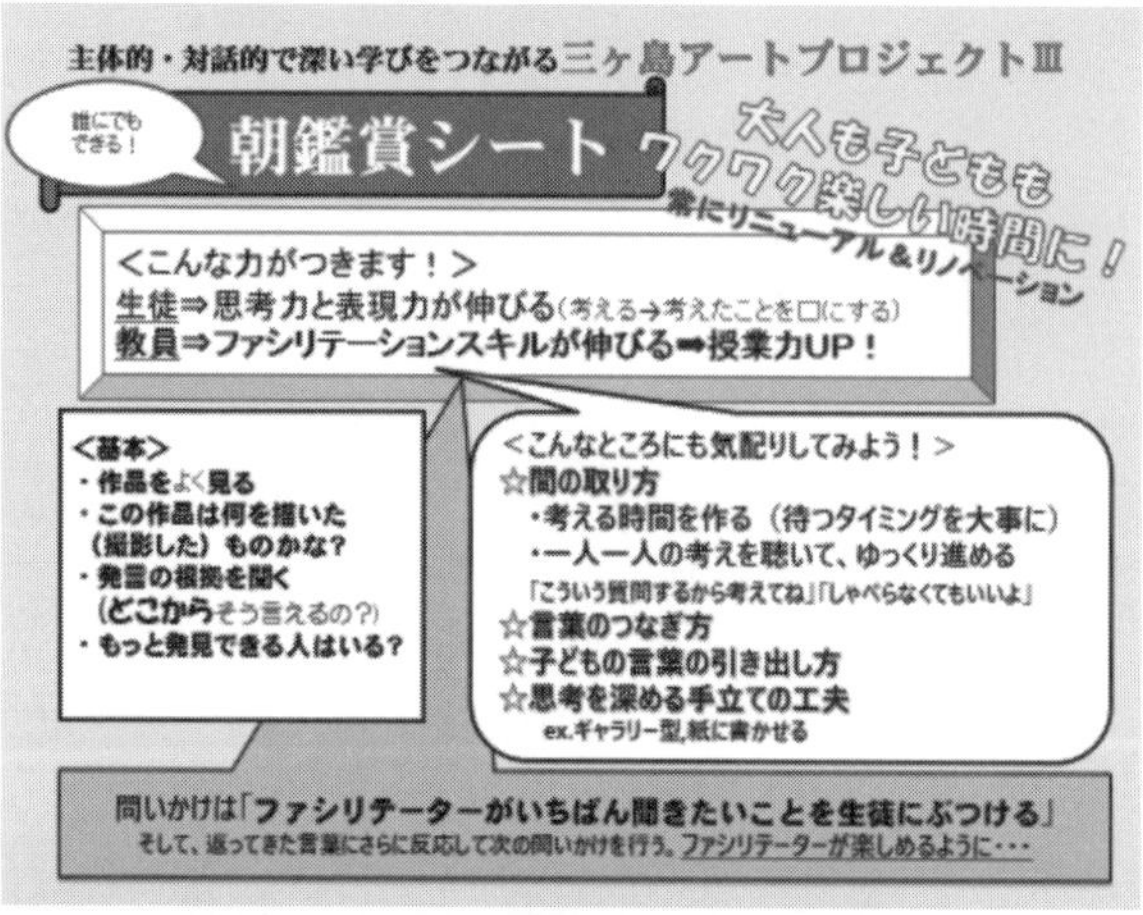

上・図4　更新された「朝鑑賞」シート
下・図5　4月1日の職員会議の様子

ものを言える生徒と学校を創る

　最後に沼田氏は、朝鑑賞を通した大局的な目的として「ものを言える生徒と学校を創る」というテーマを挙げた。この言葉が表しているように、朝鑑賞の取り組みは、生徒たちや先生方が、葛藤を乗り越え変容していく学びの活動であると同時に、学校という組織全体が対話的な風土へと創り直されていくようなプロセスであったとも言える。

　三ケ島中学校では、毎年４月１日の職員会議に、生徒会本部の生徒たちが参加している（図5）。「私たちはこんな生徒に育ちたいということを、話をしてくれました。だったら、先生たちはどんな学校にしますかということを、まず共通理解して、今年のスタートを切りました」。まさに有言実行である。

対話型鑑賞は、鑑賞と表現との往還を行うことで、美術の教科内での「作品」を生成することも可能であるが、狭義の教科性を超えて、関係性や共同体の在り方そのものを構成しうるものでもある。沼田氏の「学校を創る」という言葉には、そのような「対話による創造」の可能性が潜在しているように感じられる。

■「アート思考」とは何か？
——末永幸歩氏のプレゼンテーションより

最後に、末永幸歩氏による発表が行われた。ベストセラー『「自分だけの答えが見つかる」13歳からのアート思考』で広く注目を集め、２０２２年現在は全国の教育機関や企業などで年間１００回を超えるワークショップや講演などを通して、アートと社会をつなぐ活動を展開している。

末永氏は、東京都内の中学校・高等学校で美術科教員として勤めていたという背景があるものの、その活動は多岐にわたっており、そういった意味では「学校教育と対話型鑑賞」のセッションとしては異色の人選である。また、その活動の核となるのは、「アート思考」というキーワードであり、対話型鑑賞の実践と直接的な関連性があるというわけでもない。にもかかわらず、末永氏の思考や実践は、これまでの議論と深い部分で通底するエッセンスを読み取ることができるものであった。

本発表は、アート思考とは何かを、あらためて定義するところからスタートした。末永氏によれば、アート思考とは「主に20世紀のアーティストたちが、作品を生み出す探求の過程で行う思考の在り方」であり、それは次の3点によって整理される。

①「自分なりのものの見方」で世界を見つめ、
②「自分だけの答え」を創り、
③それによって「新たな問い」を生み出すこと。

この考えをベースとして、様々な実践を行っているとのことである。また、作品を通して、その裏側にあるアーティストの思考過程を探ることは、いわば「背景とのやりとり」であり、作品そのものとの関わりは「作品とのやりとり」

として考えられると言う。

「作品とのやりとり」は何をもたらすのか？

「作品とのやりとりにおいては、考えたり作ったりする作者はもちろんのこと、鑑賞者もそれを見たり解釈したりすることで作者と等しく作品を作っている」という発言には、対話型鑑賞において行われる創造的な解釈との共通性を指摘することもできるだろう。しかし、一方でそのまま置き換えられない部分もあると言う。その「置き換えられない部分」のズレや差異にこそ、「対話型鑑賞のこれから」のヒントがあるのかもしれない。

たとえば「作品とのやりとり」の一例として、子どもがブロック遊びをする様子が挙げられた。「2歳の娘がブロックで滑り台を作り、人形を滑らせたりして遊んでいました。そのあと興味深いことに、今度は娘自身が登ったり滑ったりするような仕草をしていました。その様子を見ていて、ただ演技をしているというよりも、空想によって頭の中に大きな滑り台を作りあげて、それを見て遊んでいるのではないかと感じました」。

つまり、「作品とのやりとり」においては、目に見える作品の部分はあくまできっかけで、頭の中で作品の残りの部分を作っているのであり、それは「観察的な見方とは異なる鑑賞の可能性」を示すものではないか、と末永氏は提起し、そこから「作品とのやりとりは何をもたらすのか？」という問いを一つの軸としてプレゼンテーションを展開していく。

実践事例「アート・シンキング」

ここで紹介された実践は、九州大学大学院芸術工学府で、修士1年生を主な対象として行った「アート・シンキング」と題された講義の事例であった（90分×8コマ）。この講義は「美術作品の鑑賞」「鑑賞を基にした制作」「発表」という三つの流れによって構成されているが、初めの鑑賞の部分だけではなく、制作・発表すべてが「作品とのやりとり」と位置づけられている。

(1)イントロダクション「視覚を除いて見る」

講義では最初に、不透明の袋に入った生卵を用意し「視覚を除いて卵を見てみると？」という問いが受講生へ投げかけられた。すると、「少し肌に吸い付くような感覚」「小ぶりにしては重たい」「しばらく触っていても熱を持たない」など、視覚だけでは引き出せない気づきが出てきた。さらには「地球外生命体が入っている」など、空想したイメージのような見方も現れた。そこには、美術作品の鑑賞を行う前に、「見ることの可能性を広げる」ねらいがあったようだ。

(2)自分なりの見方で作品をみる

このイントロダクションを経て、長谷川等伯による《龍虎図屏風》の実物大の高精細複製品（キヤノン株式会社と特定非営利活動法人京都文化協会が取り組む「綴プロジェクト」による制作。原本はボストン美術館所蔵）を講義室に運び込んで、鑑賞を行った（図6）。

鑑賞のねらいは、自分なりのものの見方でみること。作品情報は一切伝えずに作品と向きあう鑑賞を約2時間かけて行った。

「自分なりのものの見方」をするためには、「視点を変えるきっかけ」を提示することが重要であると末永氏は言う。最初に出てくる言葉や感想はむしろ社会的・文化的な見方や、これまで学習したことなどによって染みついたものの見方であることが多く、それを離れることでようやく「自分なりのものの見方」が浮かび上がってくるからだ。これは、自画像表現を行うために、いちど他者や持ち物を経由するという似内氏の実践との共通性が感じられたポイントであった。

図6　作品鑑賞の様子

視点を変える様々な手立てを行うなかで、特筆して示されたのは「もしそうではないとしたら?」という問いかけである。たとえば、初めに龍や虎が怖いと感じていた学生たちは、その問いかけにより、龍の太眉や潰れた鼻から優しげな顔にも見えることや、龍の頬が上がっていて、にやけているようにも感じることなど、異なる見方の可能性に気づき始めたという。あるいは、龍と虎がにらみ合っていると感じていた学生が、「目線が合っていなくて遠くを見つめあっているようでもあり、恋しているような恥じらいであるかもしれない」と想像を膨らませる、などの変化もみられた。そこでは作品に描かれているものから徐々に離れていって、鑑賞者のなかに自分なりのイメージやストーリーが広がっていくプロセスがみられるのではないか、と末永氏は言う。この部分は、あくまで作中の根拠に基づいた解釈を目指す対話型鑑賞との違いが明確にあるところと言える。対話による鑑賞に留まらず、いわば「対話による想像」が積極的に深められている様子がうかがえる。

(3)廃材を用いて制作する

さて、そのような「自分なりのものの見方」を醸成する鑑賞の活動を経て、いよいよ講義は制作の段階に入っていく（図7）。そのねらいは「鑑賞したことによって芽生えた思いを制作によってさらに広げる」ことであり、鑑賞で感じたことをただ表すわけではない。つまり、鑑賞で得られた思考や感覚を固定化してアウトプットするのではなく、

図7　制作活動の様子

制作の過程でさらに考えが広がったり深まったりすることを重要視している。

それを実現する手立てとしてとられた手段は「廃材を用いた工作」であった。これにより、綺麗に仕上げることに力を注ぐのではなく、模索していくこと自体を活動の中心に据えることができるのではないかと考えたからだ。では、実際に学生たちはどのような模索を行ったのか、その事例を追ってみよう。

下に示した作品を制作した学生は、《龍虎図屏風》を鑑賞した際に「見ようとすればするほど見えなくなっていくという、見ることの難しさ」を体験し、その体感をもとに制作に臨んだという。金色の美しいお菓子の箱を用いた、一見綺麗な作品であるが、近寄ると小さい穴が開いており、そこを覗くと内部の複雑な構造が垣間見える。箱の中には色々なものが入っているが、一つ一つの穴からその全体像を把握することはできないような仕組みの覗き箱ふうの作品になっている（図8）。

ここでは「見ることの困難さ」「見つくすことの不可能性」という鑑賞体験が、工作における物理的な構造へと、比喩的に変換されている様子がうかがえる。そしてその制作は、事前に完成形をイメージして直線的に行われたものではなく、廃材による工作のなかで、美しいお菓子の箱を偶然見つけたことや、様々なオブジェクトに触れながら試行錯誤

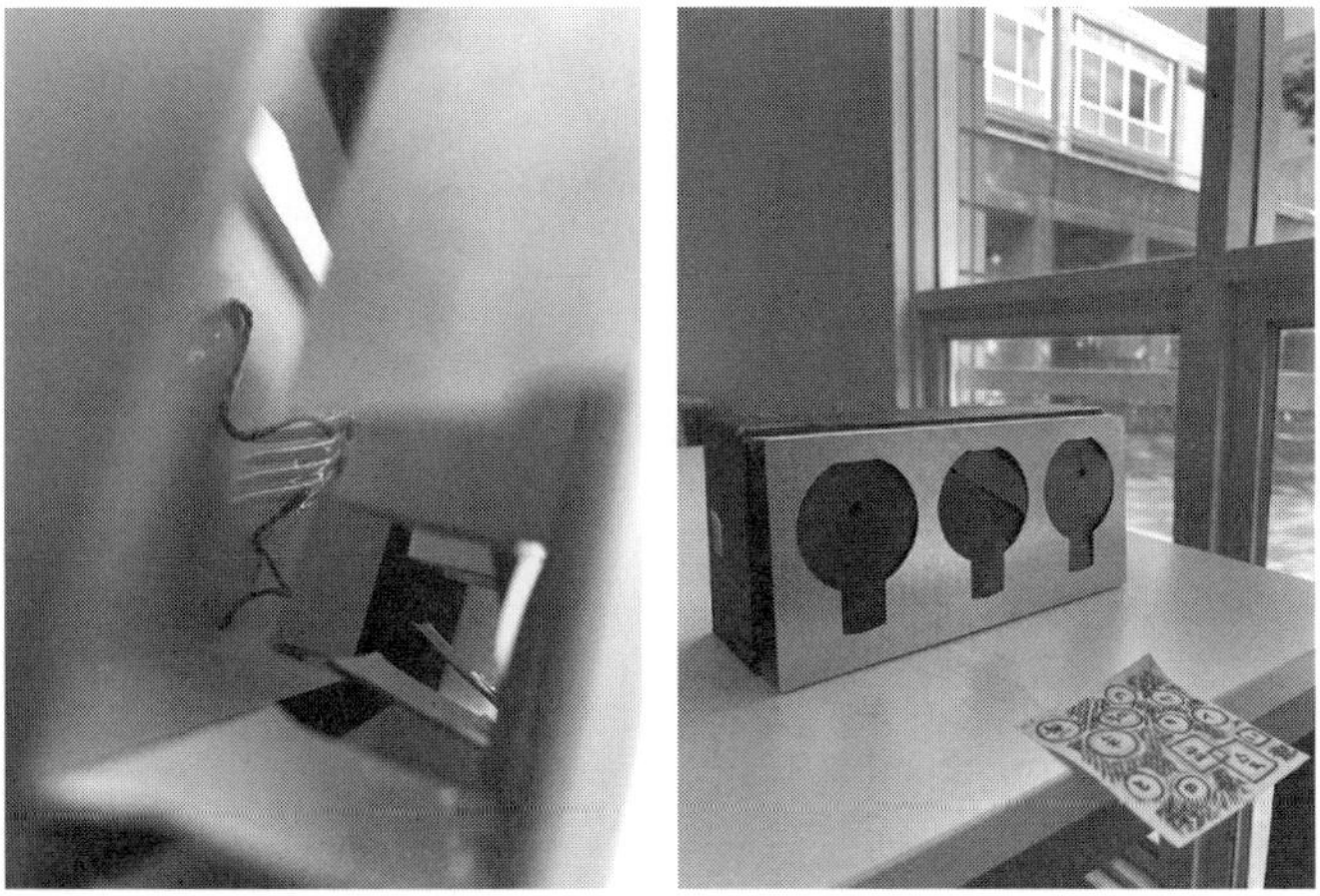

図8　学生作品の事例

左図は右作品の内部を撮影したもの

することによって引き出されたものであると言える。

⑷他者の作品を鑑賞する

制作過程における様々な発見や学びをさらに深めていく段階として、最後の「発表（お互いの作品の鑑賞）」が行われる。作品の仕上がりは論点にせず、作品をきっかけにした対話をすることによって、また新しい視点に出会ったり、新しい考えが湧きおこったりすることをねらいとしているため、作者が自分の作品について発表する前に、作品だけを鑑賞することを行った。お互いの作品を対話型鑑賞するようなプロセスであるとも考えられるだろう。

たとえば、先に挙げた学生の作品鑑賞においては、「見ようとすればするほど見えなくなる」というテーマを、「人間関係」や「勉強」に引き付けて解釈するような対話があった。鑑賞から制作へ、そして制作から発表へ、というサイクルのなかで確かに「考えの広がり・深まり」が起きていることが見てとれる。

最後に、一連の「作品とのやりとり」を振り返り、学生たちにレポートを書いてもらった。覗き箱の作品を制作した学生が綴った言葉は次のようなものである（一部を抜粋）。

「私は就職活動に取り組んでいる。自己分析を一通り終え、自分を理解しているつもりであった。しかし振り返ると、最初から自分を知っているという前提に立っていた。そこには、自分を知ることへの好奇心やワクワク感が全くなかった。授業後、未知の自分に出会うことを目標に見方を変えてみると、新鮮な気持ちで自分に向き合い直すことができた」

ここには、自分の内側にあったけれども、これまではっきりと認識していなかった部分が現れていると末永氏は捉える。そのうえで冒頭の「作品とのやりとりは何をもたらすのか」という問いに立ち戻り、次のように答えを示した。すなわち「作品とのやりとりがもたらすのは、自分の中に眠っていたけれど見過ごしていた自分の想い、興味や違和感を浮かび上がらせること」であると。アート思考の定義に準《なぞら》えれば、鑑賞・制作・発表の循環において「自分なりの答え」を紡ぎだし、そこから自らを問い直す「新たな問い」を生み出した、ということであるのかもしれない。

末永氏は「作品とのやりとりを対話型鑑賞に置き換えたとき、どのようなことが考えられるのか、対話型鑑賞のこれからを創造していくきっかけにしていただければ」とさらなる問いを投げかけ、結びとした。ちなみに、先の学生が作品につけたタイトルは「未知の世界との出会い」という示唆的なものであった。モデレーターとして思考を広げてみるならば、末永氏のプレゼンテーションは、「対話型鑑賞のこれから」という未知の領域を展望するための風穴をあけるものであったと言えるだろう。

■「対話による想像と創造」という視座——筆者の考察

ここまでの記述で、三者のプレゼンテーションを概観することができた。さてそれでは、「学校教育と対話型鑑賞」というセッションは、そこからどのようなストーリーを紡ごうとするものであったのか。一言で表せば、それは「対話による想像と創造」である。この言葉に込められた含意について、最後に説明を試みたい。

末永氏は対話型鑑賞を直接的に取り上げたわけではなかったが、「作品とのやりとり」という対話的な相互作用のプロセスを重要視する点では、似内氏および沼田氏と共通していたと言えるだろう。その認識のうえで、三者に通底する論点を抽出するならば、「対話から何が生まれうるのか」という問いが焦点化されるのではないだろうか。

それは似内氏においては、美術の授業における鑑賞と表現の往還であり、沼田氏においては、学校における垣根を超えて協働する共同体であり、末永氏においては、未知の自分との出会いであった。これら多岐にわたる「対話から生まれたもの」をさらに煎じ詰めれば、本章が提議しうる「対話型鑑賞のこれからの可能性」は、次のように言うことができるかもしれない。

①鑑賞と表現の一体化
②造形行為と関係構築の相補的展開

①に関しては、美術の授業というある種の事情によって要請されたというだけに留まらず、対話型鑑賞が本質的に内包している課題であるとも言える。たとえばＡＣＯＰでは、作品と鑑賞者の間に起こる深淵なコミュニケーションこそがアートであると定義されているが、そこで生成される創造的な解釈は「表現」との境界を限りなく曖昧にするものである。実際に、現代アートの世界に目を転じてみれば、コミュニケーションや関係性それ自体を「表現」とする、物質的な基盤をもたない作品は枚挙に暇がない。近

現代の美術からその思考を分析している末永氏の実践が、表現と鑑賞を一体化させつつ、まさしく対話的であったことも証左の一つとなるだろう。

では、①ではいったい何が制作されるというのか。②で挙げたように、それはあくまで美術の文脈を主とする「造形作品」である場合もあれば、狭義の教科性や専門性を超えた汎領域的な「関係性」までを含む場合もある（ここで言う「関係性」には、他者との関係を通した自己理解の深まり・変容も含まれている）。

そこまでを考慮した場合、そもそも美術・アートである必然性があるのか否か、あるとすれば、いったい美術・アートの固有性は何であるのか、といった問いに応えることが課題となってくる。これについて、理論的な応答は簡単にはできないが、少なくとも実践上の対応としては「相補的展開」が必要になるのではないか。たとえば沼田氏の発表における職員会議のやり方は、ある関係性の在り方を会議の形態として可視化するような試みであった。造形行為から意味生成や関係構築を引き出していくこと、あるいは逆に、非物質的な現象や関係に対して、そのルールや形式を可塑的なものとして造形していくこと。その両輪を回す方略が求められることになるだろう。

数ある対話型鑑賞の呼称・名称のなかには、「対話による鑑賞」という言い方がある。ここでは以上の考察をもって「鑑賞」をさらに「想像と創造」と言い換えてみたい。同音異義語であることには、鑑賞と表現が表裏一体となっている様子が、汎用的な語彙であることには美術・アートの自明性が揺るがされている状況が、それぞれ込められている。「想像」は芸術作品の鑑賞だけに留まらない、自己の内面におけるイメージの広がりすべてを意味しうる語であり、「創造」は物質的・視覚的な造形のみに収まらない、クリエイション全般を指しうる語である。

「対話型鑑賞のこれから」の可能性は、「対話による想像と創造」という視座によって拓かれる。だとすれば、どのような思考が可能になるだろうか。この先は、それこそ対話的な議論に開かれるべきであるが、蛇足を承知でモデレーターとしての考察をもう少しだけ記しておきたい。

灯台としての対話型鑑賞

対話による想像と創造。ここには「鑑賞」という言葉がない。ということは、何らかの芸術作品に類する人工物が対象になる、という前提がもはやない。本章でも「宝物」を対象に対話型鑑賞を行うなどの例があり、科学や医療への展開事例をみても、狭義の芸術作品のみが対象となっていないことは既成事実であるとも言える。さらに言えば、対象物がなくとも「想像」は可能であり、そうなると哲学対話などの取り組みや、ディスカッション一般との線引きを明確にすることが難しくなるかもしれない。

また「鑑賞」といった場合、ある種の美術的・美学的な方法論が基盤として想定しうるのだが、「想像と創造」の語にいたっては、関連しうる背景理論は広大無辺となる。これについても、すでに現状において、本フォーラムの冒頭でも懸念されていた通り、対話型鑑賞の実践方法論はかなり拡散的になっていると言える。そこへさらに「創造」の側面に力点を置くならば、諸々のワークショップとの差異もかなり曖昧になるだろう。

つまり「対話による想像と創造」とは、対話型鑑賞をめぐってすでに起こっている眩暈がするほどの拡大現象を、何とか積極的に価値づけ・方向づけしようとする言い方であるのかもしれない。あるいは、ある程度体系化可能な「対話型鑑賞」と、より拡張的・拡散的な関連する諸実践とを区分する名称であるとも言える。「対話による想像と創造」は、領域横断的な実践を限りなく推し拡げる可能性を持つと同時に、拠って立つ基盤を定めることができない根無し草のような不安定性も孕んでいるのだ。

何らかの体系的な「型」が定められない状況で、充分な妥当性をもって実践を成立させることは、実は至難の業である。「対話による想像と創造」は、言葉上の穏当さに反して、解けないパズルのような難題を抱えている。その実践に漕ぎ出していくためには、まずはそこにある困難を切実に認識することが必要不可欠であるだろう。

望むと望まざるとにかかわらず、すでに船は岸辺を離れてしまっている。潮目は沖に流れており、たぶんもとの港に帰ることは難しい。そこで対話型鑑賞は灯台の役目を果たすかもしれないが、これから何処へ向かうのかは、オールをもった私たちが見出さなくてはならない。

四章　パネルディスカッション

科学／医療と対話型鑑賞

登壇者

大野照文　高田短期大学図書館 館長（元京都大学総合博物館 館長）

森永康平　ミルキク代表／獨協医科大学 非常勤助教
MED AGREE CLINIC うつのみや 院長

三成寿作　京都大学 iPS細胞研究所 特定准教授

モデレーター・執筆

北野諒　大阪成蹊短期大学 幼児教育学科 講師

（左から）登壇する三成・大野・森永・北野

はじめに

本章では、パネルディスカッション「科学／医療と対話型鑑賞」について、モデレーター（北野）の視点から整理・再構成して紹介する。3名の登壇者（大野照文氏・森永康平氏・三成《みなり》寿作氏）からは、後日あらためて作成された論考も預かっており、本章にはそれらの内容も加味されている。当日の即興性のある議論、後日の練り直された論考、両側面から総合的に記述を進めていく。

本章の記載順は、当日の発表と同じく、大野照文氏↓森永康平氏↓三成寿作氏となっている。

大野氏の発表・論考では、氏が長年にわたって実践されている対話的な科学ワークショップの報告・分析が行われているが、それだけに留まらず、科学とは何か、対話とは何かについて、人類史のスケールから原理的な考察が示されている。

森永氏は、医学生・医療従事者への、対話型鑑賞を用いた教育活動の紹介から議論を始める。医療の現場・教育において「みる」ことがおろそかになってはいまいかと問題提起し、そこに対話型鑑賞が寄与しうる可能性や、医療やケアの教育に関する再認識の必要性を提言している。

三成氏は、先端生命科学における倫理的・法的・社会的課題について社会全体で議論を行うことの重要性、言わばマクロな観点からの対話という論点を示している。そこでの一つの方略として対話型鑑賞の応用可能性が提議され、「しまプロジェクト」等の実践報告から考察が行われている。

おそらく本章は、本書（本フォーラム）のなかでも、もっとも異質な領域と複数の論点が交錯する、スクランブル交差点のような位置を占めている。また論点の多様性に加え、議論のスケールも非常に幅広くなっている。診療場面やワークショップにおける個と個のミクロな対話から、社会全体、あるいは人類史にまでおよぶマクロな対話まで、焦点の位置がめまぐるしく変わっていく。

以上の前置きが示すように、本章は、読み通して意味を咀嚼することに、かなりタフな作業を要することになる。だがその反面、そこから引き出すことのできる味わいや思考にも、いっそうの深みがあるはずだ。三者三様の議論を読み進めながら、広大なスケールに配置されていく「科学」「医療」「社会」「対話」といったキーワードがどのように響き合っているのか、星座を見つけるような感覚で論点のラインを結んでいってもらえれば幸いである。章末では、

「星座の描き方」の一例をモデレーターの観点から示すことも試みたい。

■対話的な科学ワークショップの可能性
――大野照文氏のプレゼンテーションより

ワークショップ「三葉虫《さんようちゅう》を調べよう」

「博物館っていうのは要するに、この世は不思議で楽しいことに満ち溢れているよ、それを楽しむ力は全員が備えているよ、ということを伝える場所なんです」とフランクに、しかし本質的なポイントから大野氏は語り始めた。古生物学者として京都大学総合博物館館長、三重県立博物館館長を歴任し、科学ワークショップの開発・実践を重ねるなかで対話型鑑賞と出会い、衝撃を受けたという大野氏。まずは自身のワークショップの経験、そしてそこから得られた知見を紹介するところから話は展開していった。

最初に示されたのは「三葉虫《さんようちゅう》を調べよう」というワークショップである。古生代の生き物である三葉虫の実物化石をもとに、投げかけられた問いに対して観察・推理・対話・確かめのプロセスを繰り返していく活動であるのだが、そのなかで印象深いエピソードがあったという。

「あるとき、『三葉虫はどのようにして天敵から身を守るか』という問いに対して、3人の女の子たちが『体を丸めて天敵から身を守る』との推理を発表してくれました。その推理通りの、体を丸めた三葉虫の化石を提示すると、まずは『私たちが考えた通り』と、証拠の標本を高らかに掲げて自慢した次の瞬間、うっとりと標本を眺め始めたんです。これは【未知】を【既知】に変えることができる、つまり発見できる自分を発見して、自己効力感とさらなる学びへの意欲がかきたてられたということではないかと考えています」。

これはまさに、学び方を学ぶという、学ぶ力の根本を示唆するエピソードであると言える。この話を受けて筆者は、モデレーターとして芸術作品の対話型鑑賞と、科学における対話的な学習の違い、あるいは共通点について質問を投げかけてみたところ、答えが確かめられるかどうか、という点では違いがあるかもしれないが、答えに向かう道中で対話しながら楽しみ、探求の仕方を学んでいくということは一緒ではないか、とのことであった。

ワークショップ参加者の感想のなかには「考えすべてに

可能性がある、すべてが正解に結び付くかもしれない」という言葉もあった。その「可能性」や「かもしれない」という感覚に、科学と芸術の共通点が潜在しているとも言えるだろう。そこでは客観的な「正解」が発見されることもあるかもしれないが、「発見できる自分」もまた喜びと共に発見されるのだ。

この発見の瞬間を、大野氏は「博物館で学びが起こるとき」と呼んでいると言う。その学びは「うっとり」するような高揚感と共に体験されるのだが、ここで「なぜ冷徹な営みであるはずの科学を体験するワークショップで、情動が生まれるのだろうか」とさらなる問いを立てる。そしてこの科学と情動、客観と主観、合理と非合理が相反しながらも表裏一体となっている在り様は「対話」においてもみられることが、続くワークショップの分析を通して浮かび上がってくることになる。

ワークショップ「貝体新書」

次に紹介されたのは「貝体新書」と名付けられたワークショップ。ハマグリの貝殻を観察し、貝柱の数が何本なのかを対話しながら推測するという内容である。

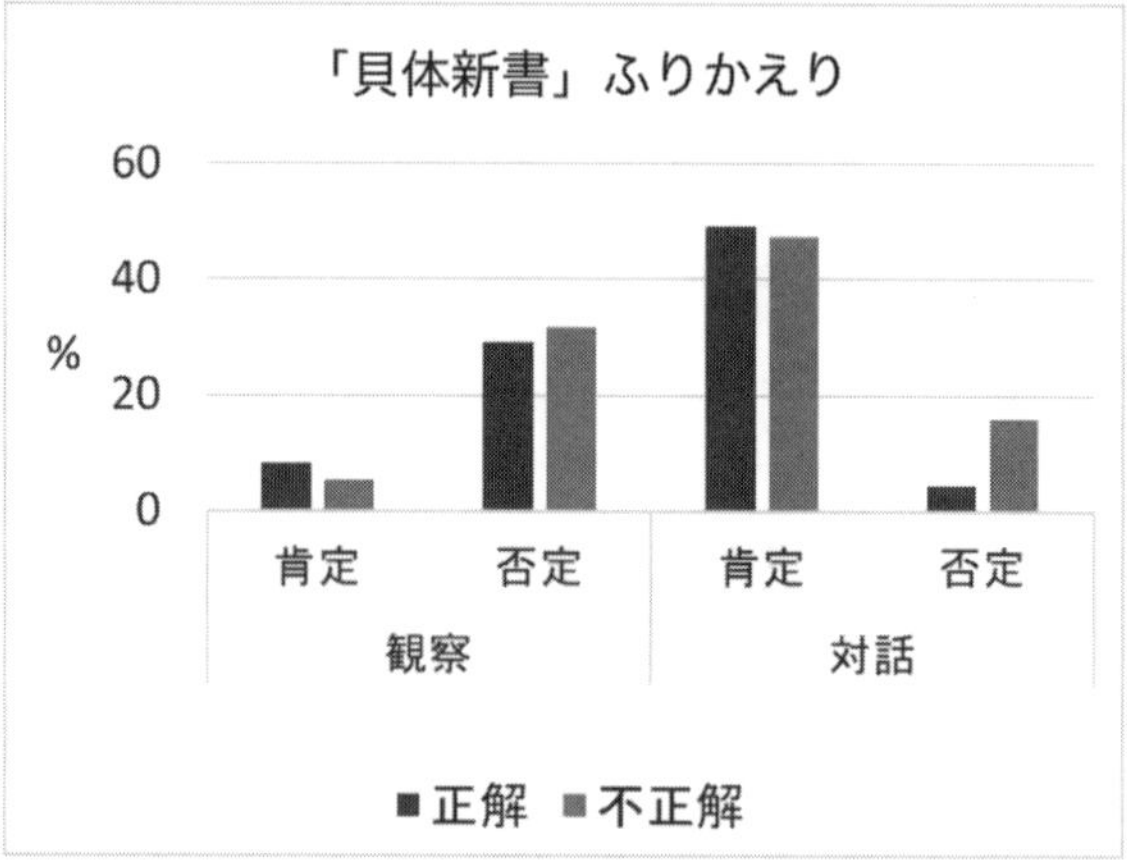

図1　「観察」と「対話」に対する参加者の評価

第一段階では、参加者一人一人がハマグリの殻の内側を観察・スケッチして付着痕から貝柱の数を推理する。第二段階ではそれをもとにグループで対話して貝柱の数を最終的に推定する。このワークショップは一見簡単に思えるが、約350人を対象に行った結果では、第一段階の正解率は約50％に留まったと言う。

一方、第二段階の対話後では、正解率は上昇したものの、それでも平均約65％、つまり参加者の三人に一人は、不正解のままに終わっている。この結果を受けて、「対話は、三人よれば文殊の知恵というほどには大きな力を発揮しない。私たちは、対話下手」と大野氏は考察する。しかしそれは、必ずしも対話についてのネガティブな評価ばかりを意味するわけではない。

「興味深いことに、答えが外れた人も喜ぶワークショップなんです」と、大野氏はあるデータを示した。

別の機会に１５３名を対象に行った「具体新書」にて、参加者が活動を振り返って記述した文章を分析し、第一段階の「観察」、第二段階の「対話」を、肯定的か否定的か、どちらに評価したかを区分したところ、図１のような結果になったとのことである。

「観察のパートでは、観察力不足、思い込み、見落としなど自身の観察能力を批判的に見ており、両者ともに、否定的な感想が肯定的な評価を上回っています。一方で対話のパートについては、不正解者も、対話によって自分では思いつかないような他者の考え方の多様性を知ることができたなど、肯定的な評価を行っています。その結果、正解者だけでなく、不正解者も、対話については肯定的な振り返りが、圧倒的に多くなっているんです」。

これはつまり、ワークショップの参加者は、情報交換や合理的な判断といった側面のみから対話を評価しているわけではない、ということを意味する。「自分を内省し、他者の存在や意見を尊重するきっかけになる対話という行為自体に楽しさを感じている」と大野氏は分析し、「対話とは集団を作って生活する哺乳類である私達にとって、生きていく上で極めて重要な、人の心を慮ったり、心理的落ち着きを得たりするためのものではないか」という仮説を提示した。続いて、ここまでのワークショップの紹介を総括し、科学と対話、両者に共通してみられる構造を次のように述べた。

「21世紀の現代、私たちは、合理的な存在であろうとして、【顕在意識】の領域での知的活動に重点を置いています。しかし実際には、自意識、顕在意識が生まれる以前の長い歴史の間に人類が獲得した、【潜在意識】の領域で作動する様々な知恵を活用して生きています。化石を勉強してきた私の観点から、対話の化石というものはないんですけれども、大きな時間の流れを振り返ってみたいと思います」。

科学と対話は、どこからやってきてどこへ向かうのか。ここから話は、人類史の振り返りへと急速にスコープを拡大しながら展開していく。

科学の二面性

「人類の進化の舞台であるアフリカ大陸では、それまで人類の祖先が樹上生活していた熱帯雨林の面積が縮小し、約300万年前からは、生活の場を地上に移さねばならなくなりました。そして、降り立ったサバンナでは肉食の獣をはじめ天敵が多数いる環境で、生き残りの試練に直面することになります。この状況こそが、客観と情動との二面性をもった科学を生み出したのだと考えています」。

大野氏はそう言うと、「客観サイクル」と「情動サイクル」を組み合わせた図2を示した。

「サバンナの草むらの向こうに天敵、たとえばライオンらしきものが見えたと想定してみましょう。『草むらの後ろに何かいる！』と気付いたとき、我々の祖先達はどう反応したか。よく【観察（観測）】し、輪郭を補って全体像を正しくライオンと【推理（仮説）】した個体は、次にくる逃避という形での【確かめ（検証）】のプロセスを経て生き残りの確率を高めたはずです。こうして私たちの祖先は、科学の客観サイクルを生き残りのために洗練していったのではないでしょうか」。

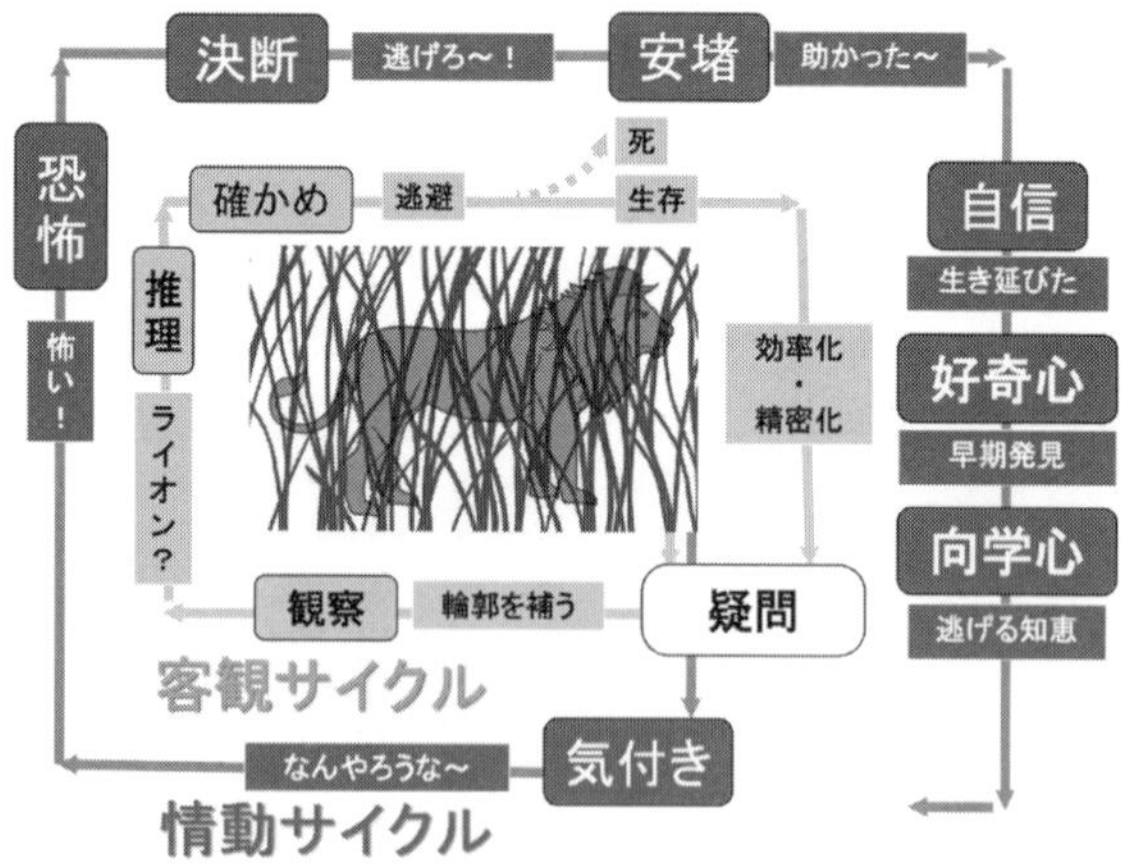

図2　客観サイクルと情動サイクル

この「観察・推理・確かめ」の客観サイクルに「対話」

が加われば、これはまさに先のワークショップの内容ともそのまま合致するものである。続けて、図2の外側の情動サイクルについて言及された。

「客観サイクルの補強に大きく寄与したのが、伴走する情動サイクルであったのではないでしょうか。『草むらの後ろに何かいる』と気が付いたとき、まず緊張感が高まり、対象を注視したでしょう。さらに、『ライオンだ!』と推理したときには『怖い!』という恐怖感におそわれたに違いありません。同時に、それに打ち克って逃げるという決断もする必要があります。そして、うまく逃げた結果命拾いをすれば、『助かって嬉しい!』という幸福感とともに、うまく逃げることができたという自己効力感（自信）も生まれたに違いない。さらに、危機をいち早く発見できるしくみとしての好奇心もさらに洗練されたかもしれません。また、生き残りの確率を高めるための情報を集める向学心も強化されたんではないでしょうか」。

科学の起源には、客観と情動が表裏一体となって作用するサイクルがあったのではないか。このように人類の原体験から振り返れば、「三葉虫を調べよう」でみられた子どもたちの高揚感は、ごく自然な反応として捉えられるだろう。

科学の落とし穴

続いて考察は「貝体新書」における「対話下手」の分析に移行し、新たに図3が示された。ここでも、人類の意識の古層にあるサバンナでの経験が影響しているのではないかと大野氏は言う。

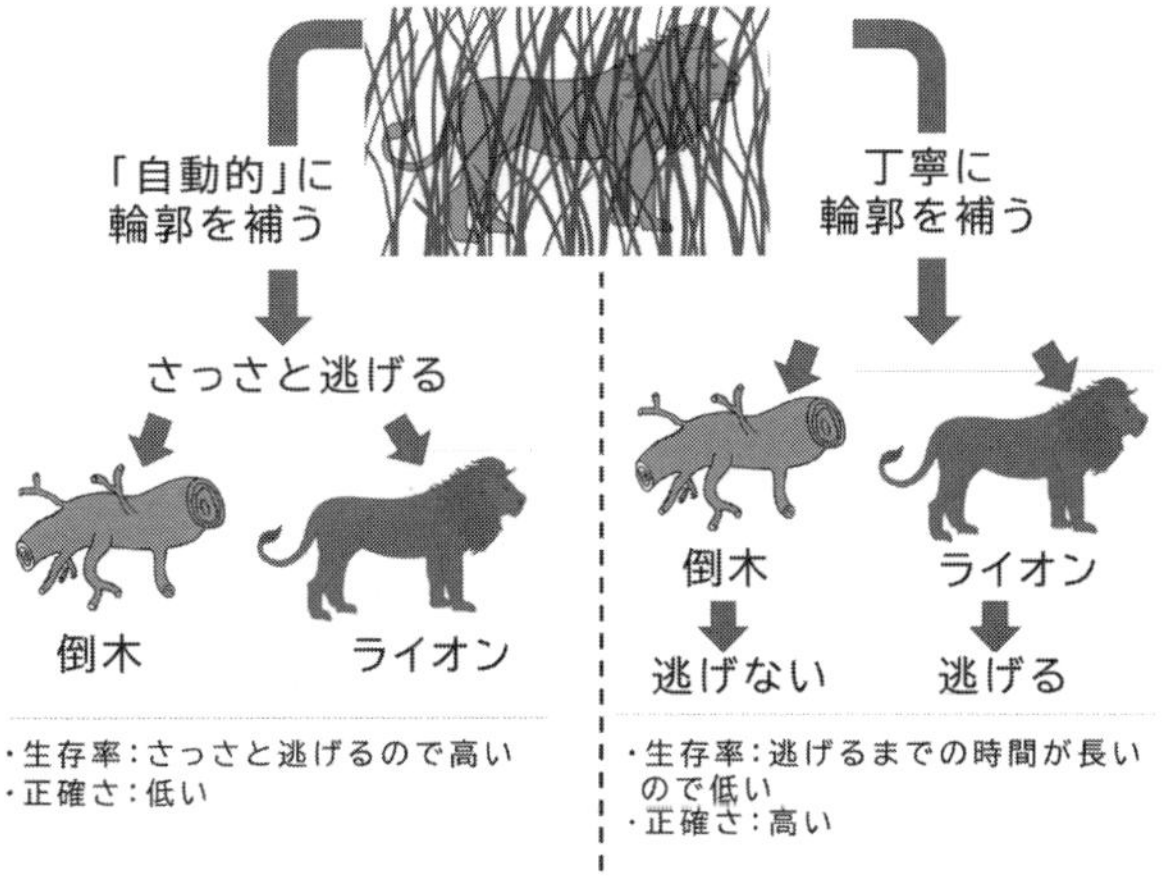

図3　思い込みと生存率

「科学を行うにあたって、私たちが陥りやすい落し穴の一つが、思い込みです。人類の祖先がサバンナの広がるアフリカ大陸で暮らしていたとき、草むらの後ろに何かいると気づいたとしましょう。そのとき、正確さを犠牲にして、さっさと輪郭を描き、草むらの後ろにいるのがライオンだと【判断（思い込み）】すれば、逃避行動に移るまでの時間を短縮でき、生存の確率が高まります。一方、丁寧に時間をかけて輪郭を補えば、正確さは増しますが、天敵に気づかれ餌食になる確率も高まります。つまり【思い込み】をしたほうが、生存率が高まるんです」。

「貝体新書」のなかでも、貝柱の付着痕を観察する際、そこにない輪郭をあると「思い込んで」判断を誤るケースがほとんどだという。対話をすることで、ある程度（15ポイント程度）それを補正することはできるが、「思い込み」と、それに付随する「情動サイクル」を完全に矯正することはできない、と大野氏は次の錯視画像を示した（図4）。

放射状に並んだ線の上に描かれた2本の平行な縦線は、それぞれ外に向かって樽形に曲がっているように見える。定規で確かめると、2本はゆがみのない平行な直線であることがわかるが、それでもやはり曲がって見える。「わかっちゃいるけどやめられない」というように、顕在意識の働きで潜在意識をコントロールすることは難しいのだと言う。

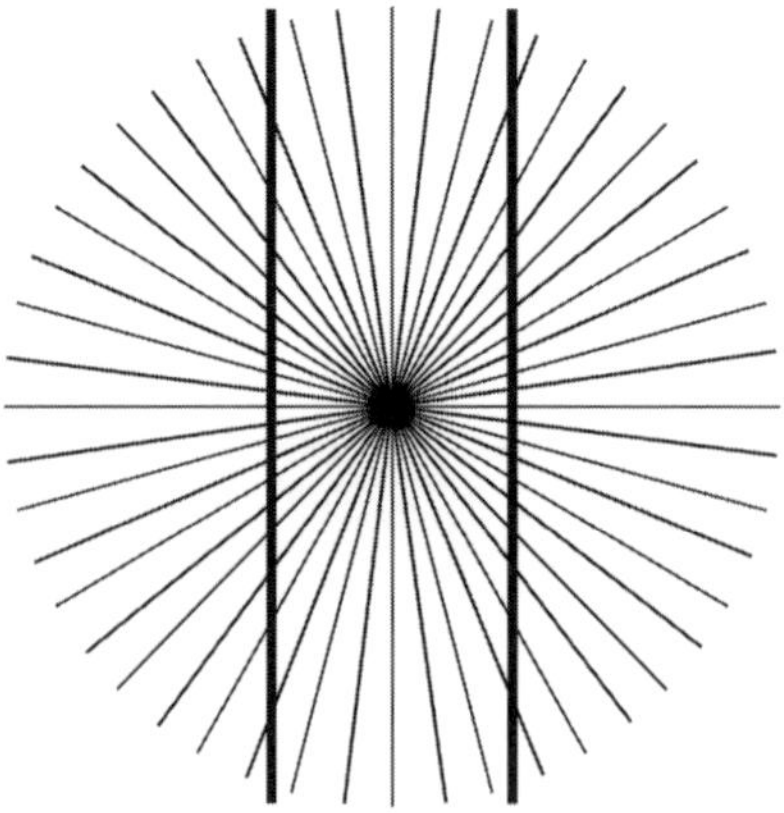

図4

さらに大野氏は、対話の能力自体が、発展途上の未熟なものである可能性も指摘する。私たちが対話のなかで使う「私、あなた、彼、彼女」といった主語は、自意識の存在が前提となる。自意識抜きには生まれないと考えられる化粧品・装身具・彫刻・洞窟壁画などの遺物から、自意識・言語・対話の起源も約5万年前くらいとみることができる。しかし、5万年は生物進化の尺度からすれば、ごく短い時間なので、私たちはまだまだ対話が下手、というわけである。

　対話は、必ずしも客観的な正解に私たちを導くとは限らない。そもそも、客観的な思考だと「思い込んで」いるその背後には、情動のサイクルが渦巻いており、認識のエラーを制御することも私たちには難しい。しかし、にもかかわらず私たちは対話を求めている（肯定的に評価している）。サバンナの地平から人間を捉え直すことで、この逆説がもつ意味はさらに多義的に深まっていった。

　以上の議論をふまえ、最後に大野氏は、現代における対話に（ひいては対話型鑑賞に）ついての示唆を次のようにまとめた。

潜在意識の復権

「現代の悲劇は、顕在意識とそれにまつわる言語・対話、合理性などに、あまりにも大きな期待をかけすぎていることではないでしょうか。潜在意識は認識のゆがみを生み出すものとして退けられてきました。しかし、私たちの顕在意識は、気が遠くなるほど長い時間をかけて培われた豊かな潜在意識に支えられて存在しています。そのことをまず肝に銘ずべきではないでしょうか」。


　この提言をモデレーターの視点から解釈すれば、それは「顕在意識と潜在意識の対話」の要請であると言えるかもしれない。私たちは、他者と対話をする以前に、まずは自分のうちに眠る潜在意識と向き合う必要があるのだろう。それをもって、顕在意識による情報の交換に留まらない、潜在意識に根差した情動の交感に及ぶ対話を実践することができるのかもしれない。

　また、形骸化した客観サイクル、つまり「お作法」を押し付ける教育の弊害についても警鐘が鳴らされた。情動面を軽視し、客観的サイクルのお作法ばかりを押し付けると、科学の学びは砂をかむような苦行となってしまう危険性を孕んでいる、と。これは、批判的思考やヴィジュアル・リテラシーの育成のみへと過度に偏重するならば、対話型鑑賞にも起きうる悲劇である。

　「アートとは、情緒的な知恵や潜在意識につながることができる領域のはずです。対話型鑑賞には、この顕在意識と潜在意識のバランス、あるいは共鳴について、より深く追求していってほしいと願っています」。大野氏はそのようにプレゼンテーションを結んだ。言わば「大きな宿題」が、本セッションの最初に示されたわけである。しかし、悲観すべきではないだろう。この宿題は解答に100万年くらいかかるかもしれないが、その道中はきっと愉快なものになるはずなのだから。

■対話型鑑賞×医療（教育）

――森永康平氏によるプレゼンテーションより

医療とは科学的な問題解決のプロセスである

大野氏の投げ込んだ問題提起が残響するなか、医師である森永氏によるプレゼンテーション「対話型鑑賞×医療（教育）」が行われた。冒頭に「こういった取り組みは、日本国内では全然広がっていない、というのが正直なところです」と前置きがあった通り、「対話型鑑賞」と「医療」の接続は多くの方にとっては未知数の活動であるだろう。しかし他方で、海外においては複数の実践事例があり、多くの医科大学が、VTS等も含むアートのプログラムを導入しているのだと言って、森永氏は図5を示した。

ここで挙げられている「向上が期待できる能力」からは、対話型鑑賞の活動によって涵養《かんよう》が見込まれる能力と、医療の現場において求められる資質との関連性をみてとることができる。森永氏は、特にこのなかでも「観察力」に着目し、日本の医療者の教育に「みる力」の育成が欠けているのではないか、と問題提起する。

論を運ぶにあたって、森永氏は「医療」と「科学」の関係性から説き起こした。

「まずは患者さんの状況や異常を【観測】するステップ1。それについて既存の知見で説明できるものはないかと【評価】したり、原因となるものを【推測】したりするステップ2。最後に実際に治療という【行動】を起こすステップ3。これはまさに、大野先生の示された『観察・推理・確かめ』とも合致します。医療とは科学的な問題解決のプロセスなんです」。

そして、多くの医療関係者が大学等の教育機関で徹底的に学び、叩き込まれるのは、ステップ2と3にあたる部分なのだと言う。

「たとえば、膝がはれている写真が提示され、『この病名は何か。次の五つから選べ』というような問題、つまりパターン認識の学習は盛んに行われています。一方、『発熱のある人が受診した。何をどのようにみていけばよいか？』といった【観測】にあたる部分をトレーニングする機会は、不足していると言わざるを得ません」。

しかし、ステップ1の観測はむしろ医療においてもっとも重要なパートなのである。血液検査やレントゲンといった再現性をもって確認できるデータだけではなく、その場限りで消えてしまう患者さんの表情、仕草、目線、医師の問いかけに対する反応、関心。これらを「みる力」をもって捉え、情報を組み合わせることで、評価や推測の深み、立体感が格段に増すことは言うまでもないだろう。そうすることで、異常を見逃したり、余計な検査や治療が実施されてしまったり、といった過誤を防ぐことができるはずである。

向上が期待できる能力	導入している大学例
臨床での観察力/診断力 Clinical observation/diagnosis	Harvard Medical School UT Health Science Center UT Southwestern
共感力 Empathy	Baylor College of Medicine Perelman School of Medicine Rush Medical College University of Cincinnati
組織運営力/コミュニケーション力 Team building/communication	Perelman School of Medicine Baylor College of Medicine Columbia University Vagelos College of Physicians and Surgeons
レジリエンス/バーンアウトの防止 Promoting wellness/preventing burnout	University of Buffalo Rush Medical College UT Southwestern
文化的感受性 Cultural sensitivity	Icahn School of Medicine University of Cincinnati Baylor College of Medicine Perelman School of Medicine

図5　対話型鑑賞により向上が期待できる能力と導入実践例
* レジリエンスはストレスに適応し復元する能力

「それなのに教わる機会が少ないのは、育て方がわからないということではないかと思います。【みる】という行為は一方的に知識を伝授されて習得できるものではなく、言うなれば自転車の操縦のように、身体的な経験の積み重ねによって獲得するしかない能力です。それを教育の現場でどのように養うことができるのか、難しい面があるのでしょう」。

森永氏もまた、同様の課題を持ち続けているなかで、京都芸術大学主催の講習で対話型鑑賞と出会った。ここから話は、森永氏が医学生を対象に行っている、対話型鑑賞を軸にした教育活動の具体的な内容に移っていく。

事実ベースの鑑賞から解釈へ

「せっかくなので、授業で使用している絵画作品を、ぜひみなさんにもみてもらいたいと思います」と、森永氏は作品画像（図6）をスクリーンに映した。

「私は、医療者の育成という目標を定めて対話型鑑賞を実践していますので、あるていど観察の方向性を定めるような問いかけを用いています。たとえば、国は？時代は？場所は？時間帯は？そう判断した根拠は絵のどこにあるだろうか？といったように、事実ベースでみる思考過程を引き出すようなファシリテーションを心がけています」。

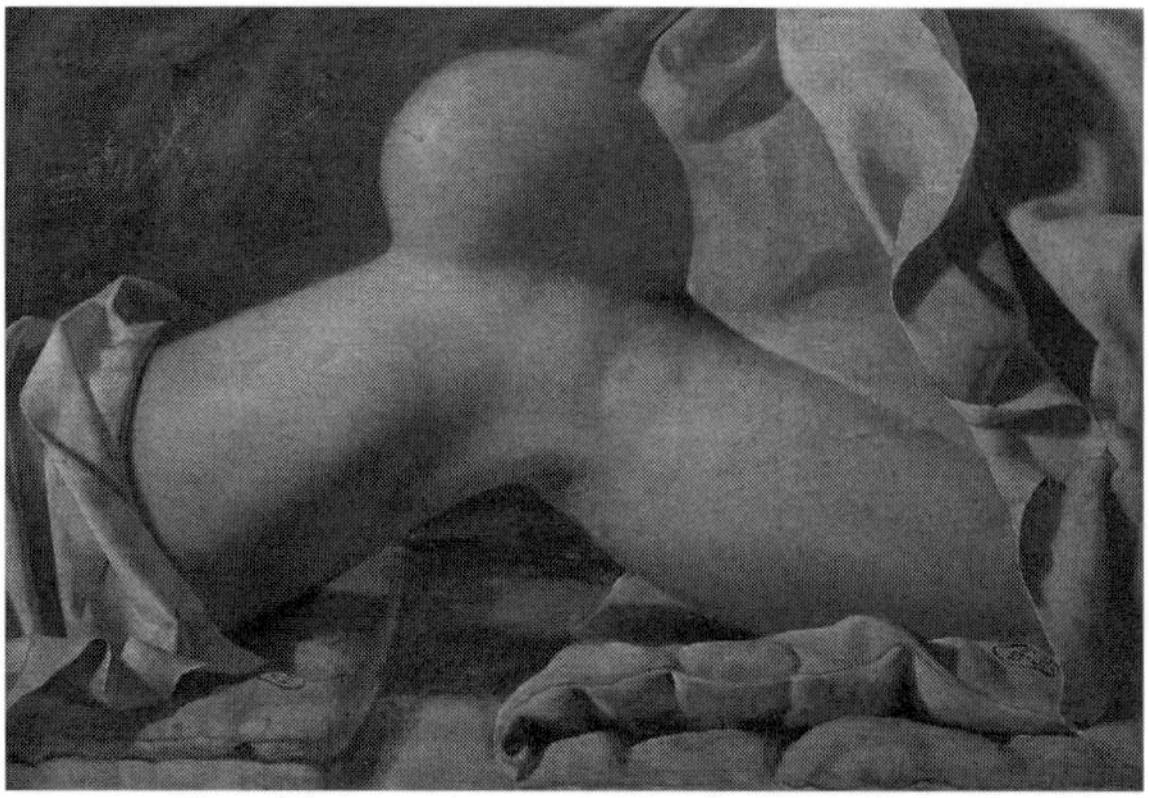
図6　Wilhelm Bendz, *Tumourin Regio Patellaris*
制作年不詳、Medicinsk Museion所蔵

これは海外でも同様の実践事例があり、ハーバード大学医学大学院のアートを取り入れたカリキュラムの一部には、鑑賞の際に「人」に関すること、たとえば年齢・性別・着衣・職業・経済状態・人間関係・健康状態などの項目について、作品の中から根拠を含めて考えながら鑑賞することが推奨されているようだ。

この作品であれば、「姿勢としては寝ている」「人の右足の大腿部から足関節の上までが描かれている」「画面左が頭側で、右がつま先側である」「膝が赤く大きく球状に腫れているが、全周囲ではなく、前面に限られている」「側面、膝裏は腫れておらず、また色の変化もない」といったことがまず「観測」できるだろう。そうした情報を積み重ね、組み合わせることで、より「評価」「推測」のステップが確かになる。

ここでは、事実から診断に結び付けていく営みと、絵画作品を事実ベースで鑑賞していくプロセスの共通性が明確に示されている。この取り組みを受けて、モデレーターである筆者からは「確かな診断に結びつけていく事実ベースの鑑賞の重要性がある一方、症状をどう感じるかという、解釈ベースの鑑賞についてはどうでしょうか」と問いかけてみた。

すると森永氏は「アートの対話型鑑賞は、医療に血を通わせるものであると感じています。そういう側面では、次のような作品の鑑賞では、少し違った角度の意見が出てくることもあります」と応え、新たな作品を提示した。

この作品（図7）では、土気色の顔や不自然な体位、床に転がる茶色の瓶など複数の要素から、描かれている人物の生死が鑑賞のトピックになることが多いという。「この人物は文学作家で、作品を作っていたけれど、世間に評価されないから（自分の著作をビリビリに破いて）命を断った」「性的マイノリティーであり、社会からの理解が得られず苦しみ服毒した」といった学生の解釈の例を挙げ、「ここでは、単なる事実としての死が語られているわけではない」と分析する。

「作品タイトルは《The Death of Chatterton（チャッタートンの死）》です。でも、死んでるのが事実だったんだ、で終わるわけではないんです。死という言葉自体、肉体の死だけでなく、精神の死、あるいは社会的な死など様々に用いられます。学生たちは多様な解釈をこの作品から読み取ってくれるのです」。

その人が何を経験し、何を感じ、思い、死をどう捉えて

図7　ヘンリー・ウォリス《チャッタートンの死》
Henry Wallis, *The Death of Chatterton*,1856　Tate Britain所蔵

いたのか、確定しきることは叶わない。だが判断に必要な根拠を求め、他者の痛みや苦しみを想像し続ける姿勢は、まさに医療者に求められることではないだろうか。

白衣の中にアートの心を

以上の実践事例が示すように、根拠となる事実を観察し、そこから考えうる解釈の可能性を思考し続けることは、対話型鑑賞においても、医療の現場においても、不可欠の姿勢となる。

「入院した後や手術後に熱が出るかもしれない、手術しても困っていた症状がなくならないかもしれない。方針を修正したり再検討したり、方向転換するようなことは非常に頻繁に発生します。たとえすぐに答えが出せずとも、対象を正面から見据え、耳を傾け、情報を受け止め続けようとする姿勢。それは一見泥臭い作業のように思えるかもしれませんが、ケアの本質にもつながっています。ネガティブ・ケイパビリティ（答えの出ない事態に耐え、考え続ける能力）という言葉がありますが、早急な結論に飛びつかず、答えの出ない事態に耐え、考え続ける能力は、今後ますます重要になってくるのではないでしょうか」。

そして、そのように他者を受けとめる能力は、まずは自分自身を受けとめてもらう経験なくしては、身につかないだろう、と森永氏は考える。「私は、何よりもまず学生が安心して参加し発言し聞いてもらえる、そんな安全性の保たれた授業の場のデザインを忘れたくないと考えています。そこでの経験が、きっと医療人として活躍する糧になると確信しています」。

最後に森永氏は「授業を開講してよかったと大げさでなく感じた」という学生の感想を紹介した。

授業を受けて、周囲の物事をよく観察するようになりました。すると、週末、家でだらしなく寝ているなあと思っていた父親が、実は誰よりも早い時間に起きて、庭の草むしりをして、その後に二度寝していたのだと気付くことができました

この感想は何気ない日常の発見のようにも思えるが、よくよく考えると、森永氏の言う「ケアの本質」が込められているようにも解釈できる。他者を受けとめる前に、まずは自分自身を受けとめてもらう経験が必要なのだとすれ

ば、同様に、自身に向けられるまなざしや心づかいに気づくこともまた不可欠である。「草むしり」を、そのような隠れたケアの象徴として読むこともできるかもしれない。

自らが主体となってケア「してあげる」、話を「聞いてあげる」という態度に、ともすれば私たちは陥りがちである。そうではなく、すでに周囲に存在する、無償の思いやりや温かなまなざしの加護を自覚し、そこに自分を編み込んでいくことが求められるのだろう。「白衣の中にアートの心を」。そのようにキーワードを掲げて、森永氏はプレゼンテーションを締めくくった。

■先端生命科学における対話型鑑賞応用の可能性
——三成寿作氏のプレゼンテーションより

あるワークショップでの女の子と化石との対話のエピソードから幕を開けた本セッションは、人類史における対話という極大のスケールを通過し、人をみる・診る・看る場面における個と個の対話へと展開した。最後の三成氏のプレゼンテーションでは、そこへもう一つ「社会との対話」というレイヤーが差し挟まれることになる。

「私の関心は、生命科学の発展が社会にもたらす影響にあります。生命科学というのは、端的には生命現象の解明を試みる科学を指します。代表的な例としては【二重らせん構造】のイメージで馴染みのあるＤＮＡについての研究や、山中伸弥氏らにより発見されたｉＰＳ細胞の研究などが挙げられます。生命科学を追求することにより、学術的には生命現象に関する知識を発見・蓄積でき、さらに、これを応用することにより、私たちの病気に対する新たな見方や手段が得られることにもつながります」、そう口火を切った三成氏は、即座に「ただし」と付け加える。「生命科学を取り巻く知識や技術を、目的や対象を限定することなく自由に用いてよいか、という問いに対しては、社会的議論が必要であるように思います」。

たとえば、クローン技術を用いた個人の出生、ブタを介した臓器移植や再生医療、出生前診断や新生児スクリーニング等でのＤＮＡ情報の利用、ヒト受精卵・受精胚の取り扱い、等々。三成氏が挙げた例を言葉として聞くだけでも、そこには汲みつくせない議論があるだろうことが、まざまざと想起される。どれをとっても、人間という存在自体に関わるトピックである。

「しかし、この社会的議論に向けては、様々な課題があります。まず、現在進行形で営まれている生命科学の知識や技術を広く把握することが難しい。また、現在進行形であるが故に、その時点での不確実な知識や技術に頼りながら社会的影響を考慮する必要があります。そもそも、いつ誰がどのようにこのような論点に触れ考えるのか。得られた議論の内容や蓄積をどのように現実の政策に反映していくのか。視野を広げると、国内外におけるルールや制度の調整をどのように図っていくのか。こうやって課題を列挙すると極めて困難、という印象を持たざるをえません」。

そのように現状を整理しつつも、自分自身のスケールで何ができるかを一つ一つ考えていくことが重要として、自身の様々な取り組みのなかから、対話型鑑賞とのコラボレーションについて紹介をはじめた。

しま（ISLE）プロジェクト

三成氏は、科学技術振興機構による助成を受けて、２０１６年10月より２０２０年３月までの約３年半、「しま（ISLE）プロジェクト」を行った。アート作品の制作や展示に関わる香川県・豊島《てしま》、愛知県・佐久島、新潟県・佐渡島という三つの島をフィールドにするなど、生命科学の社会的影響を主題とする研究プロジェクトとしては少し異例の内容を含んでいるが、京都芸術大学アート・コミュニケーション研究センターの協力を大いに受けながら対話型鑑賞の可能性を追求したと言う。このプロジェクトには、本章筆者である北野も参加しており、強い印象と共に記憶している。本プレゼンテーションでは、多数の領域の研究者、関係者を巻き込んだ挑戦的なプロジェクトの総体は割愛して、対話型鑑賞との連携に焦点を絞って紹介されたが、「ISLE project」を検索するとアーカイブサイトを閲覧できる。

「しまプロジェクトでは、対話型鑑賞をある種のアクションリサーチのような形で応用することを試みました。つまり、生命科学や将来の社会へのまなざしについての市民の意見を、何らかのアート作品の鑑賞を通して浮かび上がらせることはできないだろうかと」。

対話型鑑賞のなかでは、作品によっては、ある種の倫理的な問いを考えさせられる場面が生じることがある。作品鑑賞は生命科学についての意見を直接的に問うものではないが、むしろそうであるからこそ、対象者の素朴な思考（科学をどのように受け取るか）を知る手がかりとなりうる。

ちなみに作品選定のプロセスには、北野も関わっていた。生命倫理（生や死、自然や環境など）に関連する作品、またバイオ・アートと呼称される作品などについてリサーチを行ったが、本プロジェクトの主題に適した作品を見つけ出すことは困難であった。

主題として選定されたのは、近年、生命科学において国際的に注目されている「遺伝子ドライブ」。遺伝子ドライブでは、マラリアやデング熱、ジカ熱等を媒介する蚊へのその応用が主要論点の一つになっている。この手法を用いることにより、蚊の遺伝的な形質を集団間で改変でき、その感染力や生存率を低減させ、新たな感染症対策が図れる可能性があるが、この手法は自然界に、世代間で受け継がれる特定の遺伝的性質を持ち込むことになるため、生態系に予測できない影響が生じる懸念もある、と言う。

最終的には、この論点を題材に独自の「ポップアップ・ブック」を制作し、それを用いた対話型鑑賞を行うことになった。制作にあたっては、ふしぎデザイン株式会社の秋山慶太氏らの協力を得て、様々な側面を提示するためにイラストや写真、漫画等を一冊に綴じる形のブックとした。そこには【日々の暮らしと生命科学との接続】、【遺伝子ドライブの特性】、【将来社会への思索】、【政策形成との関わり】といった要素が含まれている（図8）。

この「ねらいとするテーマについての対話が喚起される

図8　ポップアップ・ブック「Gene Drives Elastic Future」（2018年）
企画・デザイン　秋山慶太（ふしぎデザイン）／表紙デザイン　赤井佑輔（paragram）／イラストレーター　イシヤマアズサ／デザイン・写真撮影　後藤彩華

ような対象物を制作する」というプロセスについて、三成氏はごくさらりと触れていたが、実際には非常にチャレンジングな実践であると言える。三章の「学校教育と対話型鑑賞」においても、鑑賞と表現の接続の重要性が指摘されていたが、対話的な状況の構成そのものを企図して制作を行うことは、さらに視点が一段繰り上がったメタ的な活動の好事例であるとも解釈できる。

未知のものを未知のままに語ること

制作された「ポップアップ・ブック」を用いて行ったワークショップにおいて得られた気づきを、三成氏は次のように要約する。「先端生命科学の社会的議論においては、未知のものを未知のまま語れる手法を手に入れることが、求められるように思います」。

フォーラム当日の議論ではこの点について十分に掘り下げることができなかったので、あらためてここで補足的に考察しておきたい。たとえば近年、「科学コミュニケーション」のあり方に関して、科学技術の専門知を市民に対して一方的に伝えるだけではなく、科学者と市民が対話的にその社会的な意味や価値を思索していくことも重視されている。しかし、このような対話では、一般的に科学に期待される確実性とは異なり、それを社会が受け取るうえでの「不確実性」のなかを手探りで進むことがしばしば求められる。その認識における落差がある分、先端科学における対話では、実はアート・コミュニケーションの場面よりも、いっそう「ネガティブ・ケイパビリティ」が求められることになる。

またこの意味では、少なくとも主題となっている生命科学とその社会的課題の現状を対話型鑑賞の後に紹介する必要がある、とも三成氏は提案する。鑑賞対象に関する知識や情報の取り扱いは対話型鑑賞においてもよく議論の俎上にあがるが、思索・思考の振り返りとしての最低限度の話題提供は、やはり肝要であるということだろう。既知の土台を手にしてこそ、未知に対する馴染みが一段と深まるのだ。

ReDURC プロジェクト

最後にもう一つだけ、と三成氏は現在取り組んでいる最中のプロジェクトを紹介する。2020年8月より、厚生労働省の助成を受けて立ち上げた「ReDURC《リダーク》プロジェクト」である。DURC とは Dual Use Research of Concern

の略称で、「科学技術の両義性・両面性に配慮を要する研究」と定義されている。つまり、本プロジェクトでは、DURCにRe（再）を付加することにより、これまでのDURCのあり方を再検討していくことが目的とされている。

　科学技術は功罪、明暗、善悪、といったように、一見、二元的な側面を持ちうる。先の「遺伝子ドライブ」の事例でも同様の論点が検討されていたが、このプロジェクトでは特にそういった両義性・両面性のあり方に焦点をあて、研究を行っているそうだ。こちらも「ReDURC」で検索することにより、ウェブサイトを参照することができる（図9）。

　「たとえば、現在のCOVID-19においても、ウイルスの研究を行うことにより、その体内への侵入経路や作用機構が明らかになり、ひいては診断や治療、予防等にも役立つわけです。このような研究では、特に、研究の結果や情報を学術論文やデータベース等を通じて迅速に共有することにより、効率的な研究の発展が望めます。一方、このような知識や技術に誰もが触れられたり自由に扱えたりする場合、これらが社会に恩恵をもたらさない形で使用されたり、軍事目的で利用されたりするといった懸念があります。

図9
左／ReDURCのウェブサイト・ビジュアル（制作　藤田わへい　2022年）
右／リーフレット「デュアルユースのまなざし」（制作　株式会社日本デザインセンター　2023年）

このほかにも、研究の資源や便益の配分のあり方をめぐって、国家間における対立が先鋭化してきています」。

このように、ウイルスの研究の事例一つをとっても、モノや情報の取り扱いをめぐる様々な政治性について多角的に熟慮することが求められていると言う。また、こういった複合的な課題には、多様な専門性をもった研究者がチームで対応していくことが重要で、たとえば、四ノ宮成祥氏（防衛医科大学校）、吉澤剛氏（関西学院大学イノベーションシステム研究センター）には、しま（ISLE）プロジェクトから継続して関わっていただいているとのこと。専門家と市民の対話以前に、専門家間の対話もまた必要不可欠である、ということだろう。

さらに本プロジェクトでは、研究者間の連携に加え、こういった交錯した議論の存在について、様々な人がそのイメージや基本的な見方に関する意識を喚起できるように、桐山彩子氏（当時・京都大学ｉＰＳ細胞研究所）や株式会社日本デザインセンターの協力を得て、六つの短い動画を作製していることである。

ちなみに後日、筆者がReDURCプロジェクトのウェブサイトにおいて動画を閲覧したところ、印象的なシーンがあった。白黒に分けられた図形がどんどんと拡大されていくことで、明確な白黒のラインであった箇所が、無数のグレーの階調へと変化していくのである。

科学は世界を分節化して「分かる」ようにする営みである。しかし実は、その分割線には無限のグラデーションが内包されてもいる。モデレーターの勇み足で要約するならば、三成氏の試みは「未知のものを未知のまま語ること」に留まらず、「既知のものを未知のものへと送り還していくこと」までもが含まれていると言えるのではないだろうか。

ISLE／ELSI

既知と未知を反転させること。反対から見ればどうなるのかと想像力を働かせてみること。実はこの三成氏の姿勢は、プロジェクトの名称にも表現されている。

「しま（ISLE）プロジェクトの名称には、私たちの研究領域に関連する用語が入っています。ISLEの直訳は『しま（島）』ですが、これを逆に並べるとELSIという用語になります。ELSIは、１９９０年頃に米国においてヒトのＤＮＡ情報を解明するために発足した『ヒトゲノム計画』の際に使用された研究プログラムの名称です。ヒトゲノム計画の発足や推進においては、DNAの二重らせん構造を提唱したジェームズ・ワトソン氏が科学的側面のみならず、その倫理的・法的・社会的側面にも取り組む必要性を強調したことにより、Ethical, Legal and Social Implications (ELSI) Research Program と呼ばれる研究プログラムが発足したのです」。

たしかに近年、日本でもELSIの名称を付した研究プログラムや研究組織などが散見される状況になってきている。このような背景のなかで、あえて名称を逆転させたことにはどのような意図があったのか。

「しま（ISLE）プロジェクトでは、科学技術の発展に伴う倫理的・法的・社会的側面といった科学技術に従属した形ではなく、それを裏返した形、つまり【社会の中での科学技術】という見方を重視したISLE（Innovation for Science, Life, and Ethics）という名称を選びました。科学技術の社会での適用のあり方は、多様な人々の議論にも基づきながら決めていく必要があります。そのためには、科学技術の専門性、その裏返しの排他性を和らげつつ、様々な人が科学技術やその社会的な意味合いについて談話できるような場の創出が求められるように思います」。

三成氏はこのように述べ、その「場」における対話型鑑賞の有用性と可能性、ファシリテーター育成の重要性、さらには関係各省・諸機関による研究支援の必要性を付言し、プレゼンテーションを終えた。科学技術と社会状況がぶつかりあいうねりをなす大海の真っ只中に、何とか言葉を交わすことができる陸地を確保すること。モデレーターとしてはそのように「ISLE」のメタファーを解釈している。

■星座（キーワード）の結び方——筆者の考察

二項対立を縫合する

以上、駆け足ではあったが、三者の議論を通覧してきた。非常な密度で輻輳《ふくそう》する論点に対して、網羅的な整理はもとより叶わないが、この章末にて、少なくとも「読み方の一例を示す」程度は試みられればと思う。

本章では、二つの概念を二項対立的に用いた議論がしばしばみられた。二元論は論理を過度に単純化するものとして批判の対象にもなるが、思考の手懸かりとして用いるには使い勝手が良いことも確かである（何より本章では、単純に二項対立の片側を称揚するような議論は行われていない）。より発展的な立論のための、あくまで仮の足場として、二項対立から整理を進めてみよう。

さてまずは、本セッションのタイトルにもなっている「科学」と「医療」であるが、これらは森永氏のプレゼンテーションに倣えば、本章の議論では基本的には同一の項に分類することができる。つまり、客観的で、合理的で、既知で、事実として確定されていて、再現可能性が担保された領域である。大野氏の議論のキーワードであった【顕在意識】はこちらの項のラベルとして機能する。

では対立する項は何か。それは情動であり、情緒的な知恵であり、他者の痛みであり、主観的な解釈であり、不確実で未知の領域である。一般的には「芸術」もこちらに分類されることが多く、【潜在意識】が大きなラベルとして貼られることになるだろう。

そして本セッションでは、三者それぞれの視点から、繰り返しこの二項対立に穴を空け、縫い合わせていくような議論が展開されてきたと言える。大野氏は科学を客観と情動の重ね合わせとして再定義し「潜在意識の復権」を唱える。森永氏は科学としての医療の立場に立ちながらも、それだけでは測れないケアの在り方や他者の受けとめについて語る。つまり本章は、「科学」と「医療」をこれらの二項対立のあわいに位置づけ直していくストーリーとして読むことができる。最後の三成氏のプレゼンテーションでは、まさに科学が、その先端では未知と既知のはざまでゆらいでおり、社会や政治とのネゴシエーションに巻き込まれている様子が活写されていた。

ただし三者の議論では、二項対立をより高次の観点から包括する第三項（問題や矛盾を解決する新しい概念）が整然と示されているわけではない。むしろ、個別の論点や文脈に応じて、その都度パッチワークのように縫合が試みられているのが実情だろう。さらには、分からないものを分からないものとして認め、いったん手を止める自制心もそこでは求められる。

本章のストーリーは、分かりやすい一件落着にたどり着くものではない。しかし、異なるものが隣り合ったとき、その異なりを消去しないでやりとりを続けることを、私たちは「対話」と呼んでいたのではなかったか。三者の議論は、まさに対話の実践でもあったと言える。

「芸術は言葉にできない」という言葉の意味

最後に、美術教育を専門とするモデレーターの観点から、「芸術」の位置づけを再考しておきたい。芸術は、確かに情動や潜在意識を特性とする領域であるとも言える。実際、対話型鑑賞にも「芸術は言葉にできない」という典型的な批判がある。ただ、ここには言葉にできないという言葉についての誤解が含まれている場合があるかもしれない。

それは、「芸術は言葉にしてはいけない」ということを意味しない。というよりも、禁止されたとしても人は芸術について語ってしまうものであり、現に万余の言葉が芸術に費やされているという現実から、私たちは議論をはじめるべきであろう。

しかし、それでもやはり芸術は言葉にできない。それは語り尽くすことが決してできない、という意味においてである。どれほど対話と鑑賞を繰り返したとしても、分かりきることのできない何かがある。より正確に言えば、何かがありそうだという感覚が確かにある。芸術は言葉にできないが、だからこそ言葉にせずにはいられない。その意味で、対話型鑑賞もまた、「芸術」を二項対立の境界面へと浮かび上がらせようとする試みであると言える。

言語と非言語の、論理と情動の、既知と未知の、必然と偶然の、の、の、二項の接面に対峙するとき、科学と医療と芸術は同じ一つの舞台に立っている。何とかそのように言葉にすることで、言葉にならなかったことを反芻しながら、本章を結ぶことにしたい。

五章 パネルディスカッション

ビジネスパーソンと対話型鑑賞

登壇者

加藤 種男
クリエイティブ・ディレクター

藤原 綾乃
公益財団法人 福武財団 アート部門

臼井 隆志
株式会社 MIMIGURI ファシリテーター

モデレーター・執筆

平野 智紀
内田洋行教育総合研究所 主任研究員

(左から)登壇する臼井・藤原・加藤・平野

はじめに

本章では、フォーラム二日目のパネルディスカッションをもとにしながら、「ビジネスパーソンと対話型鑑賞」についてモデレーターであり本章の執筆者でもある平野が論じる。

まず、アサヒビール株式会社にて企業メセナを担当されてきたクリエイティブ・ディレクターの加藤種男氏によるフォーラムでの話題提供をほぼそのままに収録している。加藤氏の軽妙な語り口とともに、１９９０年代から２０００年代にかけてのビジネスパーソン向け対話型鑑賞における草創期の温度感も含めて感じていただけたら幸いである。

その後、近年広く行われるようになってきたビジネスパーソン向けの対話型鑑賞について、その背景を押さえた上で、フォーラムにおいて紹介された二つの事例、すなわち公益財団法人福武財団が展開しているベネッセアートサイト直島での対話型鑑賞の取り組みとそのねらい（藤原綾乃氏）、株式会社MIMIGURIにて行われている対話型鑑賞の考え方を応用した組織開発・事業開発の取り組み（臼井隆志氏）について、筆者自身の考察も交えて紹介する。

最後に、フォーラム当日の議論や加藤氏の問題提起も踏まえ、フォーラム開催から本書執筆までの状況のアップデートも加えた上で、ビジネスパーソンと対話型鑑賞の今後の展望について、藤原氏と臼井氏、および平野の鼎談（２０２３年1月にオンラインで開催）を紹介し、まとめに代えるものとする。ある種の、フォーラムの紙上アフタートークとして読んでいただけたら幸いである。

なお筆者は、対話型鑑賞の実践研究を行う研究者であると同時に、企業に勤めるビジネスパーソンでもあり、一貫して社会人向けのワークショップやファシリテーターのトレーニングを行ってきた。対話型鑑賞というと、学校教育や美術館の教育普及など、ともすると子ども向けのものと思われる読者もいるかもしれないが、一定の社会経験を積んでおり、アートとは関係のない仕事に従事するビジネスパーソンだからこそ生まれる対話もあることを、本章で示すことができればと思う。

■ビジネスパーソンと対話型鑑賞の草創期——加藤種男

はじまりは社有美術品から

対話型鑑賞というものがあるんだっていう話を聞いた最初はまさに福のり子先生との出会いで、多分１９９５年頃だったと思います。当時水戸芸術館の逢坂恵理子さんが中心になってこの展開をされたんですね。

私は当時はアサヒビール株式会社に勤める会社員でして、たまたまなんですけれども、自分の会社に大変貴重な美術品がいくつかあるわけですね。それでその貴重な美術品は役員の応接室とかに飾ってあるんですけれども、普段社員はあまり見る機会がない。また一般のお客様を役員応接室までご案内するのはちょっと大変で、これは後に京都にアサヒビール大山崎山荘美術館（１９９６年開館、２０２３年改称）というのを作りまして、そこで一般に公開するようにいたしましたけれども、社員向けには１９９３年頃から、対話型鑑賞の話とは別に、社員を引き連れて月に1回、いろいろなギャラリーとかスタジオとかをお邪魔するツアーをやっていました。

そのときに、美術館で見られるような一般的なものを皆に紹介してもあまり意味がないので、それはそれぞれが美術館に行ってくれればいいと思って、美術館にないようなものを探していました。「スタジオ食堂」という、須田悦弘《よしひろ》さんなど当時20代の若手芸術家が10人ぐらいで作った、立川の大変大きな工場跡地のスタジオを見学したり、美術館へもいくつか行ったと思うんですよ。１９９０年にオープンした水戸芸術館も見学させていただいて。ちなみに水戸の支店長がなかなか気の利いた人で、あんこう鍋を皆にご馳走してくれた。この支店長は後に社長になりましたね。やっぱり、芸術・文化にも理解がないと偉くなれないという事例だと思うんですけど、ええ。いずれにしてもそういうツアーをする一方で社有美術品も時々見て回っていたんですね。その頃はまだ対話型鑑賞っていうのをよく知らなかったし、こっちも素人なんで、作品の前に行ってこう説明するというのもどうかなと思って、みんなに「どう？」って言ってましたね。

その中で非常に面白かったのは、当時ある応接室に飾ってあったゴッホの絵。《窓辺の農婦》（図1）という名前でカタログ・レゾネ（総作品目録）にも記載されていますが、窓の外に黒い鳥のようなものが見えるんです。僕はもう、黒い鳥だからカラスだと思い込んでいて、それで何度も社員を連れて一緒に見ていたんですけど、ある時ある社員が、「カモメが飛んでますね」って言うわけ。「ちょっと待てよ、どこにカモメが飛んでる？　黒いカモメって、いるのかな」と思って、「カラスじゃないの？」って私が言ったら、「いや明らかに形がカラスではないですよね、あれはカモメですよ」って言うわけ。「ええ？　でも黒いよ」と私が言ったらこの社員が説明してくれたんですよ、なぜ黒いか。「光が向こうから来てるじゃないですか。逆光だから黒いんですよ。現に真ん中の窓辺の農婦と言われてる女の人もシルエット状態で黒いじゃないですか」って言うわけですよ。別に美術に詳しい社員じゃないんですよ、普通の社員ですよ。「だから逆光で絵を描いているんです」と言われて初めて私は、ゴッホって絵描きはすげえな

図1　フィンセント・ファン・ゴッホ《窓辺の農婦》
1885年、アサヒグループ大山崎山荘美術館所蔵

あと思った。たいていの西洋の絵画は、光を当てる、カラヴァッジョじゃないけど、ともかく光を当てることによって、人間やらその他ありとあらゆるものを描いてきたのに、ゴッホは逆光か。はあ、なるほどと思って、ゴッホの偉大さを再発見したんですね。つまりツアーをして、全くの素人が意見を述べるということによる再発見のチャンスっていうのは十分あるんだということに気づいたわけですね。

対話型鑑賞の始まり

そこに対話型鑑賞というものが導入されて、「なぜ、これがアートなの？」という展覧会が、１９９８年から９９年に三つの美術館（豊田市美術館、川村記念美術館、水戸芸術館）で開催されました。その準備のために、アメリア・アレナスさんがニューヨークから日本にやってきた。そこを捕まえて、社員向けの美術品ツアーをやってほしいって言ったんです。あのときは、福先生が通訳されたんですね。社長以下役員全員を連れ出すＶＩＰ向けのコースと、一般社員向けのコースと、アメリア・アレナスさんのツアーを二つやりました。これですっかり味をしめて、面白いなあと思ったんです。

それでその後２００１年に、アメリア・アレナスの『みる　かんがえる　はなす』（淡交社）という本が出版されたとき、これのあとがきを書けと言われて、いやー嬉しかった。張り切って一生懸命書いたんです。その結果、この本を訳された木下哲夫さんから「あとがき史上に残る名文ですね」って褒めていただいたんで、その後もあとがきの注文がいっぱい来るかと思ったら、全然来ないですね（笑）。

２００３年にアメリア・アレナスさんがまたいらしたんで、社員向けのギャラリー・ツアーをやったんですよね（図２）。その時に「ひろげる」「ひろがる」という観点から見ると、興味深いことがありました。せっかくアメリアがみえたので、横浜美術館（横浜市芸術文化振興財団）に、横浜都心部の歴史的建造物文化芸術活用実験事業と位置づけて、アメリア・アレナスの講演会をやらないかと提案したんですね。アサヒビール芸術文化財団で用意する。だから、横浜市はあくまで後援をしてくれって言ったら、断られたんですね、ものの見事に。特に美術館の学芸員からは、「何を言ってんだ、美術の鑑賞というのはね、専門家が美術史の知見に則って研究してきたことをきちんと説明しなきゃ駄目なんだ」っていう理由で。それで結局、アサヒビール本社で公開セミナー「アートを100倍楽しむ法：見る・考える・話す鑑賞教室」をやることになり、社員向けギャラリーツアーもそれに合わせたんです。そういう「ひろげる」努力をしてた時代があった。

ところがですね、今、私はSOMPO美術館の評議員とか、NPO法人ARDA：芸術資源開発機構の理事とかをやらせていただいていますが、それぞれにこの対話型鑑賞にものすごく熱心に取り組んでおられるんですね。それは私が紹介したからではないんです。そうではなくて、もっと早くに気づかれて独自に、それぞれが取り組まれた。おそらくSOMPO美術館の学芸員なんて、いまだに私がここまで対話型鑑賞に入れ込んでいたというのを知らないんじゃないかと思う。あのオヤジはただのオヤジと思われてると思うんですね。つまりそのように、無数の展開が見られる時代が来た。

図2　社員向けギャラリーツアーのチラシ
提供：加藤種男

アートに強く反応するビジネスパーソン

ついにはビジネスパーソン向けの活動も始まって、瀬戸内国際芸術祭の関連イベントとして、

２０１９年にベネッセアートサイト直島で２泊３日の合宿をやりました。ここに来ておられたＪＲ西日本の長谷川一明副社長、帰ったら突然社長に就任されたんですね。つまり、アートに関心を持つと偉くなれるという、きわめて一般的ではない、例外的事例ですが。そういう方々もみえた中で、直島のアート作品を題材に対話型鑑賞をやった。日本のビジネスマンは場を読むのが上手だから、合わせてくれるのね。正直言ってあんまり面白いと思わなかったと思うんだけれども、上手に合わせて「いやーいいですなあ、こういうのは」と言うわけ。でも、ビジネス・マネジャーの知的好奇心のありどころともっと接点を持つ仕掛けを作らないと、ちょっと難しいかもしれない。

　そのために、一つ例をご紹介しますと、李《リ》禹《ウ》煥《ファン》の大きな壁画が、壁一面に収まるように描かれた墨一色のコミッション・ワーク（委託制作）が某社にあるんですね。どことは言いませんが、これだけ言ってるんだからどこだかすぐわかっちゃいますけど（笑）。私は、ＶＩＰを含めていろんな方にこの絵をご案内したんですね。ＶＩＰだけでも30人ぐらい案内したと思うけど、大抵の人は絵を見て「これはいくらだ？」とか、そんなことしか興味がないですね。ところが、この絵に強く反応した人が４人いまして。堤清二さん（セゾングループ創業者）と福原義春さん（資生堂名誉会長）と福武總一郎さん（ベネッセホールディングス名誉顧問）、それから安藤忠雄さん（建築家）。安藤さんを除くとビジネスマンですね。ビジネスの世界でこの３人は別格ですね。もう見るなり、「何で君のところにこんなすごいものがあるんだ」「どうやってここに持ってきたんだ」「これはコミッション・ワークか」とかしつこくいろんなことを聞くわけですね。で、「誰が頼んだんだ」と。もちろん、このときのアサヒビール社長だった樋口廣太郎ですけど、この人たちはみんな樋口さんの友達でもあるから、そういう意味でも非常に興味深い。だからビジネスマンも、興味のありようはいろいろなんだということですね。

検討すべき課題

今後、「対話型鑑賞」が検討すべき課題としては、いつまで「鑑賞」に留まりたいのか、という点は、ちょっと疑問が残りますね。鑑賞から「創造」へもっと踏み込んでいくっていうことにシステムが転換していく必要があるかもしれないと思います。

このことを考えるために、元禄文化の対極の事例を紹介しましょう。時の将軍家綱の寵愛を受けた側用人・柳沢吉保の側室であった正親町《おおぎまち》町子《まちこ》の『松陰日記』というのがあります。京都から来た公家出身の人の日記で、将軍家、柳沢家その他との間のすごい贈答品がいっぱい書いてある。絢爛豪華の極み、だけれども、この日記の中には、それらの工芸品あるいは建築がどのようにして作られたかという創造の過程については、一行たりとも言及がありません。つまり、この人たちにとって関心があったのは鑑賞・消費だけということです。

一方で、俳諧連歌が同じ時代に隆盛を極めたわけですね。俳諧連歌は、庶民にも幅広く広がりました。それが証拠に松尾芭蕉はなんで『奥の細道』のような旅行ができたかっていうと、それは東北の……辺境の果てと思っている土地でさえも、俳諧連歌をたしなむ人たちがいっぱいいたから。つまり庶民の芸術でもあった。そうした庶民まで含めた創造性という観点を考えるならば、これからは「鑑賞」と言わずに、もうちょっと範囲を広げてやっていく必要があるなと。

最後に、今日の目的はこれだったかと思うような参考文献をご用意しました。『祝祭芸術―再生と創造のアートプロジェクト』（加藤種男著、水曜社、２０２２年）、すごいですね、今話したようなことが全部書いてある、らしいです。なんとまだ発刊１カ月も経っていない、もうできたてのホヤホヤです。ということで、全面広告の時間はこれで終わります。ありがとうございました。

■なぜ、ビジネスパーソンに対話型鑑賞か？

　加藤種男氏が対話型鑑賞に初めて出会ってから30年弱が経過し、ビジネスパーソン向けの対話型鑑賞の取り組みも増えてきた。近年、「アート思考」などへの関心の高まりから、ビジネスパーソン向けのアート本が大量に発刊されている。森功次氏によると、こうした書籍の皮切りの一つが、山口周氏の『世界のエリートはなぜ「美意識」を鍛えるのか？』（光文社新書、２０１７年）であるという。この本は、企業の人事パーソンが選ぶＨＲアワードで２０１８年の最優秀書籍賞を受賞している。

　この本の中で、ビジネスパーソンが美意識を高めるべき理由について、三点にまとめて紹介されている。第一に、ビジネスの世界では論理的で理性的な情報処理スキルの限界が露呈しつつあるという点である。ＶＵＣＡ（Volatility 変動性、Uncertainty 不確実性、Complexity 複雑性、Ambiguity 曖昧性）時代、先の見えないあいまいな時代という言い方をよくするようになっているが、ビジネスの世界でも、何らかの正解があって、それに向かって取り組んでいけばいいという状況ではなくなってきているのである。

　第二に、世界中の市場が「自己実現的消費」へと向かいつつあるという点である。これを買っておけばいい、これを買うのが一番だ、という状況から、私はこれが好きだからこれを買う、といった消費の仕方に変わってきている。昭和の３Ｃ（カー・クーラー・カラーテレビ）の頃までは、これを買うことが豊かさだ、これを買うことがステータスだ、という時代があった。それが今では「インスタ映え」にも通じるが、私はこれが好きだからこれがいい、あるいは、他の人に認めてもらえるからこれがいい、というような商品の選び方に変わってきている。だからこそ、自信を持って「私はこれがいい」と思えることが大事になってきている。

　第三に、システムの変化にルールの制定が追いつかない状況が発生している、という点である。第一の点とも関わるが、正解が存在しないからこそ、他者に頼らず、自分の中にものさしを持ち、真・善・美を判断することが求められている。それゆえに、ビジネスの中で美意識が求められるし、そのために対話型鑑賞のようなことが必要だろうと言われているのである。この本の中では、美意識を高めるための方法論として、ＶＴＳが紹介されている。

　実際、ハイクラス転職サイトのビズリーチが同サイト会員を対象に行ったアンケート調査によると、約6割が教養・美意識を磨くことをねらいとしてアート鑑賞に関心があることが明らかになっている（図3）。

ちなみに、その後のHRアワードの受賞書籍のタイトルを概観してみる。

・組織開発の探究　理論に学び、実践に活かす
（中原淳・中村和彦、ダイヤモンド社、2018年）

・他者と働く　「わかりあえなさ」から始める組織論
（宇田川元一、NewsPicksパブリッシング、2019年）

・問いのデザイン　創造的対話のファシリテーション
（安斎勇樹・塩瀬隆之、学芸出版社、2020年）

・越境学習入門　組織を強くする「冒険人材」の育て方
（石山恒貴・伊達洋駆、日本能率協会マネジメントセンター、2021年）

これらの受賞書籍の状況が示すのは、組織・他者・対話・創造・越境、といったキーワードが、多くのビジネスパーソンにとって喫緊の課題になってきているということである。

こうした状況を踏まえ、ビジネスパーソン向けの対話型

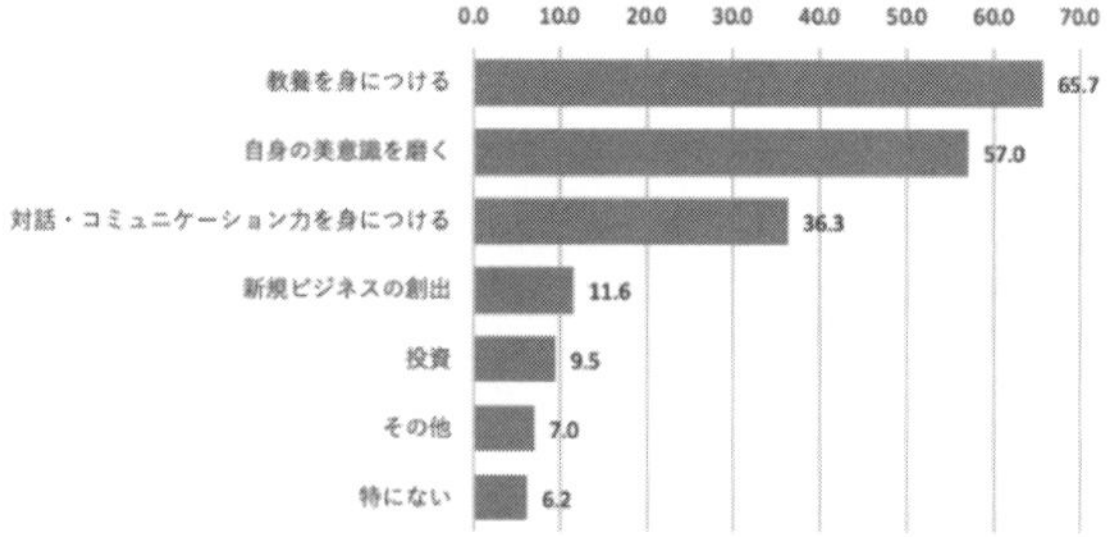

<調査概要>

調査内容：アートや芸術鑑賞のねらい（あてはまる上位三つを複数選択）

対象：ビズリーチ会員

調査期間：2022年9月26日～2022年10月2日

図3　ビジネスパーソンのアートへの関心とその理由

鑑賞がどのように取り入れられているのか、現在の取り組みを確認したい。企業が対話型鑑賞を活用する際には、加藤氏によるアサヒビール株式会社での取り組みの系譜を継ぐような、企業として所蔵する「作品」を活用する方向性

と、作品そのものを直接扱わず、対話という「手法」を活用する方向性がありうると思われる。

まず、前者の一例として、美術館・助成事業などを通じアート活動を行う福武財団が、企業としてアート作品を所蔵し、これを活用した企業研修の取り組みを行っている事例を紹介する。次に、後者の例として、対話型鑑賞の手法を応用的に活用し、企業の人材開発・組織開発に活かしている事例として、株式会社MIMIGURIの事例を紹介する。

■事例1「よく生きる」ためにアートが必要
——福武財団藤原綾乃氏のプレゼンテーションより

福武財団（ベネッセグループ）の藤原綾乃氏によれば、ベネッセアートサイト直島は、ベネッセの企業理念「よく生きる」を体現するあるいは考えるための場所として、１９８０年代後半から瀬戸内海の島々で展開されているアートプロジェクトの総称である。活動の舞台は主に直島、犬島、豊島《てしま》であり、日本で初めて国立公園に指定された自然景観が豊かな場所であるが、近代化や工業化のあおりを受けてその豊かさが失われつつある場所でもあったという背景がある。そこで、本来これらの場所が持っている豊かな自然や集落の中でアートプロジェクトを展開し、場所に合わせて現代アーティストが作品を制作するサイトスペシフィック・ワークという手法が取られている。

福武財団でエデュケーション部門が立ち上がったのは２０１８年のことである。対象は幼児からシニア層まで幅広く、属性や目的に応じてオーダーメイドで研修プログラムを設計している。藤原氏は、これを実現可能にしている要素として以下の五点を挙げる。

・現代アートによる自由な解釈
・関係性の広がりによる視点の多様さ
・思考と体験が途切れないストーリー性
・対話の質の向上
・理論＋実践

対話型鑑賞は、２０１０年直島にベネッセの李《リ》禹《ウ》煥《ファン》美術館がオープンした際、鑑賞ツアーを開発する中で運営スタッフが取り入れたのが最初であるという。李禹煥氏の作品も含め、ベネッセアートサイト直島の対話型鑑賞は、現代アートが中心であり、より解釈が自由で人によってさまざまだという実感が得られやすいとともに、自分の外側にある他者との接点が多いことから、自己理解や社会理解にもより繋がりやすい点が特徴だという。対話型鑑賞の細かいスタイルはファシリテーターの個性に任せているが、鑑賞者の解釈の根拠が具体的にどこから来ているのか、問いかけを重ねながら掘り下げるという方針は通底している。

　プログラムを体験した人たちは、島の中に点在するさまざまな作品に出合いながら、対話や内省を繰り返していくことで、図4のような総合力が養われていく。これにより、自分の興味関心や思考の癖を知ることができたり、また次に進む方向や、やるべきことの道標を得ることができたり、また今まで見えてなかった多くの関係性に気づいて考えるきっかけになったりするという。大事なのは、年代にかかわらずさまざまなタイミングでこういったことを繰り返し経験することで、姿勢そのものを作っていくことだと藤原氏は言う。今の時代に求められる、正解のない問いに取り組む力や、自分なりの視点を見つけて考える力、またそれを表現する力は、今や子どもだけではなく、大人も含めて等しく必要とされている力であろう。

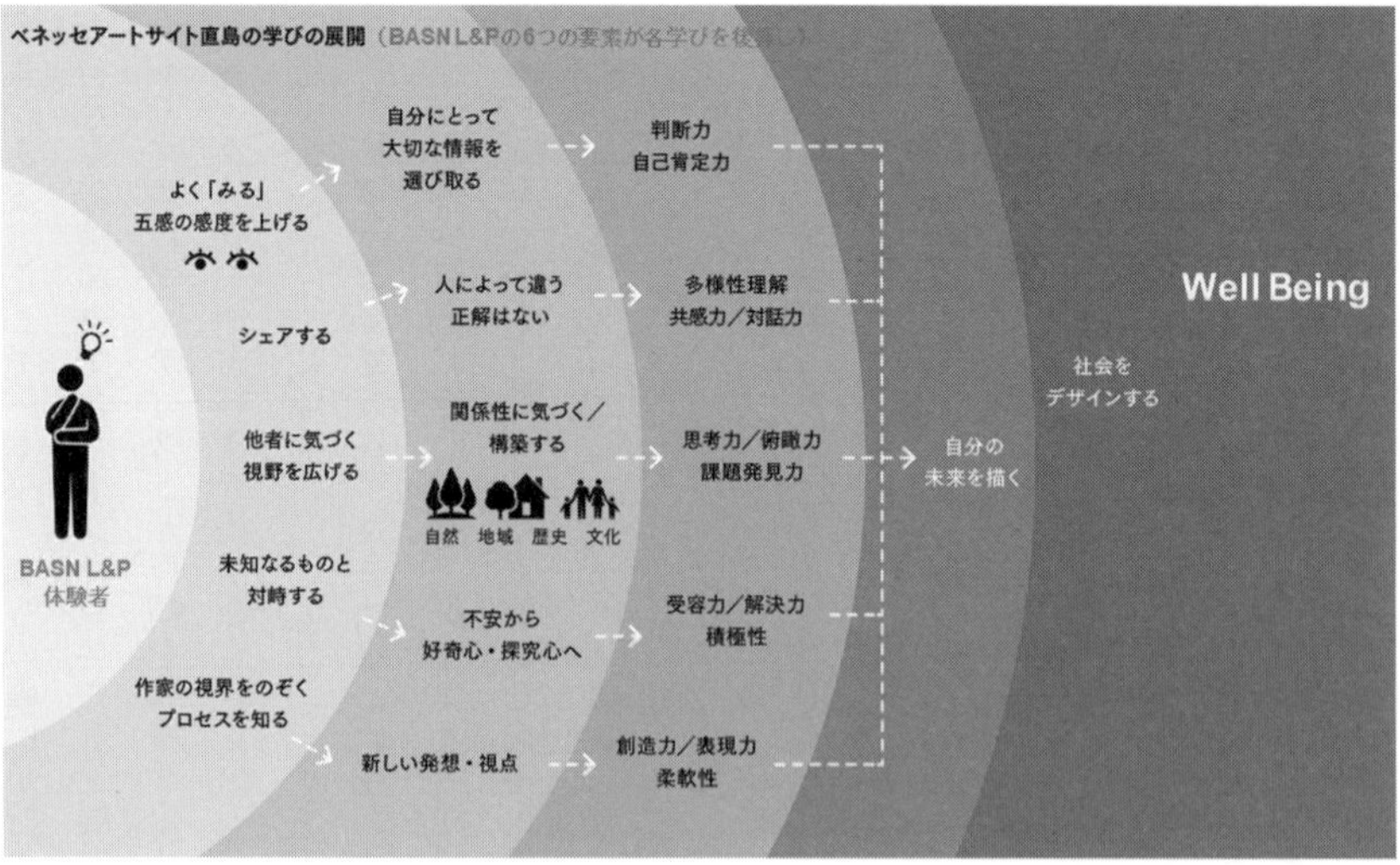

図4　ベネッセアートサイト直島の学びの展開

ベネッセの社内研修を行うときでも、アートを媒介することで社内の立場や役職を超えてフラットな関係で行えることは利点になるし、「普段使わない頭を使いました」という声をよく受けているという。プログラムの一例に「問い」を作るワークがある。自分にピンときた作品を選んでもらって、その引っかかりが何から来ているのか、作品と対話することで自分の関心事や取り組むべきテーマを抽出していくというワークである。概念的な問いであっても、現代美術という題材および対話という手法によって、ありきたりな言葉ではなく自分らしい表現で具体的なイメージを引き出せることが特長であるという。

作品から美術以外の問いを考えるための工夫として、ツールを活用する場合もある。図5は、透明なカードに、美術以外の科学・医療・哲学・文化人類学など、さまざまな異なる分野の視点に繋がるミッションを印字しているものである。視野を自分の好きなように切り取って、作品や景色にレイヤーとしてそのカードを重ね合わせることで、思考を広げたり深めたりすることができるツールである。

このツールを活用した、2022年夏の李禹煥美術館での対話の一部を紹介する。

図5　ツールを活用した社内研修の様子

私に与えられたテーマは「夢と若さと愛情」。ベネッセの新人の頃からあるスローガンなんです、社歌の中にも登場するフレーズで。これを見たときに、(作品を)ぐるーっと回ってきて、ここだと思った。支え合っているというイメージで、あ、親子だなと。真ん中が子ども、両側が親。左がお父さん、右がお母さん。「夢」と「若さ」が真ん中の、あれ双子なんです。双子の子どもで、ここから見ると奥に塔があって、夢に向かって子どもが一生懸命頑張っている。若さだから鉄板は硬い。子ども二人の若さと夢は、上に向かって伸びていこうとしている。それを岩があたたかく包んでいて。それは親の「愛情」のようで、両親があたたかく見守っている。

透明のカードにあるキーワードがきっかけとなって、作品を起点に思考が展開していることがわかるだろう。

参加したベネッセ社員の感想として、企業理念の理解に繋がったという感想ももちろんあるが、まず社員自身が自分にとっての「よく生きる」とは何かということに気づいて考えたり、「よく生きる」こととアートの関係性について実感したりしたとの声が多くあがっているという。

藤原氏はこのように、アート鑑賞がビジネスパーソンにとって最も効果的なのは、作品から他の思考に展開をしていく点であると語る。作品を手段やインフラとして扱うのは、そもそもベネッセアートサイト直島の活動の特長の一つでもある。ビジネスパーソンには、アートと聞いてもよくわからない、ハードルを感じるという方も多い。しかし、ビジネスパーソンにとって真に必要なのは、単にその作品を味わうスキルを身に付けることではなく、アートをきっかけに社会を見る新しい視点を得たり、普段考えないことを考えたりする体験や経験である。これを実現させるために、ベネッセアートサイト直島という場所と、対話型鑑賞というメソッドとの相乗効果について、今後さらに明らかにしていきたいという。

続いて、組織開発・事業開発コンサルティングファームである株式会社MIMIGURIの事例を紹介する。

■事例2　対話型鑑賞「的」な組織文化の醸成
――株式会社MIMIGURI 臼井隆志氏のプレゼンテーションより

株式会社MIMIGURI(以下ミミグリ)で「アートエデュ

ケーター」の肩書を自ら名乗る臼井隆志氏は、対話型鑑賞を独自にアレンジしたワークショップを人材育成・事業開発に取り入れてきたという。

ミミグリは、「組織の創造性の土壌を耕す」というミッションを掲げ、多様な個性が対話を通じて混じり合っている状態を目指して活動を行っている。その背景には、組織のあり方自体が「ファクトリー型」から「ワークショップ型」に変わってきているという考えがある（図6）。

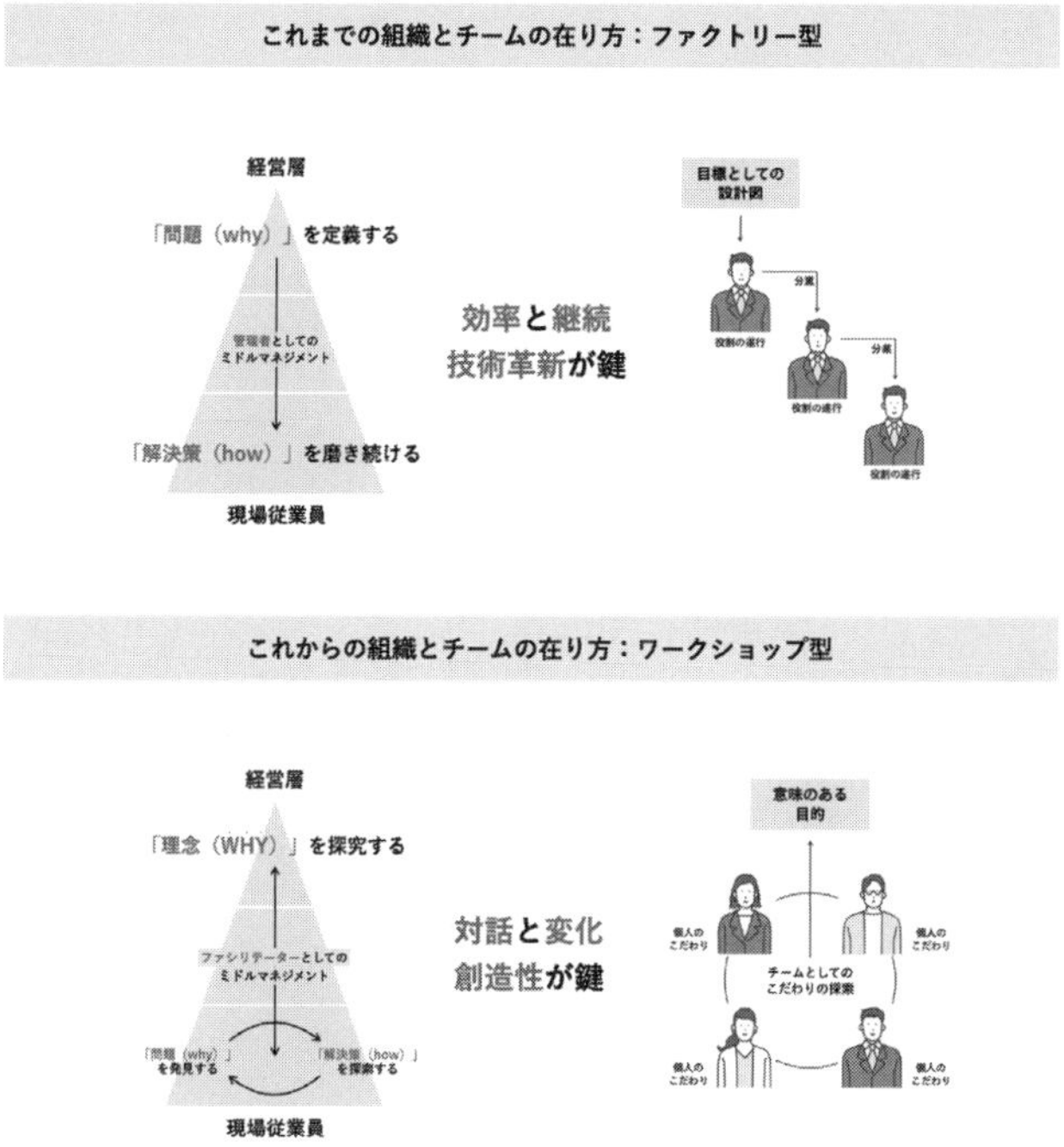

図6　ファクトリー型組織とワークショップ型組織

これまでは、トップダウンで問題が定義され、上流で設計図が作られて、それを現場で分業して解決していくような組織のあり方が主流であった。これをミミグリでは「ファクトリー型組織」と呼んでいる。この形が現在でも有効な場合はあると思われるが、現在の不確実性の高い社会では、上流で作られた設計図が確かなのか、本当に有効であるのか、疑わしくなってきている場合もあろう。

こうした状況に対してミミグリが提案しているのは、トップが理念を示し、その理念に基づきながら、問題の解決と発見を現場で試行錯誤していく、その際、個々人のこだわりや創造性を混ぜ合わせてチームとしてのこだわりを育んでいくような組織のモデルである。ミミグリではこれを「ワークショップ型組織」と呼んでいる。

ミミグリは、こうした理念に基づいて、組織全体を大きなワークショップであると見立て、「ワークショップ型組織」を形作っていくために組織のファシリテーションを実践している企業である。ワークショップ型組織をつくるための方法の一つとして、ミミグリでは、対話型鑑賞「的」な実践を複数展開している。ここでは、ミミグリ社内の活動と、人材育成や事業開発といったクライアントワークの事例を紹介する。

ビジネスパーソン向け対話型鑑賞の実例

ミミグリには、社内に「ワークショップ実験部」という部活動があり、ワークショップ設計の技を磨きたい有志のメンバーが毎週木曜日の朝9時から1時間ほどオンラインで集まり、さまざまなワークショップの実験を行っている(図7)。この中で、対話型鑑賞に関する実験も行われているという。たとえば、「企業理念って短い詩みたいだよね」という発想のもと、短歌に着目して短歌の対話型鑑賞をやってみたり、あるいは、ミュージシャンとして活動している社内メンバーの音楽を、作詞とメロディーを含めて対話型鑑賞したりと、多様な表現形態の作品を鑑賞することで、ファシリテーションのスキルを磨いているという。また、こうした実験を社内でやるだけではなく社会にも拡張するため、有志メンバーで「アートフェスティバル」を企画するなかで、アーティストと共同してワークショップを開催するなど開かれた取り組みを行うことができつつあるという。

ミミグリでは、こうした社内での活動も踏まえ、クライアントワークでも、たとえば「経営理念」「事業計画」「ロゴマーク」等を対話型鑑賞する実践を展開している。理念やロゴを対話型鑑賞することで、組織の構成員の解釈が多岐にわたりつつも実は共通している部分があること、あるいは、組織として大切にしている雰囲気とは何かが明らかになっていくことがあるという。たとえば事業計画のスライドには、何年までにどういった事業を行う、といった計画が書かれている。こうした経営陣の意思表明に対して素朴な疑問や違和感を共有したり、あるいは事業計画に対して自分はどう貢献できるのかを考えたり、さらには経営に対する提案を行う機会として、対話型鑑賞の手法が使われているという。

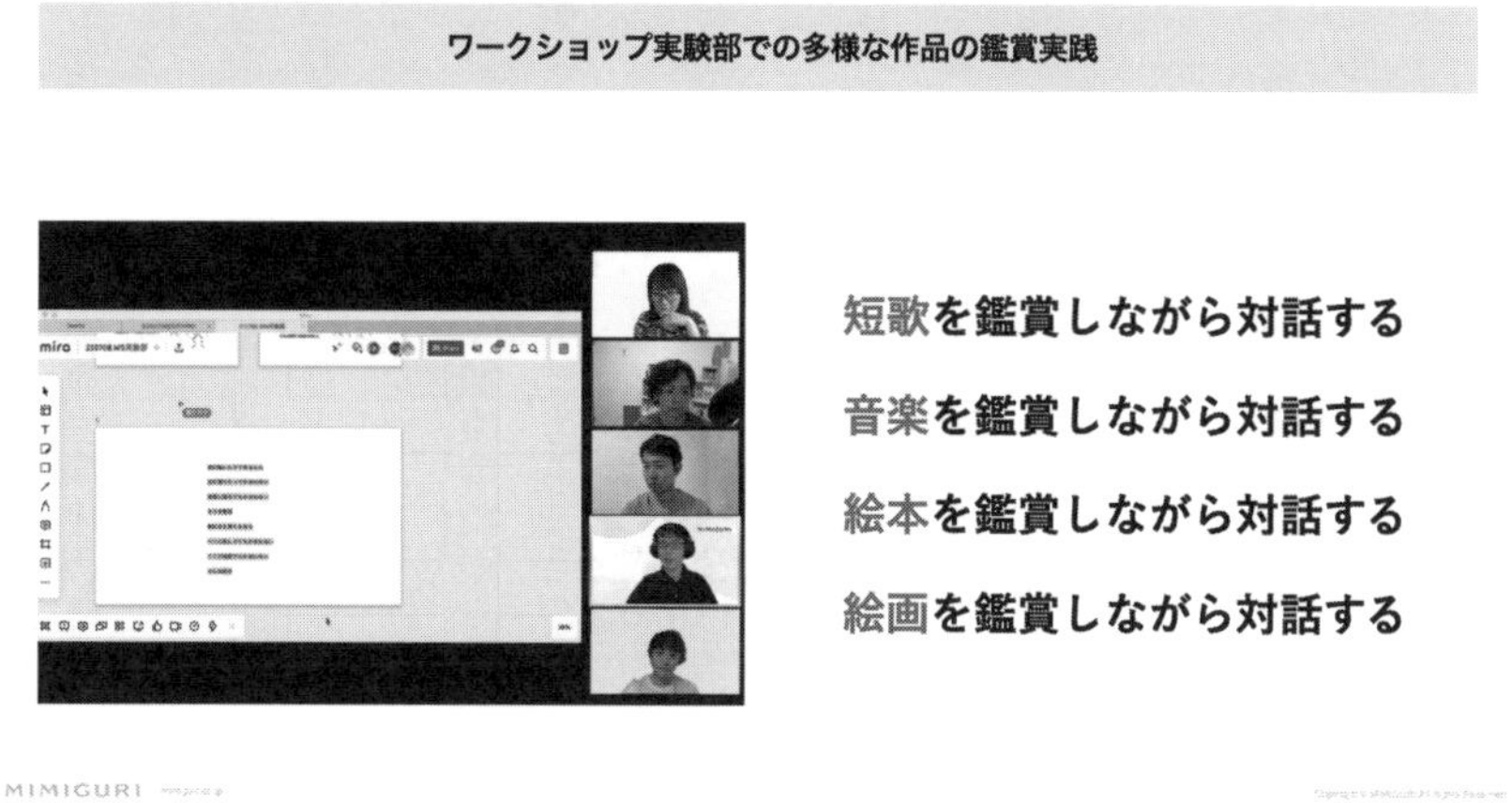

図7　ミミグリの「ワークショップ実験部」の様子

なお、こうした応用的な実践でも、対話型鑑賞の「どこからそう思う？」という基本的な問いかけが、この事業計画のどの部分からその違和感が出てくるのか、といった形で有効に機能していると臼井氏は語る。

また、人材育成研修としても、ある企業でアンコンシャス・バイアス（無意識の偏見）について内省するための研修プログラムを開発したことがあるという。ミミグリでは、組織の中で散見されているジェンダーやキャリアに対する無意識の偏見、それに基づく言葉をインタビューやアンケートを通じてリサーチし、その言葉を編み込んだ演劇の台本を制作した。台本には、あるミーティングのワンシーンの中で、セクハラとまでは言わないがこれってジェンダーバイアスだろう、といった違和感のあるセリフが練りこまれており、演じた後にそれを鑑賞しながら、どのセリフから違和感や抑圧というものを感じたのか、その違和感とはどういうものなのか対話していく研修プログラムを開発しているという。

同様に、事業開発においても対話型鑑賞「的」な取り組みが織り込まれて実践されてきている。たとえば、あるファッションブランドの事業開発のワークショップでは、新しくサニタリー用品の開発に着手をすることになった。その企業では、女性の生理のあり方、生理についての考え方について、マーケティングはしているものの、メンバーが自分ごととして語ることができていないという課題があったという。そこでミミグリは、ダンサーの方と協力してオンラインワークショップを開発した。女性の参加者のみなさんに、生理が始まってから終わるまでの感覚を両手の動きだけで表現してもらうというワークをやってもらう一方で、男性の参加者には、自分の身体が不調なときの動きを表現してもらった。これを相互に鑑賞して対話することで、生理や身体の不調に関する個々人の捉え方や、男性からするとわからなかったことも含めて言語や非言語で表現され、それを通じて対話をしていくことで、ブランドとして「生理」や「サニタリー」をどのように捉えていくのかという姿勢の形成にも繋がっていったという。

ビジネスパーソン向けの対話型鑑賞の課題

こうした社内外での実践を踏まえて臼井氏は、ビジネスパーソン向けの対話型鑑賞の課題について2点の問題提起をされた。

第1に、対話型鑑賞の目標設定についてである。一般に、対話型鑑賞の目標としては、「観察眼を養う」「審美眼を磨く」「傾聴力を養う」といった形で、個人のスキルとして記述される目標が多いと思われる。しかし、学習について、個人として培われるスキルの問題よりも、それ自体が共同的な営みであるという視点で捉える必要があると臼井氏は述べる。ビジネスパーソンに向けた対話型鑑賞の目標は、とくに組織に向けて実践する場合、組織文化の構築にあるのではないか、ということである。すなわち、アート作品でなくても企業理念やロゴなど、組織で共有されているものについて解釈を巡らせるような対話的な文化を皆で作っていくこと、さらには、実験的にアートに触れる機会を作ることによって、アート鑑賞の文化を構築していくなど、組織としてそうした文化を醸成していくことこそ、ビジネスパーソンの対話型鑑賞の目標になるのではないか、ということである。

そもそも、ビジネスパーソンに向けて用いられる対話型鑑賞の多くが、あくまで「対話」の学習であって、アートや鑑賞の学習ではないという批判を耳にすることも多い。事例として挙げられた経営理念の対話型鑑賞は、対話型鑑賞の「手法」を活用しているものの、アートの鑑賞教育ではない。あくまで「対話」の学習でよいのか、あるいはビジネスパーソンに対しても、対話型鑑賞がアート鑑賞の学習になる必要があるのか、という点は、議論が必要であろう。

第2に、ビジネスパーソンからアートへの貢献についてである。現在、ビジネスパーソンがさまざまなスキルを身につけることを目的に、対話型鑑賞あるいはアート思考の必要性が叫ばれている。一方で、ビジネスパーソンの側からアートへの貢献は十分にあると言えるだろうか。一部の高収入のビジネスパーソンがアートをコレクションするという貢献はもちろんあるが、個人としてのビジネスパーソンがどのようにアートに貢献していけるだろうか。

これについて臼井氏は、アートエデュケーターとして、アートを鑑賞する機会をつくるだけではなく、アーティストとの協働・創発の機会を作り、これを通じてアートの学習も触発することができるのではないかと考えているという。現代アートをキュレーションしたプロジェクトを、組織内外で展開していくことができるのではないか。美術の歴史や面白さを伝えていくことももちろん重要だが、作品の魅力、アーティストその人の魅力にビジネスパーソンが出会うことで、また作品やその人に出会いたいと思ってもらうことが、重要で必要なプロセスなのではないか。そうしたプロセスを経ることで、ビジネスパーソンを新しくアートの観客にしていけるのではないかと考えているという。

次節では、ここまでの議論を踏まえ、ビジネスパーソンと対話型鑑賞の展望について、藤原氏、臼井氏、平野による鼎談の形式で総合的な討論を行う。

■ビジネスパーソンと対話型鑑賞のこれから

平野　2022年夏のフォーラムから半年ほど経過しました。まずは最近の状況を教えていただけますか。

藤原　2022年はベネッセアートサイト直島でのプログラムの件数がコロナ禍の影響を受けた前年の倍に増えていて、とくに社会人研修が大きく増えました。一方で、このプログラムの何がいいのか、それで何が身につくのか、というご意見もやはりあり、一部の人しか実感が湧かないのかなという状況です。特にプログラムを体験する前の方にとっては実感がしづらいというのもあり、そういうエビデンスをしっかり検証していくべきだろうということで、株式会社ビズリーチとアート鑑賞を活用したビジネスプロフェッショナルの学びを検証する共同研究を開始し、プレスリリースも出しています。

それから、中高生向けにオンラインで対話型鑑賞を４、5回実施して、非認知能力のポイントがどう変化するかという効果検証をベネッセと共に進めています。今年は対象を広げて、４００人弱を対象に3月までのべ約40回の授業を予定しています。

平野　ベネッセとの共同研究の件、ビジネスパーソンと直接関係ない話かもしれませんが、面白いなと思ってリリースを拝見していました。中高生の非認知能力は実際伸びるんですか。

藤原　今リリースしている結果は、対象がまだ数十人のリサーチ結果ではありますが、数値が伸びているということ、学校の特徴によってどの能力が伸びるかにはやや個性があったりしますが、どの学校も全ての項目において基本伸びているという結果が出ていました。

平野　２０２２年は3年ごとに行われる瀬戸内国際芸術祭の開催年ですよね。それに合わせてプログラムが増えたということもあったんですか。

藤原　学校はあまり関係なさそうでしたね。どちらかというとコロナ禍で海外に修学旅行に行けないから、といった動機は見受けられました。企業研修に関しては一部、瀬戸内国際芸術祭の協賛企業が、協賛するだけではなくプログラムを体験しに来られるとか、研修を受けに来られるといったケースはありました。

最近だと、香川県の観光協会と三菱地所株式会社が共同で実施をしたワーケーション事業の中で、アートプログラムを行うという案件がありました。ワーケーション（テレワークを活用し働きながら休暇をとる過ごし方）だと、仕事をする姿勢をもって直島にいらっしゃるので、アートに触れたり、研修でいろんな視野を得たりする経験が直接仕事に反映されたり影響される場面が多いようです。アフターセッションを大体一週間後にオンラインで実施したのですが、そのときの経験を仕事に活かせたといった声が案外多く得られたのは、ワーケーションならではという気はします。

三菱地所さんは、丸の内など固有の場所との関係性を考えていらっしゃる企業なので、直島の場所とアートの関わり方とか、固有の場所に対してアートができることについて、ヒントを得たという方もいらっしゃいました。

平野　自社が扱っている事業領域に近づけて考えると、アートを自分ごととして考えやすい側面がありそうです。このごろ臼井さんが忙しそうにされているなと思って拝見していますが、新しい事業を担当されているそうですね。

臼井　そうなんです。企業の人材育成のためのスクール事業をミミグリとして独自に提供するという新規事業をスタートして、プログラム開発と講師をやっています。コースを三つ作っていて、三つとも講師をやってるんですけど、毎週１、２回、３時間のワークショップをやってるって感じですね。

１日コースの「問いかけの作法 １Ｄａｙコース」は、代表の安斎勇樹がマネジャー向けに書いた『問いかけの作法　チームの魅力と才能を引き出す技術』（ディスカヴァー・トゥエンティワン、２０２１年）を元ネタにしており、本の中でねらっているとおりマネジャーの参加者が実際多いです。それからＵＸデザイナー、サービスデザイナー等、お客様にインタビューをしながらサービスを作っていくスタイルのデザイナーの方が、どういう問いかけ方をすればいいか学びたいと参加しています。

コースは今後もっと増える想定でいて、「デザイナーコース」とか「デザイナー向けマネジメントコース」とかが出てきたら、ビジュアルなものをどう扱うかという話題は出てくると思うので、そこで対話型鑑賞の活動を紹介することはもちろんあるだろうし、ワークをやることも出てくるだろうと考えています。アートコースがこの中にできるというのは、相当アクロバティックな感じがするので、まだ想定はありませんが。

平野　ミミグリの中でもアートエデュケーターを名乗っていらっしゃる臼井さんに、新規事業の白羽の矢が立ったのはなぜなのですか。

臼井　アートエデュケーターだからというよりは、ミドルマネジメントを経験していて、ワークショップの設計ができる人材という期待で任命されています。ただ一部、部下の失敗を演じてみるなど、相手の気持ちになってみる演劇的なワークを取り入れていたりはしていて、そこは我々ならではという感じですかね。

平野　演劇の話はフォーラムの中でも紹介されていましたよね。役割を与えて演じてみて、それを相互鑑賞する、みたいな。それから、社内アートフェスをやるというお話もありませんでしたか。

臼井　やりました。素朴なオンラインワークショップを複数セッション走らせて、自由に参加できるといった取り組みを実験的にやってみたというところです。今話したような演劇のワークショップもあるし、子ども向けの造形ワークショップもあるし、さらにはVRを使った造形のワークショップとか。それから安斎利洋さんと中村理恵子さんが考案したカンブリアンゲームというワークショップを、連歌のように問いを重ねるかたちにアレンジした「問いのカンブリアンゲーム」を、9月末から11月にかけて行っていました。

今回はワークショップ型のアートだったので、ワークショップという体験の感想として、「自分の当たり前が剥がれていくのが感じられた」とか、「タブーと思っていた活動を自分でやってみることでそれがアリなんだという認識に変わった」といった反応がありました。

対話の学習か、アートの学習か

平野　ここから少し、フォーラムから半年が経った現在の視点から当日の議論を振り返っていければと思います。

臼井　フォーラム全体として、対話型鑑賞がアートを使った対話の学習になっていて、批評とか美学的なものの学びにつなげることができていない傾向がありはしないか、みたいな問題提起がありましたよね。それに対して応答しきれなかった気がしていて、悔しかったんです。僕自身も明確に、対話の学習のために対話型鑑賞を使っているというプレゼンになっていたかなと思っていて。でも逆に言うと、それが自分のスタンスなんだなというのも見えた気がします。

藤原　そうですね。対話型鑑賞を美術という文脈の中で捉えるのかどうかという、美術を扱う目的、立ち位置の問題もあるのかもしれません。特に私たちのパートだとアートは手法として使っているので、もちろんアートそのものにすごく敬意を払っているんですけど、その対話をどう扱うかよりも、その対話をステップに、どんな能力を伸ばしたり開発したりするのかを見ていたので、やっぱり立ち位置がそれぞれの目的によって違うのだろうという印象を受けました。

対話型鑑賞があくまで対話の学習でいいのか、アート鑑賞の学習になる必要はあるのか、という指摘に対しては、ビジネスパーソンに向けたものとしては、アート鑑賞の学習になる必要は必ずしもない。なったらいいなとは思うけど。そういうスタンスでやってきたし、やっていると再確認しました。

臼井　（アートの世界の）ど真ん中ではなかなか難しいなというのはありますね。ミミグリで経営者向けに対話型鑑賞をやっているメンバーがいて、彼女が言っていたことを思い出していました。たしかに経営者同士の対話の呼び水としてアートを使っていて、アートは手段としてビジネスの文脈では使われている。でも、その後の感想で、そもそもアートを見たことがなかった、こうやって喋りながらアートを鑑賞したことがなかった、作品に対して隣の人が全然違う解釈をしていると思ったことがなかったという感想が出てくるそうです。多くのビジネスパーソンはそもそもアートを見る機会がないのが現実です。

アートに触れる機会がない人に、ビジネスの目的のもと、アートを忍び込ませることで、アートをビジネスの目的にかなう対話の学習の素材にするわけですが、それがアート鑑賞のきっかけにもなっている。そういう構造上のねじれを自覚的に作ることはすごく大事だし、それをやろうという意識はまだまだあるなと思っています。たしかに、多くの参加者の目的は対話の学習だし、ビジネスに資するというところでしょうが、その結果アートに触れていなかった人がアートに触れて、休日に美術館に行こうと思うかもしれないし、アート作品を買おうと思うかもしれない。そういう影響を及ぼすことができるのもまた、ビジネスパーソン向けに対話型鑑賞をやる意味だし、アートの観客を作っていくことの一つの手段になりえているとは言えるかもしれません。

藤原　たしかに、直島の研修を受けた後に、作品を買って家に飾ったっていう人もいましたし、絵を習いに行き始めたっていう人もいました。他にも、これまでの人生のアート体験のうち8割は直島の研修だったというぐらい普段アートを見ない人が、家族旅行の目的地が決まったらそこに美術館があるかどうか調べている自分に気づいた、と嬉しそうに話してたりもしたんですよね。だから、アートが日常にちゃんと取り入れられていくルートを副次的に作ることはできるだろうし、それはある意味で対話型鑑賞やアートの研修後に日常の自分の生活の中に取り入れられていく場面の一つなのでしょう。

平野　主目的としては対話だったり、能力向上だったりしますが、アートを見る経験をすることにより、アートという文化に触れるきっかけも作っていくところは、対話型鑑賞やアートを使った企業研修のポイントかもしれないですね。

アートが引き出す知的好奇心

平野　フォーラムで加藤種男さんが、日本のビジネスパーソンはアートの場に居合わせてもとりあえず合わせてくれるけれども、もっとビジネスパーソンの知的好奇心のあり方とか、ビジネスパーソンが求めていることと接点を持つような形で場を作っていかないと立ち行かない、といった提起をされていたかと思います。このあたり、藤原さん、臼井さんは気をつけていることはありますか。

藤原　ここまで話していたとおりで、アートを振りかざさない、ということかなという気はします。アートを見ますよ、みたいに言っている限りは結局あまり興味を持ってもらえないんじゃないかなと思いますし、その必要性もないし、ビジネスパーソンの習慣的にもあまり共感とか接点がないところだと思うんですよね。たとえばアートを活用した先の何か能力開発のような、こういうことが得られますなどというようなテーマの方から興味を持ってもらうのが、ビジネスパーソンに対してはいいのかなとは思います。

人生１００年時代、いろいろな能力が求められすぎていますが、そういう能力ってお互いに結びついているというか、割と近いものだと私は思うんですね。それぞれの能力としては、思考力とか創造力とか共感力とかいろいろ言われますが、どれか特定の能力というよりも、いろいろな力を総合的に身につけていくときに、アート鑑賞の可能性があるのかなと思います。そういう目的のところから共感を作るのがアプローチとしては一番いいのかなと。

あとは、正解がないことに触れる機会が、学校の現場でもそうなのですが、社会人もほとんどない。正解があるという前提のもとに我々は生きていることが多くて、それが覆されることがすごく新鮮なようですね。自分の外側に答えはなくて、自分の中にしか自分の答えはないんだということにやっと気づいた、という人たちもいたりして、でもそういう視点が一つあるだけで、あらゆることに対しての考え方が変わると思うんですよね。

臼井　人生１００年時代とか、予測困難なＶＵＣＡの時代といわれる中で、自律的な個のあり方に近づいていくために、アートを通じて内省しよう、というのが、山口周さんが『世界のエリートはなぜ「美意識」を鍛えるのか？』でおっしゃっていたことだと思うし、それを実現しようとすることがまさに今のビジネスパーソンの好奇心であり欲望なんですよね。ビジネスパーソンの、そうありたいという願いがあって、アート鑑賞がそれに応答できている面はあるから、そういう意味ではビジネスとアートの接点を作れているとはもう言える。

ただ、加藤さんがおっしゃっていた知的好奇心というのは、もっと深いものとして捉えた方がいいのかなとも思っています。予測困難な時代の自立した個のあり方みたいな、個人主義的な考え方に迎合してそうあろうとするビジネスパーソンはいるし、でもそれは別に表層的な欲望ですよね。アートを通して、その人自身が持っている深い、かつすごく私的な、なんだかよくわかんないけどこれ好きなんだよね、みたいなものを触発してしまうところまで掘り下げるのか、というあたりは、たしかに課題としてあり得るかなとは思います。

平野　個人の原初的な衝動に火を付ける、といったところを目指すとしたら、まだまだ深い世界がありそうですが、なかなかタフなプログラムになりそうです。

藤原　好奇心って、自分と関係していると思うかどうかみたいなところもあるのかなと思っていて、それって関係性を見つける力だと思うのですが、それも自分の中で対話型鑑賞をしているのかもしれない。そういう姿勢が身につくと、いろんなモノを見たときに自分との接点とか自分との関わりを見つけやすくなるのかなと。そうなると、興味を持つモノが自然に増えて、何かを見たときに、それと全く別のモノがリンクして、それを面白いと思えるような視点は、少し客観的になってみたり、視点を飛ばす癖がないと気付けないと思うんです。多分それが好奇心の素になったりもするのかなと思って、そういう考えができるのは、アートの力もあるのかなと思います。

平野　自分と関係があると思えること自体がすごく大事な力だということですね。私には全然関係ない、知らない、と足蹴にするのではなく、なんだかよくわからないけど関わってみようと思える、関係あるものとして見てみようと思えること自体が今必要な力であり、その力がついてくると、モノとモノとの間に何らかのつながりを考える癖がつきそうですね。

異質なものを結びつける、越境する

平野　そういえば、２０１５年と２０１９年に、福のり子先生や伊達隆洋先生が直島へ研修に行かれたことがあるとうかがいました。福武財団でされる研修と、ＡＣＯＰの研修に共通点や違いはありますか。

藤原　私も当時の研修に参加していました。最初に福先生から、人の見る能力、いかにモノを見ていないか、見ることに人はどれだけ頼っているのか、自分の思い込みについて他の人も同じように思っているわけではないといったことを実際に体感するレクチャーがあって、ブラインドトーク（二人組になって、片方の人が目を閉じて、目を開けている人が目を閉じている人に作品を説明するワーク）や、鏡を目の真下に当てて、鏡の中の世界を歩くワークなんかをやりました。

ＡＣＯＰでは古今東西のアート作品を扱っていますが、我々のプログラムは直島という場所と結びついたところでやるからこその視点の多様さがあります。それがアートの世界だけでなく、日常的な人の暮らしとかリアリティと結びついている点で、思考の幅や気づきの差があるかなと思います。それから、目的を「よく生きる」と定めていることに加えて、元々そのために展開している場所でもあるので、対話の手法や扱う作品が違うのかなとも思っています。

臼井　僕は２０１９年に東京で福先生の対話型鑑賞に参加したことがありますが、ＡＣＯＰの鑑賞はみえたことをもとに鑑賞を進めていくっていう点では硬派ですよね。

平野　対話型鑑賞の定石で言うと、現代アートは難易度が高いものが多いので、いきなりそれを最初に見るという選択肢は、ＡＣＯＰでは取らないかもしれません。

藤原　そうですね、そう言われたことがあります。私たちは研修の最初に李禹煥の作品を鑑賞することもありますが、あんなに難しい作品から始めることはないと言われました。でも、作品が自然の中に置かれているので、あんまり小難しくなく意見を言えたりもするんですね。作品のことがよくわからなくても、海が綺麗だなとか、そういうところから対話が始まったりもするので、そこは直島という場自体がハードルを下げられる環境なのかなとは思います。

２０２２年11月に、伊達先生と、『目の見えない白鳥さんとアートを見にいく』（川内有緒著・集英社インターナショナル・２０２１年）の白鳥建二さんにいらしていただいて、直島で鑑賞ワークショップをやりました。その結果、私はあれが「美術館らしい」ワークショップだなと思ったんです。本当に、深く鑑賞するということに焦点を当てたすごく良いワークショップだと思った一方で逆に、そこから自分について考えるとか、未来について考える、みたいなことに思考を展開させるのが、私達の取り組みが目指していることでもあるんだなと思いましたね。客層も違いました。

平野　「美術館らしい」という言葉に込められた意味は、鑑賞そのものを深めるためのワークショップであれば、他の美術館でもできそうかも、というところでしょうか。そこはやはり、ビジネスパーソン向けに行っているプログラムと、美術館での鑑賞自体の目的が違う、ということなのでしょうか。

臼井　僕も先日アートフェスをやったときに、ミミグリのイベントだからビジネス系の人が来てくれるかなと思ったら、案外そうでもなくて、アーティストのファンだとか、普段ミミグリのイベントに来る層とは少し違う客層でした。でも逆にそういうことは大事にしていて、ミミグリでやっていることをビジネスパーソンじゃない人たちに開いたときに、どういうインパクトを社会的に起こしていけるのか、もっと考えないといけないよなと思っています。収益性はないんですよね、こういうアートフェスみたいな事業には。でも、ビジネスの世界だけで事業を回していくこと自体に僕は違和感があるので、それをどうやって世の中に開いていけるかは考えているところです。

こういう研修を受けると自立的な個になっていけるよ、みたいな話法って、実はビジネスの世界に閉ざされていて、それがその外側に一歩出たときにそうしたことも批判的に見られるはずなんですよね。

平野　まさにフォーラム当日のディスカッションでも話題に出た「越境学習」といったところにもつながりますね。美術館というアートの世界でアートを語るだけでなく、ビジネスパーソンの世界でビジネスを語るだけでもなく、ビジネスパーソンとアートという異質なものをあえて出合わせたときに、ある意味でアートの独自性が見いだされるのかなと思いました。本日はありがとうございました。

（2023年1月13日　オンラインにて）

六章　レクチャー

対話型鑑賞の功罪

美的知覚の観点から

登壇者
森　功次
大妻女子大学国際センター　専任講師

講演する森氏

■美学の知見から対話型鑑賞を語る

はじめに

私の専門は美学・芸術哲学です。ここまで登壇されてきた方々とは、ちょっと毛色が違う学問をやっていると言ってもいいかもしれません。そもそも美学（aesthetics）という学問をご存知ない人も、会場には多くいらっしゃるんじゃないかと思います。それほど日本では結構マイナーな学問です。美学という学問を極力大雑把に説明すると、芸術や美や感性について哲学的に考える学問ということになります。美や芸術、感性についての言説をとりあげて、そこに含まれている論証が成り立つのか、この推論が成り立つのか、この結論が出るのか、といったことを考える。美や芸術に関する「論証の吟味」が美学者の仕事だと思ってください。

私は大学院では、フランスの現象学、特にジャン＝ポール・サルトルの美学を研究していました。大学院の途中から少しずつ、現代英語圏の美学、いわゆる「分析美学」と呼ばれる学問に足を移してきて、最近はそちらの領域でいろいろと仕事をしています。いくつかこの分野の文献を翻訳もしています。今日あつかう話もそこから引いてきているものが多いです。

今回のフォーラムで多くの方の話を聞いていく中で、美学に似たような話があるな、と考えさせられるところが多くありました。美学の道具立てを使うともっと上手く説明できるのにな、と思うところもなかったわけではありません。今日は、美学の分野の話題を紹介することで、みなさんの考察に寄与することが求められているのだと思います。

私自身は、これまで対話型鑑賞に専門的に関わってきたわけではありません。そもそも福さんとも面識はありませんでした。私はここ1、2年、アート思考や対話型鑑賞などについて文章を書いたり、市民講座で講演をしたりしてきただけの人間です。にもかかわらず、いきなり「レクチャーしてください」というメールを頂いたので、少し戸惑いながら引き受けたところもあります。おそらく、今回私にこのお話が来たのは、これまで書いてきた文章の何かが主催者側の方に引っかかったからだと思います。事前の打ち合わせでは、今日のテーマである功罪の「罪」のところについて話をしてほしいと言われたのですが、私自身はこれまでの仕事の中で言いたいことは結構言ってきたつもりですので、今日はまたちょっと別の話をするつもりです。とはいえ「罪」の部分の話を全くしないわけにもいかないので、はじめに、これまで書いてきたことのおおまかなまとめを紹介しておきます。

最初にお伝えしたいのは、過度の「生の目」信仰はもうやめましょう、ということです。「生の目」で見ることが芸術鑑賞だ、みたいな言い方は避けるべきだということを、いくつかの文章の中で私は言ってきました。

対話型鑑賞のイベントでは、芸術に慣れていない人たちに気楽に発言してもらうためとか、知識をひけらかす人を止めるためとか、いろいろな目的があって、それにあわせた工夫がなされています。それがすごく大事な工夫だということも、よくわかります。特に昨日からしきりに言われているエデュケーションのための工夫、なかでも美術館がやっているエデュケーションイベントの企画側の方々の苦労は、さまざまなところで私も感じるところです。

ただ、そこでしばしば聞かれる「生の目で見ることこそが芸術鑑賞だ」といった言い方には、私は反対してきました。もしそうしたメッセージを出すのであれば、それはただ入口を整えるための工夫なのか、それとも芸術鑑賞の本丸が本当にそこにあると思っているのか、きちんとそれを示してほしい。今日はもう少しそのあたりの議論を深めていければと思います。

またこれまで書いた文章では、公共財の使い方についてもすこし意見を述べてきました。美術館、特に公立の美術館にある芸術作品を、一部のビジネスエリートのために使っていいのか。高い参加費を取って、一部のお金を出せる人たちだけのために講座を開くというのは、倫理上許されることなのか。そのあたりの問題意識を示唆的にですが、いくつか述べてきました。今日は、この公共財についての話には踏み込まずに、どちらかというと罪よりは功についての話をしていきたいと思っています。

本題に入る前に

本題に入る前に、いくつか注意点があります。まず今日の話は、専門的な言い方をすると文脈主義（contextualism）の立場からの話だと思って聞いてください。ここでいう文脈主義とは、「作品の出自、具体的には誰がいつどこで作ったのか、どういう背景で作ったのか、といったあたりをきちんと踏まえないと、作品の評価や鑑賞は十全にはできませんよ」という立場です。なぜ文脈主義を採用すべきなのかについてはのちほど触れます。

これと似た話として、ちょっと専門的な話になりますが、「作者の意図」という問題があります。作品解釈のときに作者の意図をどれぐらい考えるべきなのか、という問題ですね。これについては、美学の歴史の中で長い議論があるんですが、今日は作者の意図に関しては、そこまで極端な立場を取らずともできる話をしていきます。

次に二つめの注意点です。今日は、対話型鑑賞に関して批判的なコメントを出してもいきますが、最終的な結論として、「対話型鑑賞はやめるべき」と主張するつもりはありません。対話型鑑賞には良い面がたくさんあります。それはこのフォーラムでのいろいろな講演を聞いて、もう十分みなさんも理解されているかと思いますし、私自身も、対話型鑑賞の良い面をきちんと探していきたいと考えています。そこで今日は私なりに考えた、対話型鑑賞の功の部分についてお話ししていくつもりです。つまり、いくつか批判的な話もしますが、全体的な方針はポジティブなものです。

対話型鑑賞は、このフォーラムのプログラムによく表されているように、さまざまな形態で行われています。対話型鑑賞は、分野・方法・目的のいずれも多様なバリエーションで、いろんな目的で行われている。そのため「これこそが本当の対話型鑑賞ですよ」のような、統一的な目標みたいなものを立てる必要は別にないと思っています。各自がそれぞれの目的意識で、いろいろな形の対話型鑑賞をやればよいのです。

これからの話は、あくまでその中の一形態についての話です。念頭に置いているのは、「美術作品を美術館などで実際に見ながら行われる鑑賞イベント」です。これを具体的にどうやって特徴づけるかというのは、ちょっと難しいのですが。「十全な鑑賞を目指すイベント」と言ってもいいし、「作品をないがしろにしない鑑賞イベント」という言い方をしてもいいかもしれません。大事なのは、今日の話から何が外れるのか、です。たとえば、作品の十全な鑑賞はあまり目指さずにとにかく知覚能力を伸ばしましょう、とか、仲良くなるためにたくさん発言しましょうとか、つまり、作品鑑賞じゃないところをメインの目標にしているイベントは、今日の議論からちょっとずれてきます。一つ補足しておくと、そういうイベントはやめた方がいいと主張したいわけではありません。どういうイベントをやるかは、分野によってさまざまな目的と照らし合わせて考えてもらえばいい。それに対して、アートだからこうしろ、みたいなことを過度に言う必要もないと思います。ただ、今日の論旨は最終的に、作品の文脈を見ない鑑賞の仕方をすると取りこぼすことがあるよ、そこをどう考えますかという話になっていきます。以上が二点めの注意点です。

注意点の三つめです。今日の私の目標は、対話型鑑賞の良さ、ポイントを探す、というところにあります。ただここでは、対話型鑑賞「独自の」、もしくは対話型鑑賞「にしかできない」良さ、を探そうとはしていません。今日の目標はもうすこしゆるく設定して、あくまで対話型鑑賞に「特徴的に」見られる良さ、くらいのものです。これを踏まえていけば、先ほども問題になっていた、「なぜアートをつかうのか」という問いについて、一つの提案ができると思います。

ちなみに、対話型鑑賞では、「他人の意見を否定しないようにしましょう」というルールをよく見かけます。先ほど別のセッションでも、「何を言ってもいいんだという空気を作っていくのがアート」という話が出てきました。私はそういう意見に対しては、むしろ懐疑的な立場です。つまり、「不適切な鑑賞はある」という立場をとっています。私自身は、対話型鑑賞の中で他人の意見を否定してもいいと思いますし、むしろ否定しなければならないときもあると思っています。今日は特に、人の意見を否定・批判するところにこそ対話型鑑賞の一つの意義がありますよ、という話をするつもりです。

イントロダクションは以上です。これを踏まえて以下では鑑賞経験の向上を目標にいろいろ話し合っていく中で、意見対立を乗り越えることがどういう意義をもつのかという問題を考えていきます。この考察から、対話型鑑賞という手法の一つのポイントが見えてくるでしょう。

■考察の前提となる二つの理論

美学の視点から得られるヒント

まず初めに、美学の歴史の中に、対話型鑑賞を考えるためのヒントになりそうないくつかの理論があるので、それらを紹介します。そののち考察に入っていきますが、そこでは対話型鑑賞ならではの利点を探すために、「美的知覚のチャレンジ」「意見対立を乗り越える」の二つの論点を提示します。最後に、この二つの論点から、対話型鑑賞ならではのポイントを考察していきます。以上が、今日の話の概略です。

まずは対話型鑑賞では実際にはどういうことが起きているのか、というところを見ていきましょう。対話の中では様々な意見が出てきますね。対話型鑑賞を経験したことがある方はもう重々承知だと思いますが、ほんとうに多様な意見が飛び出します。

ではそこで出されるそれぞれの意見・コメントは、対話の中でどういった役割を持っているのでしょうか。今日はその各意見を腑分けする枠組みを紹介します。以下に紹介するのは、いわゆる「分析美学」といって、現代英語圏の分析哲学の議論を利用した美学の話です。同じような話は、教育学や心理学のほうでもいろいろと提案されているようですが、今日は私の専門である美学の方面でもこういう議論がありますよ、という紹介をしていきます。

ここでは二つの文献を紹介します。一つはノエル・キャロルの『批評について』という本、もう一つはフランク・シブリーの「美的概念」という論文です。どちらも日本語で読めるものです（『批評について　芸術批評の哲学』勁草書房／「美的概念」は『分析美学基本論文集』所収、勁草書房）。現代英語圏の美学文献は翻訳されてないものが多いのですが、対話型鑑賞に参加している方でこのあたりの話に興味がある方も多いかと思うので、日本語で読めるものを紹介します。

⑴ノエル・キャロル『批評について』

最初に紹介するのは、２００９年に出されたノエル・キャロルの理論です。ノエル・キャロルは、現代の英語圏の美学の中では絶対に名前が外せないぐらいの、大御所の研究者です。さまざまなトピックについて、基礎文献、つまり「これは読んでおかないと、お話にならない」と言われるような論文をたくさん書いています。そのキャロルが批評について書いた本が『批評について』です。彼はこの本の中で、批評を下支えする六つの作業を提案しています。以下ではそれを説明していきます。ただその前に頭に入れておいてほしい点があります。それは、キャロルは批評に関して、少し強めの独特な立場をとっている、という点です。

キャロルは、批評というのはつまりは「理由に基づいた価値づけ（reasoned evaluation）」をすることである、という立場をとっています。批評文の中で、批評家はさまざまなことを言っていますが、それらはいずれも、最終的には「価値づけ」、つまり、作品の価値について何らかの判断を下すためのものなのだ、というわけです。この「価値づけ主義」とでもいえる批評観には反対する人もたくさんいます。ここでの目標はキャロルの立場を正当化するところにはありません。あくまでキャロルの議論を参考にしつつ、対話型鑑賞について考えるためのヒントとして、こういう枠組みがあるというのを一つ紹介します。

キャロルは、「価値づけ」を支える六つの作業があると言っています。記述（description）、分類（classification）、文脈化（contextualization）、解明（elucidation）、解釈（interpretation）、分析（analysis）の六つです。以下、それぞれざっと中身を見ていきます。

記述（description）というのは、作品の表面的部分、要は誰でも見て取れるような部分についての指摘をしていくことです。ここに赤い文字が書いてありますねとか、右上に鳥が描いてありますね、といった指摘ですね。ここで記述されている部分を鑑賞者が見て取るさいには、特殊な知覚能力は必要ありません。指摘すれば他の人も簡単に見て取れるようなものを指摘する。そのため記述というのは、その先のいろいろな作業のための、基礎をつくる作業とも言えます。

次に、分類（classification）です。分類とは、その作品のジャンルやカテゴリーを指摘する作業です。芸術批評において、一番大枠のカテゴリーは、おそらく作品の芸術形式ですね。たとえば、これは絵画なのか、映画なのか、写真なのか。そうした点を指摘するのが、芸術形式についての指摘です。ただ、批評文によくあるのは、もっと細かい様式やジャンルについてのカテゴリーの指摘です。たとえば、これは印象派の絵画ですよ、とか、これはホラー映画ですよ、といった指摘ですね。つまりここでは、数ある作品の中で、この作品はこのグループに属しますよ、という指摘をするわけです。

これと似た作業として、文脈化（contextualization）というのがあります。こちらは、作品の周囲の状況やまわりの作品についての指摘になります。たとえば成立年代とか制作地、発表場所などを指摘する。これが文脈化です。分類も文脈化も、その作品をどういう評価軸で見るべきか、とか、その作品がやろうとしていることは何か、といったことを突き止めるために行われます。この二つの作業は、言ってみれば、採点のための尺度の設定に効いてくるわけです。

次に解明（elucidation）です。こちらは、すごく単純化していうと「この部分はこれを意味しますよ」とはっきり言えるものを指摘することです。たとえば、「ここに描いてあるのはキリストです」とか「女性が白いユリを持ってきているから、これは受胎告知の場面ですよ」とか。解釈の余地がないような、つまり答えがはっきり一意に決まるような意味関係を指摘する。これが、解明の作業です。宗教画を見るときなどは、この解明の作業が大変重要になってきます。

これに対して解釈（interpretation）の方は、人によって答えに幅があるような問題をあつかいます。キャラクターの心情や行動理由を読み解く作業は、まさに解釈の作業です。「なぜ彼女は部屋を出ていったのか」といった問いには、答えにいろいろと幅が出てくるでしょう。「彼が嫌いになったから」、「ただ空気に耐えられなかったから」等いろいろな答えがありうる。この答えに幅があるかどうかが、解明と解釈の違いです。

キャロルは、この基礎作業の最後の作業として、分析（analysis）という作業を考えています。これは、「作品は目的をきちんと達成できているのか」を考える作業です。批評の最終目標である「価値づけ」に、ほぼ直結するような作業ともいえます。分類や文脈化といったここまでのいろんな作業をふまえると、作品のやろうとしていること、つまり狙いや目標、問題意識などは、かなり特定されているはずです。この「分析」の段階では、「ではこの作品はその目的を達成できているのか」が考察されます。たとえば印象派の絵画だったら、これまでとは違う表現形式で、新しい視覚体験を与えようとしているはずです。それをふまえて、この作品は成功しているのかを考える。成功していれば作品の価値は高まるでしょうし、失敗していれば作品の価値は低くなるでしょう。それをきちんと判定すること、それが最後の分析の作業です。

以上、六つの作業を見てきました。キャロルがここで述べているのが、あくまで「価値づけを目指す批評家は何をやっているのか」であることは頭の隅に入れておいてください。次に紹介するフランク・シブリーの議論も、「批評家は何を行っているのか」に関わる話です。どちらも、批評家についての話ですが、これらは、対話型鑑賞での発言を考えるところでも使える話だと思います。では、もう一つのシブリーの議論を見ていきましょう。

⑵フランク・シブリー「美的概念」

次に紹介するのは、フランク・シブリーというイギリスの哲学者です。フランク・シブリーも現代美学のレジエンドの一人です。とても重要な論者なのですが、日本ではまだあまり広く知られていない。これはとても残念な状況です。いま私は友人たちとフランク・シブリーの論文集を翻訳しています。もっと日本でも知られていい、というかもう少し紹介しなきゃいけない大事な論者です。

フランク・シブリーは美学史に残る重要な論文として「美的概念（Aesthetic Concepts）」という論文を書いています。世に出されたのは１９５９年。初期分析美学の最重要論文といってもいいくらいの古典論文です。シブリーはこの論文の中で、美的性質には「美しい」とか「おしゃれ」とか「派手だ」といった、感性を用いた判断を例に挙げながら、「美的なもの」を「非美的なもの」から論理的に導出することはできない、ということを主張しています。たとえば、ここに赤があって、ここに白があって、ここに三角形があるでしょ、だからこの絵は美しいんですよ、というような論理的な推論は絶対できない、とシブリーは言うわけです。

シブリーのこの論文の面白いところは、この話を「では批評家は何をやっているんだ」という話につなげるところです。つまり、作品の美しさや良さを論理的には立証できないのに、批評家は作品の良さを説明するような作業をしている。批評家はいったいどうやって批評作業を成立させているのか、と。この問いを受けて、批評家が実際に行っている作業をシブリーは七つ挙げています。以下、見ていきましょう。

一つめは作品の「非美的質」に直接言及する。要は誰が見てもわかるようなポイントを指摘するということです。作品の物理的特徴などの説明はこれにあたります。二つめは、「美的質」に直接言及する。たとえば「この絵は美しいですね」や「この絵はダイナミックです」、「力強いです」といった指摘がこれにあたります。ここで指摘されるのは、感性をつかってはじめて見て取れるような特徴です。三つめは、美的性質と非美的性質の間のつながりを示す。ここにこの色があって、ここにこの線があって、だからこの絵は躍動感があるんですよ、という指摘です。

若干話が逸れますが、実はこのつながりを示す作業は、よくよく考えると、何をやっているのかよくわからない作業です。実はここでは、とても特殊なことが行われている。この絵の美しさは、この部分がポイントになっている、といった指摘をコンピューターにやらせるのはかなり難しいでしょう。でも、私たちはこういう指摘をよくやっていますよね。「あの監督の映画は光の使い方がいいんだよな」みたいに。ちなみに、この種の説明は一体どういうタイプの説明なのか、を考える論文が最近出ました。著者は、ソン・ムニョン（Moonyoung Song／シンガポール国立大学）。東京大学の銭清弘さんが解説ブログを書いてくれていますので、興味がある人は見てみてください。

実は対話型鑑賞では、この手の指摘が頻繁に行われます。対話型鑑賞では「どこからそう思いましたか」という質問がよくファシリテーターから発されますよね。「この絵はいいと思いました」「おしゃれだと思いました」「派手だと思いました」などと言った人に、ファシリテーターが「どこからそう思いましたか」と聞くでしょう。そして、聞かれた人は、「ここからです」とピンポイントに何らかの要素を選び出して指摘する。しかし、なぜそれが説明になるのかは、おそらく参加者の誰もうまく答えられないと思うんです。すごく難しいことをやっているのに、多くの人ができていて、しかもそのメカニズムは誰も上手く説明できない。これは哲学的にはかなり面白い点だと思います。

シブリーの議論に戻りましょう。四つめに、直喩やメタファーによって、絵の美的質を説明する、というものがあります。たとえば「まるで炎のようだ」という言い方をすることがありますね。五つめは、対比や想起を利用する。比較できる別の作品を思い出させる、のような作業もこれにあたります。最後の二つとして挙げられているのは、批評家が使う弁論テクニックのようなものです。六つめは、繰り返しと反復によって何度も指摘する。「ほら、もう一回ここを見てください」といった言い方をしますよね。七つめはジェスチャー。今まさに私が、手をスライドに向けている、こうした動きです。

以上、七つの作業を見てきました。シブリーの主張のポイントは、批評家はこのようにいろいろとやっているけれど、これらはいずれもその作品の良さや美しさを論理的に立証する作業ではない、というところにあります。では、これは何のための作業なのか。のちほどまたこの問いを取り上げますが、シブリーはこれらを美的知覚へつなげるための作業として考えていくんですね。ここが今日の話の重要な点になります。

以上、分析美学の領域からキャロル、シブリーの二つの枠組みを紹介しました。先に述べたように、この二つの枠組みは、どちらも批評家のふるまいを説明するものです。これに対して、「対話型鑑賞の参加者は批評家じゃないだろう」と思う人もいるでしょう。「対話型鑑賞に参加するのは、どちらかというと非専門家の人でしょ」と。しかし、私はこの議論を対話型鑑賞の参加者について考えるための材料として使っていくつもりです。というのも、対話型鑑賞の参加者も、作品の良さや面白さ、もしくは逆に、ダサさ、カッコ悪さといった悪いところを見て取ろうとする点では、批評家とさほど変わりないからです。やっていることの目的はかなり近い。そして、作業の中身としても、根拠を指摘する、参考情報を出す、比較作品を挙げるなど、批評家と似たようなことを行います。よって、この二つは対話型鑑賞のいろいろな意見を考える上で、十分使える枠組みだろうと私は考えています。ただし、最初に紹介したキャロルなどは、これらの作業は全て「価値づけ」のために行われるものだという話をしているので、そこはちょっと今日の枠組みと話がずれるところかもしれません。一応、頭に入れておいてください。

■対話型鑑賞の中の意見を考察する

情報提供のパートは以上です。ここからは、考察に入っていきます。

対話型鑑賞では、いろいろな意見が出されます。以下ではそれらについて、二つのアプローチから考えていきましょう。一つは、その意見が何を指しているのか。もう一つは、その意見は対話の中でどういう機能をもつことになるのかという点です。それぞれ見ていきましょう。

その意見は何を指しているか

まず、意見の指示対象、つまり意見が何を指しているか、という点から見ていきましょう。意見が指示するものとしては、作品の美的性質と非美的性質の二つが真っ先に挙げられます。「この作品は派手です」というのは美的性質の指摘です。非美的性質の指摘の方は、誰が見ても見て取れるようなもの、たとえば「右上に赤い四角があります」といった指摘です。キャロルのいう解明（elucidation）にあたるような指摘も、このグループに入れていいでしょう。

　これとは別に対話型鑑賞でよく見られるのは、個人的な語りです。「実は私、昔こういう経験をしたことがありまして、この作品を見ながらそれを思い出しました」のような語りですね。これは作品についての指摘というよりは、作品の外側にあるものを指摘しています。「その作品から、あまり離れてはならない」というのを対話型鑑賞のルールにしているところもあると思いますが、とはいえ、こうした個人的なことを語る参加者は多くいます。この個人的な語りを芸術的価値の判断の際にどう扱うべきかについては、現代美学でも議論があります。

　さて、今日特に取り上げたいのは、「この作品はただの人物画じゃなく肖像画ですね」といったジャンルやカテゴリーを指摘するタイプの意見です。この手の指摘は、対話型鑑賞について考察する文献ではあまり触れられないところですが、この種の指摘はとても大事だ、と私は考えています。

対話型鑑賞についての本を読むと、「作品をしっかり見て語りましょう」という趣旨のことはたくさん書いてありますが、作品のジャンル・カテゴリーに関する話はほとんどありません。おそらく、ジャンルやカテゴリーに関する指摘というのは背景知識をある程度求められるので、対話型鑑賞では避けられがちなのでしょう。この作品は実は印象派の絵画であるとか、実はこの時代の絵画であるとか、こうした指摘が求められない空気が対話型鑑賞にはある。そういう知識を抜きにして作品をじっくり見ましょう、という空気が強いのです。

　しかし、美的知覚を実践するにあたっては、ジャンルやカテゴリーの指摘はとても大事ですし、ほとんど不可避ともいえます。ケンダル・ウォルトンという哲学者が「芸術のカテゴリー」という論文の中で、そのことを端的に指摘しています。なぜカテゴリーを指摘することが大事なのかという話は、後で具体例を用いながら展開するつもりです。

その意見は対話の中でどういう機能をもつか

次に、意見の機能の違いについて見ていきましょう。

対話型鑑賞では「どう思いましたか」と、「どこからそう思いましたか」の二つの質問が大事な質問とされます。ここではこの二つの質問に対する答えを、それぞれ「出だしの指摘」と「根拠の指摘」と考えてみましょう。つまり、最初に「どう思いましたか」と聞かれたところで、回答者は対話の発端となる一つの指摘をし、次にそれに対して「どこからそう思いましたか」と根拠が求められるわけですね。

この二つめの「どこからそう思いましたか」という質問に対してどう答えるか。ここでの答えを、先ほど見てきた指示対象という観点から分類していくと、対話をナビゲートするための一つの枠組みができてきます。

対話型鑑賞でよく見られるのは、出だしのところで美的性質を指摘して、その根拠として非美的性質を示す、という手法だと思います。「なぜバランスが良いと思ったのですか」「ここに赤い四角があるからです」みたいなやりとりですね。先ほど述べたように、これはかなり複雑なプロセスを経た行為なわけですが、ともあれこういうことを私たちはやっています。これはシブリーの分類で言えば、美的性質と非美的性質の繋がりを示す行為に当たります。作品の良さを作品の中から見つけたあとに、その根拠をピックアップして指摘しているわけです。

ちなみに、この逆のプロセス、つまり非美的性質の根拠として美的性質を持ち出すという手順は、まず見られないものだと思います。たとえば、「ここに赤い線があります」「どこからそう思うんですか」「美しいからです」という対話は誰もやっていませんね。

今日はジョルジュ・スーラの絵《パレード（サーカスの客寄せ）》（図1）を具体例として話を進めます。この作品はメトロポリタン美術館のウェブサイトからダウンロードできるものです。

この絵を見ながら「どこか寂しい感じがします」と最初に誰かが指摘するとしましょう。これは美的性質についての指摘です。これに対して「どこからですか」という質問が出ると、その根拠として「光がぼんやりしているからです」「全体的に暗いからです」などの意見が出るでしょう。

その根拠の指摘というのは何を導き出そうとしているのか。先ほどシブリーの議論を紹介する中で見たように、ここでは誰も非美的性質から美的性質を論証しようとしているわけではありません。非美的性質があるからといって、そこから必ず美的性質が出てくるとは言えません。「光がぼんやりしている」も「全体的に暗い」も、そこから「寂しい」を立証できるものではない。では何を行っているのか。そもそも、「光がぼんやりしている」「全体的に暗い」は非美的性質といえるでしょうか。「ぼんやり」という感性的な特徴に言及する美的性質の指摘にも思えるのです

図1　ジョルジュ・スーラ《パレード（サーカスの客寄せ）》
Georges Seurat, *Circus Sideshow (Parade de cirque)*, 1887–88
The Metropolitan Museum of Art所蔵

が、どうでしょう。「全体的に暗い」も、誰もが見て取れる物理的特徴とするか、感覚の違いが認められる部分と取るか。とはいえ、これを突き詰めようとするとキリがありません。

　シブリーが別の論文で言っていることですが、ここでは私たちは、「寂しい」という美的性質を対話相手に知覚させようとしています。「全体的に暗い」という根拠の指摘は「この暗さを見ながら、この美的性質（寂しさ）を知覚してださいね」と誘導する効果をもつ。いわば鑑賞のため、もっと言えば美的知覚のためのナビゲーションのような役割を持つわけですね。

　これが、今日私が言いたいことの一つです。根拠の指摘は、美的知覚のための態勢を整えさせるという役割を持つ。このナビゲーションが実を結ぶかどうかは、やってみなければわかりません。なぜなら、美的知覚には見る人本人の能力・感性も多分に関わってくるからです。「ほら、美しいでしょ。見てください」と言われても、その美しさを感じ取れるかどうかは人それぞれです。根拠をどれだけ提示したとしても、この美的性質を相手がくまなく見て取れるかはわからない。対話の中でのいろいろなやりとりは、「ほ

ら、この美的性質をあなたも見てくださいね」といったように、あくまでナビゲーションにしかなりえない。シブリーはこのようなナビゲーションの行為を「知覚的証明(perceptual proof)」と呼びました。

この概念のポイントは、これは論理的な証明ではなくて、相手にその美的質を知覚させる行為だという点にあります。これはある種の「証明」と言ってもいいのですが、論理的な証明とは全く異なるというわけです。シブリーがこれについて論じた論文（*Aesthetic and Nonaesthetic*）も大変面白いので、翻訳版が出たら是非読んでみてください。

この知覚的証明には、先に見たようにいろいろな方法があります。最終的にこの作品の、「かっこよさ（もしくはダサさ）」を伝えたいとしたら、たとえば、「この作品ダサいですよ」と美的性質を直接指摘するか、または「この赤とこの色が合っていない」というように非美的性質をどんどん指摘することもできるでしょう。もしくは、ジャンルを指摘する場合もあります。服を買いに行く場面でも「今探しているのは結婚式の二次会用じゃなくて卒業式のためのドレスなんだから、これじゃおかしいよ」と言ったりしますよね。このオブジェクトは何のためのものか、どういうところで使われるものか、などと指摘することで、その作品についての見方・態度を変えさせるわけです。

ここでどういう手順をふむのが適切かは、ケースバイケースです。要は、状況および相手の反応を見ながら進めなければいけない。後述しますが、相手の反応を見ながら知覚的証明をやっていく、という点に「対話」の重要性があります。

対話型鑑賞ならではの意義

その1：美的知覚のチャレンジ

以上の話をふまえて、対話型鑑賞「ならでは」の良さはどこにあるのかを考えていきます。ここでは「ならでは」という言葉を使っていきますが、冒頭で述べたように、この言葉には、別に「必要十分条件」や「それしかできない」のような、強い含みはありません。対話型鑑賞に特徴的な良さとはどこにあるのか、という少しゆるい話だと思ってください。

対話型鑑賞には多くのメリットがあります。その中には、他の活動からでも得られるのではというメリットもたくさんあります。「じっくり観察する」というのは一人でもできますよね。「いろいろな見方を指摘してもらう」というのも、本や批評文を読むことで事足りる場合もある。「多様な意見を聞きたい」のであれば、少人数で集まるより、インターネット上で検索する方が早いでしょう。インターネットを使えば、世界中のさまざまな意見に触れることができます。自分とは異なる意見をいくらでも探せるわけです。こうした状況で、わざわざ対話型鑑賞をやる意味は何か。対話型鑑賞ならではの学びというものがあるとしたら、それは何か。それをここから先、考えていきます。

今日提案したい対話型鑑賞ならではのポイントは二つです。一つめは、先ほどから述べている、美的知覚のチャレンジ。二つめは、対話相手を見ながら議論すること。この二つめはさらにいえば、対話相手の見方を変えさせること、もしくは逆に、対話相手によって見方を変えさせられることと言ってもいいでしょう。これらの点にこそ、対話型鑑賞ならではの良さがあるのではないでしょうか。

「美的知覚のチャレンジ」という言葉を使っていますが、この表現のポイントは、どれだけ論拠・証拠・理由を並べられても、実際に美的知覚ができるかどうかは、やってみないとわからないという点にあります。その人がどういう能力をもっており、その人の感性がそこでどう発揮されるか、こうしたさまざまな要素で美的知覚は成立するので、実践の場でやってみないとできるかどうかはわからないわけです。そのため対話型鑑賞で大事なのは、対話の中で出される指摘を踏まえて、改めて作品に向かうことです。この作品はほんとうに美しいのか。それを、作品を前にして自分で経験してみる。これは作品を目の前にした鑑賞じゃないとできない、いわば、対話型鑑賞の「鑑賞」の部分と言ってもいいと思います。

ここでは、現物を実際に見るというのがそれなりに大事なことになってきます。もちろん、部分的要素の確認であれば、高精細のデジタル画像などを用意すれば、その部分を拡大して見ることはできます。しかし最終的に、その部分が作品全体の中でどう効いているのかというのは、実際の大きさで、全体的に見ないとわからない。また、大きな作品を小さなモニターで見るような対話型鑑賞でも、細部の効果、とくに大きさに関する効果などは見て取ることはできないでしょう。もっとも、複製での鑑賞が絶対にダメというわけではありません。高精細のモニターなどを使って実際の大きさで表示したりすれば、ほとんど何も取りこぼさないような鑑賞はできるかもしれない。だから別にデジタル画像だからダメ、モニターだからダメというわけではありません。ただ、やっぱり作品の細部が全体の鑑賞にどういう効果を与えるかという点では、多くの場合やはり現物が大事だと言えるのではないでしょうか。

先ほどのスーラの絵画も、画素数の粗いモニターで見ていると、点描の効果はほとんど取りこぼしてしまう恐れがあります。現物の色の鮮やかさ等は、モニターでは全然わからない。この部分が暗いから全体が寂しく見えますね、などとこのモニターの画像から言えたとしても、それはあくまで投影されている2次元画像の観察から出てくる意見でしかないわけです。現物を見るとまったく別の感想になるかもしれない、というのはきちんと押さえておくべきだと思います。

これをもう少し教訓的な話につなげると、多様な形で行われる対話型鑑賞では、その形式ごとに、何についての美的鑑賞をやっているのかをきちんと考えましょう、という話になります。最近はコロナ禍で小さな部屋に大勢で集まるのが難しいので、オンラインでの対話型鑑賞もよく行われています。ここで私が言いたいのは、そういう対話型鑑賞をやるなという話ではありません。ただ、小さなモニターで見るとか、プリントアウトされた画像を見ながらやるといった対話型鑑賞だったら、そこでやる美的知覚のチャレンジが、何について行われているのかをきちんと共有したほうがいいと思います。特に絵画などでは、大きさや色味というのはとても大事です。美術史の教科書等では、作品のサイズを明記する習慣があるんですが、そういう情報を出さないままモニターに画像を映して「すごく鮮やかですね」といった対話をしても、それは本当の作品というよりは、モニターに映った画像についての話にしかならない恐れがあります。

では、先ほどから使っている「チャレンジ」という言葉の眼目をもう少し見ていきましょう。なぜ「チャレンジ」という言葉を使っているのかというと、やってみないとわからないからです。ただ、このチャレンジの「成功」がどういう意味を持つのか、という点は注意が必要です。「この鮮やかさを見てよ」って言われたときに、ちゃんとその鮮やかさが見て取れた。これは一つの成功です。参加者の間で感性の共有、趣味の共有ができている。これも一つの喜ばしい出来事と言えるかもしれません。あなたもこの絵の良さをわかってくれた、という瞬間は何だかわかり合えた気になりますよね。

ただ、この意見の一致がイベント全体の成功につながるかどうかはまた別の話です。対話型鑑賞の面白さが「意見の合意」をとるところだけにあるわけじゃないというのは、実際行っているみなさんはよくわかると思います。私が授業でやっているときもそうですが、チャレンジが失敗したときのほうが話は盛り上がるんですよね。美的知覚に失敗したら、まだ何らかの理由・根拠をつかみ損ねているかもしれない。もしくは感性の違いが出てきているのかもしれない。いずれにせよ、そこは対話で掘り下げていくべき、重要なポイントになります。そこで、あっさりと「見方はいろいろですね」とまとめてしまうと、そこで対話が終わってしまいます。

感性の違いを認識するというのは、それはそれで一つの学びではありますが、むしろ対話型鑑賞ならではの「うま味」はそこから先の対話にあるだろう、と私は言いたい。チャレンジの失敗を乗り越えるために何をするのか、そこにこそ対話型鑑賞の「対話」の側のポイントがあると思います。ここからその二つめの「ならでは」ポイントの話をしていきます。

対話型鑑賞ならではの意義
その２：意見対立を乗り越える

対話型鑑賞とは、複数人が集まって一つの作品について意見を言うだけではなく、相手の反応を見ながら相手の美的知覚を変えさせる場でもあります。まさにそこで、参加者は共感・推測・想像などさまざまな能力を使うことになるわけです。相手の反応を見ながら、何が相手に足りてないのか、もしくは自分と何が違うのか、そうしたことを推し量りながら、相手のために美的知覚に向けてのレールを敷いてあげる。対話型鑑賞の話の中では、相手の様子を見ながら、何か見逃していないかとか、ストーリーを誤解していないかとか、いろいろなことを探りながら提案をしていくわけです。その試行錯誤の中で、「あ、もしかしたらこの人はこの映画をただのヤクザ映画として見ているだけで、家族ドラマとして見ていないんじゃないか」といったことが理解できてきます。

相手の知覚を変えさせるには、単に作品についてずっと語るだけでは不十分です。相手の反応を見て、この人は何がわかってないのかを考えながら提案していかなければならない。最終的には、見方を変えさせることに失敗するかもしれません。手は尽くしたけど作品の良さを伝えることはできなかった。美的性質、美的判断の共有はできなかった。でも、それは無駄な作業ではありません。対話をする中で、「あの人はこういう作品は嫌いなんだな」とか、逆に「自分は人と違う見方をしすぎているのかもしれない」とか、そういうことがわかる。これは一つの理解の獲得です。

さらにこうしたすれ違いを経てでも、お互いの個性の共有を経て、相手の理解につながる。これはまた美的判断の共有とは別の嬉しさがあるわけですね。たとえば友人などに、「僕はこの作品あまり好きじゃないけど、あなたはこれ好きでしょ」と言われることはありますよね。そうした指摘がピタリと当たっているときは、美的判断は共有できていないけれど、お互いにわかり合えた気になるし、ちょっと嬉しいじゃないですか。

こうしたやり取りの中で得られる学びは、単に同じ美的性質に向かって意見を収束させていくときのものとは、別の学びなんです。単に作品について学ぶだけでなく、対話相手の感性がどういうもので、それをどう動かしていけるかといったことを理解していく。この種の作業は、やはりお互いよく知った人たちでやるほうがいいと思います。友達や恋人などとの対話型鑑賞でないと、得られない学びもある。出会ったばかりの人とグループにさせられて「対話してください」と言われて場をつくられても、「あなたはこういう作品が好きだよね」といったコメントはできないですよね。

対話型鑑賞のファシリテーターはクラス担任の先生がやるのがいい、とよく言われます。あれはまさに、参加者がどういう感性をもっているかを日々観察している人が間に入るから、うまくいくのだと思います。半期ないしは一年やっている授業に対話型鑑賞を取り入れても、うまくいくのは学期の最後の方なんです。初めのころだと、対話相手が何を好きなのかがよくわからないので、作品についての話しかできない。でも、長い間一緒にさまざまな作品を見ていくと、「君は大体こういうの好きでしょ」というコメントが出てくる。そこにはある種、「相手の個性の理解」みたいな成長があるのだと思います。

今回のフォーラムでは、「作品の見方が人と違うのがいい」という話がよく出てきていました。しかし、ここはやっぱりもうちょっと考えたいと思っています。「違いがある」から「良い」が直接出てくるわけではありません。その違いが何を生み出すのかを言わなければいけない。対話型鑑賞から見えてくるのはどういう違いなのか、どういう良さなのか、そのあたりをきちんと考えないと、「みんな違ってみんないい」という子どもだましの説教のような話になってしまう。対話型鑑賞は、相手がどういう違いを持っていて、それが自分とどう違うのか、といった点を考えさせるきっかけにすべきだと思います。ちなみに美学の歴史のなかでは、「違いがあるだけでは良いとは言えない」という話は多くの研究者が繰り返し言っています。先に挙げたシブリーも *Originality and Value* という論文を書いていて、これはまた良い論文です。

次に、意見対立（disagreement）の話に入っていきます。ちなみに意見対立については最近哲学の分野で議論がかなり進んでおり、さまざまな細かい分析枠組が提案されています（興味がある人は、James O. Young 編集 *Semantics of Aesthetic Judgements* という本を読んで下さい）。この場ではあまりややこしい話には踏み込まずに、かなり単純化した話をしていきます。

対話型鑑賞では、意見が異なる場面は多々あります。参加者の意見があまりに違っていたりすると、それはファシリテーターの介入が求められるところでもあるでしょう。異なる意見がいろいろ出てきたとき、まずチェックすべきなのは「それらの意見は本当に対立しているのか」です。つまり一方の意見を採用すると、もう一方の意見は取り下げなければならないような形になっているのか。もしその意見が、他の意見を否定せずとも成り立つような意見だったら、それは真正の意見対立ではありません。

もう一つチェックすべきなのは「その意見対立はこの場の話し合いで解決できるような意見対立か」です。綿密な資料調査をしないと解決できないような問題は、対話型鑑賞の場でいくら話し合っても、あまり実りはありません。たとえば、「この作品が描かれたのは１９４０年より前か、後か」のような話は歴史的な資料がないと解決できません。また、「ここに描かれている人物は誰か？」という問題も、資料が一つ出てくればすぐに解決できたりしますが、その資料が手に入らないうちはいくら話し合っても意味がないかもしれない。解決の糸口がない問題を長々と話し合っても時間の無駄ですから、ファシリテーターは、「この問題を解決するための材料はいま手に入るのか」「このままこの論争をつづけて何か実りはあるのか」というところを、しっかり気に留めておくべきだと思います。場合によっては、ファシリテーターがさっと助け舟を出して、話題を次に進めてもいいでしょう。

対話型鑑賞が盛り上がるのは、美的な面での意見対立が起きたときです。たとえば、ある人が「これは面白い」と言っている一方で、別の人は「何が面白いのかわからない」と言っているようなケース。対話型鑑賞の経験が多くある人であれば、ここが盛り上がるポイントだというのは、おそらく同意していただけるかと思います。

美的な性質に関して違う意見が出てきたとき、それが真正の意見対立なのかどうかは、表面的な部分を見るだけだとよくわかりません。美的性質というものは、一つの作品に一つしか入らないようなものではないので、同じ作品に関して、異なる、もしかしたら対立していそうに見える美的性質が指摘されることはよくあります。この絵は優しくもあるし、厳しくもあるとか、派手でもあり地味でもあるとか。複雑な作品、多義的な解釈を許す作品であれば、このように一見矛盾しそうな指摘がいろいろ出てくることがありうるわけです。

ですので、異なる美的意見が出てくることそれ自体は、別にダメなことではありません。ここで言いたいのは、その意見が食い違っているところはもしかしたら対話を掘り下げていくチャンスかもしれない、ということです。美的性質についての指摘が食い違っているときに、その根拠をもっと掘り下げて問うていくと、より大きな認識の違いが見えてくるかもしれません。最初は「そういう見方もあるかもね」と思っていたけど、「いや、やっぱりその見方は否定しなきゃいけない」となるかもしれない。ここからは、その「相手の意見を否定・批判する」というところに注目しながら、話をしていきましょう。

■批判的意見で留意したいこと

正しいカテゴリーと批判の意義

対話型鑑賞では、人の見方を批判してはいけない、というルールが設定されがちですが、最初に述べたように、私は「人の意見は批判できるし、場合によっては批判しなければいけない」という立場です。どうして人の見方を批判できるのか。どうして人の見方を批判しなくてはならないのか。以下ではこの問題を、ジャンル・カテゴリーの観点から考えていきます。

この場ではこの「ジャンル」「カテゴリー」という言葉をかなり曖昧な意味で使っていきます。場合によっては「芸術形式」とか「様式」みたいに言い換えてもいいでしょう。「絵画」「映画」「彫刻」「小説」のような大きな区分は「芸術形式(art form)」と呼ばれ、また別の区分としては「ホラー」「恋愛もの」「復讐もの」のような「ジャンル」と呼ばれる区分もあります。ジャンルは、たとえば、小説にも映画にも「ホラー」というジャンルがあるように、芸術形式をまたいで用いられる区分なので、どちらの種類の区分が大きいとか小さいといった話が簡単にはできないのがこのジャンル・カテゴリーを考えるときのやっかいなところです。

ジャンルを設定するときの基準の一つは、「そのジャンルにはどういう効果が期待されているか」です。ホラーのジャンルに属する作品には「鑑賞者を怖がらせる」という効果が期待されています。またミュージカルに属する作品には、「歌と物語をうまく絡めた演出がされている」「話の大事な部分で、歌の歌詞が観客の心を揺さぶる」のような効果が求められるでしょう。

さらに、ジャンルは作品を評価するときの評価軸を定めるものでもあります。つまり、ジャンルの期待に応える作品は、そのジャンルにおいて良い作品になるわけです。怖いホラー映画は良いホラー映画ですし、音楽および歌詞がうまくストーリーに取り入れられている映画は良いミュージカル映画という具合です。

作品を適切に評価するためには、その作品がどういうジャンル・カテゴリーの作品かを把握しておく必要があります。そもそもミュージカルというジャンルを理解していない人は、ミュージカル作品をうまく評価できない。ミュージカル作品を見て、「何でいきなり歌い出すの？　おかしいだろう」と言っている人は、ミュージカルというものを理解できていないし、もちろん、ミュージカル作品を適切に評価することもできません。

ここで少し細かい注意点を挙げると、ジャンルやカテゴリーを完全に無視した美的知覚はありうるのか、というのは美学上の一つの問題になっています。ただ、今日はその問題には踏み込みません。また、全てのジャンルやカテゴリーに規範や目的意識が伴うのか、ということも今日は問題にはしません。こうした問題に踏み込まずとも、今日の話は「たいていの鑑賞は、伝統あるカテゴリーとそこに伴う規範や目的意識を前提にして行われている」というところを押さえておけばできる話だからです。

話を戻すと、ジャンルやカテゴリーの観点から「鑑賞上の規範」、つまりこの作品はこういう観点から見るべきだという指標が出てくるということです。たとえば《モナ・リザ》を見るときは、絵画として、もっと言うと、上半身を描いた女性像として見ることになります。《モナ・リザ》を見るときに、「この人は下半身がぷっつりと切れています、なのでこの人は死んでいますね」みたいな見方をしていては、やっぱりおかしいわけです。普段「作品の見方は自由です」と言っている人たちは、なぜこういう見方がおかしいのかをきちんと伝えないと駄目なんですよ。ジャンルやカテゴリーのことを考えると、「適切ではない鑑賞」というのがあることが見えてくるはずです。

ジャンルや芸術形式というのは、芸術の歴史や伝統のなかで、ある種制度的につくられていくものです。そういう伝統を無視して自由に見るというのは、別にできないことではありませんが、やはり多くのものを取りこぼすリスクが伴います。言ってみれば、お門違いな鑑賞をするリスクが出てくるわけです。「作品の見方は自由」と言っている人たちは、そのあたりのリスクについてどう考えるのか、さらに言えば「鑑賞の自由」について自分がとっている立場はどういう立場なのかを、きちんと説明すべきでしょう。お門違いな鑑賞はありえない、というのはかなり強い立場です。

私としては、ここではカテゴリー指定の自由と、カテゴリー内での解釈・鑑賞の自由という二つの自由をきちんと分けることがポイントになると思います。《モナ・リザ》のケースであれば、女性の人物画として見る中でどういう解釈・鑑賞をするかは自由です。しかし、《モナ・リザ》を下半身が切り取られた女性の絵画として、つまり死にかけの女性として見るといった鑑賞は、鑑賞上のカテゴリーを大幅かつ極端にずらすことになります。そういう自由ははたして許されるのでしょうか。

私は対話型鑑賞の「人の意見を否定してはならない」というルールは、やめたほうがいいと考えています。その理由の一つは、芸術を見るにあたって、このように作品を見てはならないという「不適切なカテゴリー」はあると考えているからです。カテゴリーに着目すると、「不適切な鑑賞」があることが見えてきます。つまり、カテゴリーに着目すると、人の意見を批判するための論拠が見えてくる。ミュージカルを見て「何でいきなり歌い出すかわからない」と言う人や、『ドラえもん』を読んで「いきなりロボットが未来からやってくるなんて現実味がない」などと言う人は、それらの作品を写実主義的な物語として鑑賞し、「現実味があるかどうか」という評価軸で作品を評価しているのでしょう。「現実にありそうかどうか」という軸で見ると、たしかにミュージカルも『ドラえもん』も低い評価になってしまいます。しかし、そうした評価は、作品のジャンルを理解していない不当な評価です。要はその人たちは、ミュージカルやＳＦファンタジー作品の鑑賞法がわかってないとも言えるでしょう。

　今回はミュージカルやＳＦファンタジーといったわかりやすいジャンルで話をしましたが、ジャンルをさらに細かく区切っても鑑賞上のお約束は残ります。「１９２０年代の風刺画」「ルネサンス期の宗教画」など、その時代の文化・芸術動向をふまえた作品の見方は残るわけです。むしろ伝統的な芸術ほど、そうした時代の風習にしばられていることが多いと言ってもいいでしょう。「鑑賞の方法は自由だ」という芸術観は、おそらく西洋由来の、ある階級の人たちが、ある時期から言い出した価値観だと思いますが、歴史的に見ても美学的に見ても極端な芸術観でしかないというのは、きちんと押さえておくべきです。あらゆる芸術作品が「自由に見てください」という想定で作られているわけではありません。むしろ宗教画などの場合はそうした態度を持ち込むことが失礼な鑑賞になることもあるのです。

　美学や美術史の分野では最近よく言われることですが、「アート」という言葉を出すのであれば、それはいつの時代のどの文化のアートなのかを、きちんと考えるべきです。いきなりアートを一般化して「アートって自由に見ていいものなんですよ」とか、「アートって答えはないんですよ」などと言っている人がいたら、「それって、どの時代のどの種のアートについて言っているのでしょうか」と聞きたくなってしまう。その芸術観の特殊性をまったく意識せずに、「アートは自由」と言い切ることは、やはり文化教育としてはよくないやり方だと思います。少なくとも、芸術に慣れていない人にいきなり押しつけていい立場ではない。ここは、もっといろいろ議論があるところなのです。

やろうと思えば、恣意的なカテゴリーを設定して自由に見るというのは、行為としては可能です。ミュージカルを見ながら、「いきなり踊りだすなんて変な人たちだ」と言うことはできる。でもそうした自分勝手な鑑賞は、その作品が達成している芸術的な達成・偉業を見逃すリスクを負うことになります。ほとんどすべての芸術作品が、その時代、その文化、その業界の中で特有の目的を持って作られていることを忘れてはなりません。どの作品もその時代の問題設定を引き受けながら、何らかのチャレンジを行っている。こうしたチャレンジの中には、作者や成立年代をきちんと踏まえていないと見て取ることができない、もしくは見て取るのがとても難しいものもあります。この時代に、まさにこの年代にこれを作っているから、この作品はすごい、という褒め方をされる作品はたくさんあります。そうした作品の背景事情を抜きにして「自由に見ます」などと言っていると、作品の独創性や創造性は絶対に評価できません。特に独創性のような価値は、作品だけをじっくり見ていても絶対に判別できない良さの一つです。なぜなら、独創性というのは、その時期に周りの人たちが何をやっていたのかを踏まえないと出てこない価値だからです。

背景事情を踏まえない鑑賞の可否

「好き勝手に見る」派の難点は他にもいくつか挙げられます。まず、背景事情を踏まえない鑑賞は、結局は美的快楽主義に陥りがちです。つまり、感動が得られればＯＫという話になりがちですね。これは「お門違いな鑑賞がありうる」という事実を説明しづらくなる、という問題にもつながっています。また、「楽しめればＯＫ」みたいな快楽主義は、文化的意義を説明しづらいという難点もあります。「美術史とかよくわからないから、好き勝手に自由に見ます」という態度は、参入障壁は低いし楽ですが、いろいろと問題があるんです。

では具体例に戻って、これまでの話をおさらいしましょう。先ほど出したスーラの絵画（図1・152ページ）をもう一度見てみてください。この絵画も、文脈を踏まえると見えてくるものがあります。スーラといえば点描画で有名な画家ですが、点描画として、スーラが早い時代に出したのは、１８８４年の《グランド・ジャット島の日曜日の午後》（図2）でした。先ほどの絵は、この《グランド・ジャット島の日曜日の午後》から2年後、スーラが初めて点描で描いた夜景なんです。《グランド・ジャット島の日曜日の午後》は光の眩しい昼の公園を描いていましたが、《パレード》は一転して、夜の光景を描いているんですね。点描画というのは、ポンポンポンと純粋な色をキャンバスに置いていくことで、輝いたように見える画法です。その画法を使ってスーラは、ずっと屋外の絵を描いたり、室内画を描いたりしていましたが、ある時、夜の中にサーカスの客寄せの人たちを描いたわけです。ここには「点描画で夜の人工灯の光景を描く」というスーラの新しいチャレンジを見て取る必要があります。

　さらに踏み込んで、時代背景を見てみましょう。当時のパリは、ガス燈の時代です。つまりこの絵は、当時のガス燈の雰囲気を描いた絵でもある。この光は蛍光灯でも白熱灯でもありません。この事実を踏まえずに、ただの夜のサーカスの風景として見てしまうと、「ガス燈の雰囲気をいかに描いているか」という評価軸を取りこぼすことになります。

　いかがでしょうか。この辺りの事情を踏まえると、ただ作品だけを見つめていたときと比べて、多くのチャレンジが見えてくるんじゃないでしょうか。点描という技法で、夜のガス燈で照らし出されたサーカスの雰囲気をいかに描いたのか。この絵は、時代状況やジャンルを踏まえないと見えてこない良さがあることを、よく示す例だと思います。

　もちろん、こうした情報を得られたからといって、すぐ

図2　ジョルジュ・スーラ《グランド・ジャット島の日曜日の午後》
Georges Seurat, *A Sunday on La Grande Jatte*, 1884-86　The Art Institute of Chicago所蔵

さま「あの絵画はすごい」と言えるわけではありません。これらの情報を踏まえて、改めて作品に向かって、「美的知覚のチャレンジ」をやる必要がある。点描という技法がどう活かされているのか、本当に夜の輝きが見て取れるのか。それはちゃんと現物の作品を見て判断しなければならないところです。そのためには、スライドに投影した画質の粗いモニター画像で見ていても、やはり駄目なんですね。本来は、現物の絵画を見て、スーラがどういう達成を遂げているのかを、見なければいけません。

そういう意味では、キャプションは大変重要です。展覧会で作品の横に添えられているキャプションには、作品鑑賞において大事な情報が書いてあります。何年に作られたのか。作者は誰か。素材は何なのか。これは作品を評価する上でとても大事な情報です。対話型鑑賞について語る人たちは、キャプションを見ることをすごく悪いことのようにしばしば語りますが、キャプションを読まないと見て取れない芸術の面白さもあります。この年に作られたからこそ、こういう背景でつくられたからこそ、この作品はすごい、という評価の方法は確実にあります。そういう楽しみ方があるという事実は、やはり初学者向けの芸術教育でも、きちんと教えなきゃいけない。我々の社会がなぜ美術館みたいなものを建てて、遺産ともいえる作品群を大事にするのか。それはやはり、歴史の中でその作品が重要な達成をしているからです。

芸術の意義を、「見て楽しいから」といった快楽主義的な理由のみで語るのは、私は断固反対です。「自由な心で見ればこの作品の良さは見えてくるから、この作品は美術館に収蔵されているのだ」という方向に芸術教育を持っていってはいけない。美術史研究の人たちがなぜこんなに頑張って研究しているのかを、きちんと考えるべきです。先ほどのセッションでは、「専門家の人たちは頭でっかちで〜」という語り口で、作品を自由に見ることを称揚する発言がありましたけど、あのような専門家批判は本当に良くない。研究者や美術館の人たち、キュレーターの人たちがどれほどその作家の達成を明らかにしようと努力しているか。これは初学者にこそきちんと教えるべきです。美術というのは、勉強して見たほうが、確実に面白いでしょう。これを伝えていくのは、とても大事なことだと思います。対話型鑑賞のイベントは、しばしば「文脈を踏まえずに、出所不明の画像として、ただの2次元画像として絵画を見る」という態度を押し付けてしまうことがあります。それでは作品を作品として扱わないような態度を取らせてしまう恐れがある。そういう姿勢から出てきた感想で何が得られて、何が取りこぼされるのか、そこはしっかり考えるべきですし、参加者にもそれは共有すべきでしょう。

もちろん背景知識を抜きにじっくり作品に向かう経験にもメリットはあります。ですから、対話型鑑賞をやめた方がいいですよ、という結論は今日の話からは出てきません。ただ、メリット・デメリットはしっかり考えるべきだし、それをちゃんと参加者にも伝えるべきだ、という話です。要は、アラートを出せばいいのです。「今日はちょっとリスクを伴う見方をします」「いくつかの面白さを取りこぼすリスクがあるけど、試しにみんなで自由に見てみましょう」といった注意を出せばいいだけの話なんです。このリスクを伝えずに、「これこそがアートですよ」と言って、美術鑑賞に慣れてない人たちを呼び寄せる。これはやっぱり文化教育としてよろしくない。

以前に『美術手帖』や報告書で書いたことを繰り返しますが、じっくり細部を見るとか、自由に連想ゲームがしたいということなら、別に芸術を使う必要はないでしょう。極端な話ロールシャッハテストでもいいですし、雲の画像でもいい。ただ、正解もなく見方に批判を出せないものを持ってきて、それについて語ればいいわけです。そうではなく芸術作品を用いるのはなぜか、きちんと考えなきゃいけない。芸術鑑賞にきちんとつなげていきたい、アート・エデュケーションの入り口としたいというならば、ちゃんと出口につながる入り口を整備すべきです。芸術という確立された文化の威光を借りながら、そこに敬意を払わない自分勝手なふるまいとなっていないか。これは考えていい問題だと思います。

長くなりましたが、これで私からの話は終わりです。質疑応答に移りましょう。

■質疑応答

質問1　私は素人寄りの立場なのですが、美術館に来る観客の人たちが、平均的に1秒か2秒で、その絵画を見て通り過ぎていくというような現実はあります。それは美術館としてやっぱり改善する必要がありますよね。そういう観点からすると、こういう見方も僕はいいのかなとも思う。

それから、初めのほうで、公共の美術館にある作品を、一部のビジネスパーソンエリートのために使っていいのかと仰いましたが、公共の博物館・美術館で働いている学芸員は、税金をもらっているのだから、それに対する説明責任はどのようにお考えになりますか。

森　公立の美術館の使命みたいなところに関しては、博物館学などでいろいろと説明はあると思うんですけど、やっぱり「文化を支えている」というところは忘れてはならないと思います。美術館は作品を、理想的には永続的に保存していかなきゃいけない。なぜわざわざ大金を投じて、その作品を保存していくのかというと、やっぱり「見て楽しい」みたいなただの快楽的価値だけではなくて、もっと歴史的な価値とか人類文化の中での遺産みたいなところが、理由の一つになると思います。単に「現代の人たちが見て面白いから」みたいな観点だけから作品の価値を語っていてはいけないんですね。私はむしろ美術館の人たちこそ、「作品は自由に見ていい」という風潮には反発していくべきだと思っています。単に現代の、特に我々みたいな凡人が見てわかるのとは別の良さがきちんとあるんだぞ、と学芸員の人たちは訴え続けるべきだし、歴史的な偉業に対するリスペクトみたいものをもっと育てていくべきです。それは学芸員、および私のような芸術関係の研究者の一つの責務ではないでしょうか。人類の文化史を支えるために、ここは先進国の経済大国である日本がお金を出していかなきゃいけないところなんだというような強いメッセージを出してもいいと思うんですけどね。

質問2　普段美術に関心のない人々が、作品の文脈を踏まえた適切な鑑賞をするために、ファシリテーターの養成にはどのような教育が有効だと思われますか。

森　ファシリテーターの養成については、話をし忘れていました。ありがとうございます。ファシリテーターも、というか専門の学芸員でさえ、作品の十全な価値がわかっているかどうかは定かではありません。もちろんファシリテーターは作品の背景事情についてきちんと勉強する必要はありますが、とはいえほとんど誰も完璧ではないわけです。

ただ、完璧ではない人でも、アドバイスはできます。「この作品を見るさいにはここは踏まえておいた方がいい」という点が誤解されていたりしたら、訂正してあげてもいいでしょうね。これは作品のすべての良さを理解できていなくても、できるアドバイスです。先ほど私がスーラの絵を見ながら出した補足情報も、そういうものです。あの絵を現代のＬＥＤ電球の光として見ている人がいたら、「ガス燈だよ」と教えてあげてもいい気はします。

ファシリテーターの大事な仕事がもう一つあります。それは、意見対立が出たときに「これはどういうタイプの意見対立なのか」「何が原因でその意見対立が起こっているのか」「対立している人たちはどこを見逃していそうなのか」といった観点からサポートすることです。そのための具体的な訓練として何をするかというと、やっぱり根拠の出され方をしっかり見るといったところじゃないでしょうか。どういうタイプの根拠が出ているのか、出せていないのか。そこを見ていく訓練というのはできそうな気がします。そして今日紹介した枠組みは、そういう訓練でも使えるものでしょう。つまり、いろいろな意見が出たときに、これはどのタイプの意見なのか、と考えるための道具として使えるんじゃないかな。

質問3　対話型鑑賞の場合、作者の意図を解説してしまうことはあまりよくないとされることもあります。どのようにお考えですか。

森　作者の意図の役割に関しては、美学の中でも長い論争があります。その中で最近多くの人がとっているのが、「カテゴリー的意図」と「意味解釈のための意図」を分けましょう、という立場です。最近は「この作品は、たとえば肖像画のようなカテゴリーに属する作品ですよ」というようにカテゴリーを特定するときには、作者の意図をきちんと踏まえるべきだろう、と多くの人が考えていますね。ただ意味解釈のところでは、まだ対立があります。作者の意図は踏まえなくてもいいという人もいれば、踏まえるべきだという人もいる。対話型鑑賞の場面では、意味解釈に関する意図に関しては開いていて良いと思います。いろいろな意味解釈ができるというのは、作品の魅力の一つでもありますから。

ただ、意図に関する話題で、ちょっと話がややこしくなるポイントがあります。やっかいなのは、近代以降の作品についてです。特に現代美術では、作者自身が「自由に解釈してください」という態度で作品を出してきます。そういう作品の場合は、「自由に解釈してください」という意図を作者がもっているわけです。こういう作品を解釈するときに作者の意図をどう考えるべきかは、ちょっとややこしい問題です。

また、もう一つややこしいのが、政治的な批判や社会問題、たとえばジェンダーに関する問題などをあつかっている作品について、作者の意図をどう考えるかです。作者の政治的立場が作品解釈に方向性を与えるものであったら、それは出す方がいいのか出さない方がいいのか。作者はその態度を隠しているのか、隠しきれてないのか。対話型鑑賞で情報を出さないのは簡単です。「自由に見てください」と言っておけばいい。ただ、政治的作品などについては、作品のメッセージみたいなものをきちんと説明しようとすると、作者の意図を出さざるをえない、という場合はあると思います。

この手の話は、コンセプチュアル・アート全般に言えることかもしれません。現代アートのほとんどは、コンセプチュアルな部分を持っていると言っていいと思いますけど、ど真ん中のコンセプチュアル・アートになればなるほど、作者の意図をきちんと説明しないと面白さは伝わりにくいと思います。コンセプチュアル・アートには、作品の表面部分をいくらじっくり見ても、面白さがわからないものがたくさんあります。そういう作品について「みんなで自由に見ましょう」と言っても、感想がただの空中戦になるだけで終わってしまう。その手の作品について対話型鑑賞をやる際には、ある程度、背景事情や、踏まえておくべき社会問題、成立時期、などをイベントのどこかのタイミングで教えてあげるべきだと思います。ある程度情報を出した後で、みんなできちんと見ていきましょう、とやればいい。私は「作品情報を絶対に出してはダメ」みたいな厳格なルールは要らないと思います。

質問4　森さんが授業で行う際の対話型鑑賞のゴールはどこに設けることが多いですか。

森　これも触れておくべき点でしたね。ありがとうございます。私が授業で対話型鑑賞をやるときは「相手の意見を変えさせる」というのを最終目標にしています。といっても、いきなりそれをやるのは難しく、かなりハードルが高い、高度な課題です。ですから、授業では毎回毎回目標をステップアップさせていきます。初回の授業では、「まずは作品をしっかり見て記述してみましょう」。次に「作品の良さを指摘してください」。次に「この作品のジャンルを考えてください」。そして「この作品は何を表現しようとしているのかに注目してください」。「人と意見が違うところを探してください」、というように作業をステップアップしていって、最後に「相手の意見を変えさせてください」とやっていきます。

このように私の授業では、「相手の意見を批判しない」というルールは設けていませんし、むしろちゃんと批判できるようになりましょうね、という方針をとっています。

そろそろ時間が来ましたね。これで終わります。ありがとうございました。

参考文献

•Carroll, Noël (2008). *On Criticism*. Routledge〔『批評について：芸術批評の哲学』森功次訳、勁草書房、2018年〕

•Cross, Anthony (2017). Art Criticism as Practical Reasoning. *British Journal of Aesthetics* 57 (3):299–317.

•Gaut, Berys (2018). The value of creativity. In B. Gaut, & M. Kieran (Eds.), *Creativity and Philosophy*. Routledge: pp. 124–139.

•Sibley, Frank (1959). Aesthetic concepts. *Philosophical Review* 68 (4):421–450.〔「美的概念」吉成優訳、西村清和（編）『分析美学基本論文集』所収、勁草書房、2015年〕

•Sibley, Frank (1965). Aesthetic and nonaesthetic. *Philosophical Review* 74 (2):135–159.

•Sibley, Frank (1985). Originality and value. *British Journal of Aesthetics* 25 (2):169–184.

•Song, Moonyoung (2021). The Selectivity of Aesthetic Explanation. *Journal of Aesthetics and Art Criticism* 79 (1):5–15.

•Stecker, Robert (2019). *Intersections of Value: Art, Nature, and the Everyday*. Oxford University Press.

•Walton, Kendall L. (1970). Categories of art. *Philosophical Review* 79 (3):334–367.〔「芸術のカテゴリー」森功次訳、電子出版物〕

•Young, James O. (ed.) (2017). *The Semantics of Aesthetic Judgements*. Oxford University Press.

•銭清弘（未刊行草稿）「芸術のメタカテゴリー」

七章　レクチャー

対話型鑑賞ファシリテーターの育成と課題

登壇者

伊達 隆洋

京都芸術大学アートプロデュース学科 准教授・学科長
同 アート・コミュニケーション研究センター 研究員

講演する伊達氏

はじめに

京都芸術大学アート・コミュニケーション研究センターの伊達と申します。どうぞよろしくお願いいたします。

僕自身の対話型鑑賞との関わりは、福のり子先生が展開するＡＣＯＰ（Art Communication Project）の参与観察を行った２００７年からですので、日本上陸30周年の後半15年に関わっていることになります。本来の専門領域は人間科学、臨床心理学でしたが、現在はもっぱら対話型鑑賞に従事しています。

普段は学内で大学生のファシリテーション・トレーニングを行っているほか、全国の美術・博物館、学校関係者などへの普及や研修も行っています。また、他分野への応用もかなり早い時期からやっていて、２００９年から対話型鑑賞を用いた看護師のトレーニング、２０１２年からビジネスパーソンや企業などの研修も多数行ってきました。２０２０年からはファシリテーターの育成講座を学外に向けても開講しています。ファシリテーターの育成に長らく関わってきたということもあって、育成とそれにまつわる課題というテーマで話をさせていただきます。

これまでの登壇者のみなさんも話されていますが、対話型鑑賞は僕が関わるようになった15年前に比べても格段に広く認知され、実践されるようになっています。一方で、それに伴っていろいろと誤解や問題も増えているという危機感を近年は強く持つようになりました。特にファシリテーターの理解不足や技術不足は大きな課題だと思っていて、先ほど森功次さんから批判的なお話もあったように（六章参照）、対話型鑑賞の実施者がああいったことをどこまで意識したり考えたりした上で実践しているか、どれだけのファシリテーターがあのような批判にきちんと答えられるかというと、いささか心許ないというのが正直なところです。

そのため、今回はあえて保守の立場から対話型鑑賞について話をしてみようと思います。僕自身、そもそもが美術畑の人間ではありませんし、対話型鑑賞の応用もかなり行っているほうですので、本来は保守の立場にないのですが、この機会に改めて根本的なところを確認しようというのが趣旨です。

できるだけ対話型鑑賞に対する批判にも答えられればと思っていますが、単純に擁護するということではなく、保守の視点から現状の対話型鑑賞に対しても功罪両面をみていくことになると思います。もしかすると僕のほうが森さんよりも罪の部分の話が多いかもしれません。とはいえ、なにかしら特定の実践や団体を否定するとか、マウントを取るような意図はありません。僕自身、15年関わってきて、普及の過程である種の誤解を産みだすことに加担してしまったかもしれないという危惧と反省がありますので、そういうところを改めて考えてみた話だと思ってください。

■ファシリテーター育成の前に

対話型鑑賞は本当に様々な領域で行われるようになりました。目的も美術の鑑賞や教育だけでなく、企業や組織の人材育成やコミュニティの創出、社会課題へのアプローチといったことにまで用いられるようになっています。こうして広がるにつれ、対話型鑑賞を学びたい、ファシリテーションを学びたいという要望も増えているのですが、まだまだ育成の場や専門家が足りないのが現状です。

本当なら対話型鑑賞のファシリテーターをどうやって育成していくかという話にこのまま入りたいところですが、この課題はそうストレートに扱えるものではないように思います。というのも、「対話型鑑賞を学びたい」というときの「対話型鑑賞」なるものの認識が人によってかなり大きく異なるからです。そもそもの「対話型鑑賞」が指すものがバラバラであれば、一括りにファシリテーターの話をすることはできません。

これだけ関心を持たれて広まっているわりに、対話型鑑賞がどういうものなのかという正確なところは、賛同的に取り組んでいる人たちの間でもあまり知られていないように思います。そのため、「作品をみながらグループで話をする」という大まかなフォーマットこそ共有されているものの、それ以外の大部分はそれぞれの解釈で対話型鑑賞像がつくられています。実際、ネットなどでたとえば次のような対話型鑑賞の紹介や説明をよくみかけるのですが、これらはもともとの対話型鑑賞からするとすべて不正確、もしくは誤解を含んでいます。

鑑賞者が自由に作品をみることを提唱／アートはみた人が思ったことが正解／自分の見方、個人の感じ方が大事／作者の意図や美術史を考慮する必要はない／誰でも簡単に実施することができるこのような語られ方をしている対話型鑑賞にむしろ魅力を感じて対話型鑑賞を学びたい、ファシリテーターになりたいと思っている方もいると思います。ですが、不正確な説明や誤解に基づく実践がさらなる誤解を生み、対話型鑑賞の実体をよりわかりにくくしていたり、ひいては弊害を生んでいたりするところもあるので、今後のファシリテーター育成について考えていくためにも、そもそもの対話型鑑賞がどういったものなのかというところから改めて整理・再確認していこうと思います。

狭義と広義の「対話型鑑賞」

まず「対話型鑑賞」という名称について。この名称自体は90年代にVTC（一章参照）を日本で紹介・普及する際に、「ビジュアル・シンキング・カリキュラム」では何をするのかイメージしづらいということで、日本国内で独自に意訳された造語です。

現在では「対話型鑑賞」だけでなく、「対話を通した鑑賞」とか「対話鑑賞」、美術による学び研究会の「対話による鑑賞」（正確には「対話による意味生成的な美術鑑賞」）といったような様々な派生した呼称が用いられていますが、いずれにせよもともとのVTCや、それを引きついだVTS（一章参照）にこれらの原語にあたる用語は存在しません。対話型鑑賞に関する国内論文の英文要旨に「Dialogical Appreciation」などと書かれていることがあるのですが、こういう文言はVTCやVTSのなかにはないのです。

この名称に起因して生じている混乱や誤解があるように思うため、あくまで日本独自に作られた名称だということは知っておいていただいたほうがいいでしょう。

今、日本には狭義と広義の「対話型鑑賞」が混在している状態だというふうに言えるかと思います。もともとはVTCやそれに基づくプログラムを指すあくまで狭義の用語だったわけですが、30年のうちにコミュニケーションが介在している鑑賞のスタイル全般に区別なく使われるようになっていきました。つまり、鑑賞の際に対話が介在していれば広義にはなんでも対話型鑑賞と呼ぶことができてしまうわけです。

ですので、現状、一口に「対話型鑑賞」とは言っているのですが、それが指しているものはバラバラで内容も千差万別です。正体があやふやなため、批判があってもそれが対話型鑑賞全般の問題なのか、特定の実践や実施者の問題なのかといったことが、批判者はおろか実施者にとってもたしかではなく、建設的な議論ができないといった状態になっています。

対話型鑑賞にバリエーションがあること自体を悪くは思っていないのですが、拠り所となる基準がないまま、なんでもありの現状はあまり望ましいものではありません。この先、対話型鑑賞をよりよいものにしていくためには建設的な議論や批評、研究といったことが可能な共通の足場が必要だと思いますので、もう少し狭義の対話型鑑賞と誤解の切り分けを試みてみます。

対話型「鑑賞法」という誤解

「対話型鑑賞は……という鑑賞法です」と説明されていることがよくあります。実際、僕も使ってしまっていた時期があるのですが、厳密にはこれは正しい説明ではありません。日本での「対話型鑑賞」という名称が、字義通りには鑑賞の形式を表す言葉になっているため、単体の鑑賞法、つまり作品鑑賞の仕方、スタイルを提唱しているのだと誤解されている方が多いのですが、対話型鑑賞は本来的には教育プログラムです。

「これは鑑賞の本丸なのか？　それとも教育プログラムなのか？」という疑問が森さんからも呈されていましたが、美術鑑賞の本丸だとか新しい鑑賞のあり方だとかいうことを提唱しているわけではないのです。「鑑賞」という日本語がよりややこしくしているのですが、VTCやVTSでは基本的にappreciationという言葉は使われません。その代わり、そのもう少し手前の物理的な行為のニュアンスが強いviewingが「鑑賞」に当たる言葉としてたびたび用いられています。評価や批評といったニュアンスを含むappreciationという言葉は、VTCやVTSが題材として推奨しないタイプの作品の説明や、後に触れる発達段階理論において、VTCやVTSが対象としているよりも先の段階の説明には使われていることがあるため、viewingとappreciationの違いには自覚的で、意識的に使い分けられていると思われます。

したがって、鑑賞者が将来的に自分自身で本丸のappreciationまでできるようになるための土台として、viewingに必要なスキルやリテラシーを経験を通して学習していけるよう、背景となる学習理論や発達理論に基づいて構造化されている教育プログラムが本来の対話型鑑賞ということになります。

単体の鑑賞法と大きく異なるのは、対話型鑑賞が連続的・継続的なカリキュラムを持ったプログラムだという点です。そもそもVTCは「Visual Thinking Curriculum」の略ですし、VTSにも初期には「Visual Thinking Strategies Curriculum」という記述がみられます。具体的には、VTCの場合、1回につき2、3作を年10回鑑賞するのが基本のセットで、VTSにいたっては、このセットが約10年分考えられています。どういった作品をみせるのか、ファシリテーターがどんな働きかけを行うのかといったことも、鑑賞者の発達段階や一連の経験を考慮して漸次的に変えていきます。

ですので、対話型鑑賞は、「カリキュラムの各段階のねらいに沿った学習を実際に生じさせる手法として、ファシリテーションを介した対話形式での作品鑑賞を行っている」というのが厳密な言い方かと思います。背景に理論やカリキュラムのデザインがあり、それらに基づき鑑賞者の発達段階に即した作品の選定や組み合わせ、鑑賞する順番などを考慮して、その上で目的を持ってファシリテーションをしているわけです。したがって、鑑賞者が好きなように作品をみることを推奨することはありませんし、1回で完結する鑑賞法でもないのです。

では、単発の対話型鑑賞は無意味かといえばそうは思いませんし、appreciationとしての対話型鑑賞もある程度可能だと思っています。ただしそれは本来応用であって、実施者がプログラムの全体像を理解した上で、1回で可能な範囲と限界を考慮して鑑賞の場を設計することが必要です。また、それに適した応用的で高度なファシリテーション技術も必要になります。つまり基本のプログラム以上に条件が厳しく、難易度が高いわけです。現状、日本では基本の部分があまり理解されないまま、応用だけがかなり誤解された形で一人歩きして実践されているように思います。

対話型鑑賞の「実演」

こうした誤解が生まれる要因の一つに対話型鑑賞の「実演」が挙げられます。実は今回、僕のパートで実演をして欲しいという話があったのですがお断りしました。実際に講演でデモンストレーションをすることもあるのですが、今回のように対話型鑑賞についての認識も様々で不特定多数の方々がご覧になっているなかで、単発の実演をするのは弊害の方が大きいと考えたからです。

先ほどお話ししたように、対話型鑑賞は本来的には継続的なプログラムです。このプログラムの全体像を理解してもらうにはそれなりの期間が必要で、数時間とか数日話したぐらいですべてを伝えられるというものではありません。修得の過程を実際に経験し、その経験と理論を照らし合わせながらでないと理解できない部分も多々あります。ですので、こうした講演や研修ですべてを伝えるというのは現実問題としてそもそも不可能です。

そうした事情のなかで、単発、あるいは数作の実演を行うと、それが完結した対話型鑑賞の仕方だと受け取られてしまうという問題が本当によく起こります。加えて、実演が行われるのは対話型鑑賞を紹介する場面であることが多いため、必然的に、対話型鑑賞に馴染みのない人に向けた最も初歩の段階のデモンストレーションが一番頻繁に行われることになります。すると、そうした実演だけをみた人が自由な鑑賞法だと誤解してそれを広めたり、逆に、作家の意図を無視している鑑賞法だとか、技法や構図といった制作の視点に欠ける鑑賞法だといった批判が出てきたりします。

実際には、継続的なカリキュラムのなかでそうした視点を扱っていくような段階もありますし、鑑賞する作品やファシリテーションの仕方、そこで目指す鑑賞や対話のレベルも変わっていくため、そのなかの一局面のみを切り取ってデモンストレーションするしかないわけですが、参加者にはプログラム全体のうち、今回は何が扱われ、何が扱われなかったかまでは判断がつきません。

先述のように、実演するときには、その場の目的が何なのか、対象が誰なのか、その人たちの発達段階は一体どれくらいなのかといったことを考慮して、どのくらいのレベルの部分を実演として行うかということを事前に検討して実施します。その意味では、背後で行われているこうした検討や判断のほうが対話型鑑賞において本質的なのであって、現場での実演それ自体はただのデモンストレーションに過ぎないのですが、それが完結した単体の鑑賞法だと思われてしまうという誤解が、黎明期から続いてきました。

アレナスの「ギャラリー・トーク」

代表的なのが、アメリア・アレナスの「ギャラリー・トーク」です。

ＶＴＣはＭｏＭＡの教育部長だったフィリップ・ヤノ

ウィンが心理学者アビゲイル・ハウゼンの協力を得て開発を行い、１９９１年にプログラムの原形が完成しています。日本の対話型鑑賞普及に大きな役割を果たしたアレナスも開発メンバーの一人です。ヤノウィンは理論派で、理論の理解やセオリー通りの実践を重んじます。一方、アレナスはヤノウィンに比べると実践派、現場主義的なところがあるように思います。アレナスのデモンストレーションをみると、ＶＴＣの理論や手法を忠実に伝えることよりも、その場の目的や参加者に即した働きかけを重視しているように見受けられるところが多々あります。

たとえば美術館関係者の研修であれば、アートとはそもそもどんな営みなのかといったことを再考させる直接的な働きかけをしたり、鑑賞の重要性を美術史と接続して解説したりなど、プログラムにはないこと、プログラムの前提部分を考えさせるようなことも織り交ぜた実演を行ったりします。

ヤノウィンに比べてＶＴＣや背景理論に直接言及することが少ないのも特徴だと思います。もちろん開発メンバーの一人ですのでＶＴＣも踏まえています。アレナスの言動を注意深くみると、踏まえた上で話していることがわかるのですが、それはプログラムを知っている人にはわかるという話であって、黎明期の日本ではどこまでがＶＴＣに基づく部分で、どこからがアレナスの応用なのかは判断がつかなかっただろうと思います。

こうしたアレナスの実演は、初期は美術館が主な舞台だったこともあって、当時の言説をみると「ギャラリー・トーク」の手法として語られていることが多い。ここには捉えの問題だけでなく、そもそも日本側の需要としても、同じ鑑賞者たちに連続的なプログラムを継続して行うことは現実的ではなく、単発のギャラリー・トークとして取り入れるほかなかったという事情も働いているように思います。いずれにせよ、このような語られ方がされたことでプログラムとしての全体像がよりみえにくくなったという経緯があると思います。

あいまいな「狭義の対話型鑑賞」

ＶＴＣは１９９２年のドクメンタのために訪独した日本の美術関係者に福先生とアレナスを通して紹介され、翌93年から3回のＭｏＭＡへの研修ツアーが実施されています。その後、95年に国内で初めての研修が水戸芸術館で行われます。ＭｏＭＡと水戸芸術館での研修にはヤノウィンとアレナスの両者が講師として登壇しています。

その後、96年から２０００年代の終わりまでほぼ毎年、アレナスが単独で日本に招聘され、講演や研修が行われています。この間、『なぜ、これがアートなの?[1]』の出版や同名の展覧会、ＮＨＫでの番組放映[2]、その後も『mite!ティーチャーズキット[3]』の発行や「mite!」展など、アレナスを通して日本の美術館関係者や学校教員を中心に対話型鑑賞が普及していきます。

ただ、先ほど触れたようにアレナスはＶＴＣのプログラムそのままではなく、踏まえつつも自身が応用・発展させたやり方をしますし、ＶＴＣを前面に打ち出すことも少ないため、日本には原形のプログラムはほとんど浸透しなかったように思います。アレナスの日本での活動に関わり、『まなざしの共有―アメリア・アレナスの鑑賞教育に学ぶ[4]』などの著書もある上野行一先生も、ＶＴＣそのものを取り入れたわけではなく、アレナスの実践の手法を自ら分析しながら、日本の学校教育や美術科教育の文脈や目的に照らして再構築した対話型鑑賞（対話による鑑賞）を「美術による学び研究会」で展開しています。

ＶＴＣという名前はその後も一部で使われ続けましたが、中身は原形のプログラムではなく、アレナスをモデルにしたギャラリー・トーク式の対話型鑑賞と混同されており、整理されないまま今に至っているというのが僕の認識です。

さらにややこしいのは、ＭｏＭＡのＶＴＣにも実はバリエーションが存在するということです。ヤノウィンが在籍していた93年までをオリジナルとすると、ヤノウィンの退職後、94年から99年頃にかけてＭｏＭＡでもオリジナルにはない手法が行われるようになっていきます。それはＶＴＣの開発過程で排することになった美術の専門概念・用語や情報の教示の再導入です。ハウゼンはこの改変に対して、ＶＴＣという名前を冠してはいるが別物になったといった趣旨の批判をしています。オリジナルＶＴＣの方向性はＶＴＳ（Visual Thinking Strategies）として引き継がれ、ヤノウィンとハウゼンはＶＴＳを展開するＮＰＯ「ＶＵＥ（Visual Understanding in Education）」を設立します。

ＶＴＣが日本へ最初に紹介されたのはヤノウィンがまだＭｏＭＡに在籍していた頃ですが、95年に国内初の研修が行われたときにはヤノウィンはすでにＭｏＭＡを退職しており、ＶＵＥを設立して間もない時期でした。一方のアレナスは96年までＭｏＭＡに在籍しており、オリジナルとは異なる手法がＶＴＣとして用いられるようになっていった時期と重なります。ただ、アレナスはもともと個人的な応用を行っていたようで、福先生によればヤノウィン在籍当時から大人が相手のときには情報の教示もしていたそうです。

いずれにせよ、日本に入ってきた初期の段階からすでに異なる方向性のＶＴＣが同時に存在しており、最も狭義にあたるはずのＶＴＣさえも正体があいまいなまま、日本では「対話型鑑賞」として普及していったということです。現在でも、対話型鑑賞では情報は出さないといいながらアレナス自身は情報を提示しているといった批判や、ＶＴＣとＶＴＳの違いは情報提示の有無だといった話がありますが、これらもこうしたことに起因する混乱のように思います。

その後、２０１１年に京都造形芸術大学（現・京都芸術大学）で、ヤノウィンを招聘した全3回のＶＴＳ講座が国内で初めて開催され、オリジナルのＶＴＣの流れを汲むＶＴＳのプログラムが紹介されます。このＶＴＳ講座の流れは、現在ではたとえば東京都美術館の「とびラー」や各地の美術館、学校などでの実践につながっているほか、ワークショップ系や間接的にはビジネスパーソン系の対話型鑑賞などにも波及していきます。

では、ＶＴＳはプログラムとして正しく日本に浸透したかというと、大部分ではそうはなりませんでした。２０００年代にかけてすでに対話型鑑賞についての言説やイメージができていたため、ＶＴＳもそれまでの日本の対話型鑑賞の文脈に回収する形で理解した人や、ヤノウィンのデモンストレーションが徹底してＶＴＳの初歩の段階での仕方、セオリー通りに子どもや初めての人を対象に行うときの手法に徹していたため、鑑賞者本位に自由に作品をみるプログラムだと誤解を深めた人も少なからずいたように思います。また、講座を受講していない人にとっては、ただでさえあいまいだった対話型鑑賞にさらにＶＴＳなるものが加わったことで、なにが対話型鑑賞なのかよりわかりにくくなったという面もあります。特に最近になって対話型鑑賞を知った方は、様々な対話型鑑賞が混在している状態なので、人それぞれの対話型鑑賞像が生まれるのは無理もない話です。

日本での受容と誤解

狭義の対話型鑑賞すら最初期からあいまいなため、現在の対話型鑑賞に様々な誤解が生じるのは仕方ないところもありますが、なんにせよ、対話型鑑賞が作品を好きなようにみることを鑑賞者に推奨している、というのは日本の受容過程で生まれた最大の誤解です。ここまで確認してきたように、ＶＴＣやＶＴＳは鑑賞者が自分の好きなように作品をみることを理想としているのではなく、むしろ、多くの人々が主観的に、好きなようにしか作品をみない初歩の段階にあるため、そうした人たちに鑑賞で必要となる観察や思考のスキル、リテラシーが獲得されるよう促すプログラムとして設計されています。

たしかに子どもや初めての人たちを対象とする際には、まずは自分の見方で話をしてもらうところから始めますが、「から始める」のであって、これで終わりではありません。ファシリテーターの働きかけを通して、作品をより詳細に体系的に観察することや、作品に基づきながら批判的・論理的に考察する習慣を身につけながら、鑑賞する作品や進め方も順次変えていきます。作家の意図や技法、造形といった観点が対話型鑑賞には欠けると言われていることがありますが、段階が進んでくるに従って、本当はこれらもプログラムのなかで考慮します。鑑賞の場でファシリテーターが明言するかどうかは別にしても、作品選びや作品の組み合わせ、鑑賞する順番、ファシリテーションの仕方の背後に本来は組み込まれているのです。ですが、日本では初歩の段階のデモンストレーションだけが、鑑賞者が自由にみることを推奨するカジュアルな美術鑑賞法として誤解された形で受容されてきました。

日本の受容過程での変質をもう少し押さえておこうと思います。そもそものＶＴＣやＶＴＳの背景には美術館や教育の権威主義的な側面に対する反省と批判があります。そのため、その手法や言説の根底には民主主義やそれに基づく教育思想、学習理論といったことがあるのですが、日本に入ってくるとそのニュアンスが変質します。

たとえば、対話型鑑賞では「正解がない」という表現がよく使われます。ここにはもともと、どんな権威や正しいとされることも本当は疑いうる、更新しうるという意味合いがあって、だからこそ鵜呑みにするのではなく、批判的に検討し、それらについて論理的に議論できるような成熟した主体として市民を育てる、ということまでが含意されています。しかし、日本の対話型鑑賞では、「正解がない」という言葉が「鑑賞者が思ったことはすべて正解」という意味で用られたり、実際にそのように語られたりしています。

また、ＶＴＣ／ＶＴＳには、日本の対話型鑑賞で語られるような文脈での「自由」という言葉は基本的に出てきません。おそらく日本で「自由」という言葉にすり替わったのはＶＴＣ／ＶＴＳで用いられているopenという表現だと思われます。これも、汲み尽くすとか考え尽くすということがなく、訂正や更新の可能性が常に開かれているということを意味していて、終わりなくみ続ける、考え続ける、議論し続けることを求めて用いられます。ところが、これが日本に入ると「自由に」「自分がみたいように」「好きなように」という表現に変わります。

「鑑賞者主体」「学習者中心」といった言葉もかなり異なるニュアンスで使われています。本来的には、鑑賞や学習は鑑賞者・学習者当人にしかできないという、ごく当然の原則を示したものです。つまり、鑑賞や学習は当人のなかで生じるものであり、当人のレディネスが整っている範囲でしか生じないのであって、ファシリテーターや教育者がその範囲を超えて教え込んだり、やらせようとしても、それは起こせないということです。決して、日本で誤解されているような、鑑賞者・学習者の好きなように、望み通りにさせるという意味ではないのです。

加えて、「子どもの見方の方が優れている」「個人の見方が大事」といった、ＶＴＣやＶＴＳにはなかった言説もみられるようになっていきます。これら日本での言説はとにかく鑑賞者が絶対的で、意見や考えははじめからすでに「すべて正解」なため、批判や検討、疑うことがあってはならない不可侵なもの扱いになっており、議論や更新の余地がないのが特徴だと言えます。

こうした極端な言説が用いられるようになったのには、理解不足だけでなく、当時の日本で対話型鑑賞を実施するにあたっての政治的・戦略的な理由もあっただろうと思います。それまでの鑑賞や教育とは大きく異なるやり方に対して懐疑的、否定的な人たちを説得する必要があったからです。ですが、最初はそうした方便だったかも知れない言説も、現在の対話型鑑賞の認識と誤解を形成することにつながっていきます。

もともとはプログラムの初歩だったものが、このような変質によって「これこそが対話型鑑賞である」という誤解を強めることになり、それが一番初歩の「自由」な実践ばかり行われることに拍車をかけ、さらに誤解を強化しながら普及していくという、ある種の悪循環に陥っていったように思います。

プログラムという視点の必要性

対話型鑑賞は本来、学習や発達といった変化を促すプログラムです。鑑賞者を現状のまま全肯定するだけならファシリテーターは必要ありません。そもそもファシリテーターとは直訳すれば「促進する人」です。対話型鑑賞のファシリテーションというと、1回の鑑賞において鑑賞者に作品をみせる技術だと思っている人も多いのですが、本当は「どのようなプロセスで、鑑賞者は作品をみることができるようになっていくのか」という継続的な過程を見通して、そのプロセスが実際に生じるように促す技術がファシリテーションです。

そのため、今後の対話型鑑賞には単発の「点」ではなくプログラムという「線」の視点が改めて必要だと思います。たとえ単発の鑑賞法として応用するのであっても、その背後には基本となるプログラムの視点、対話型鑑賞を通じてどのような変化や学習を促すかという過程の見立てや設計は欠かせません。

これまでにも述べたように、対話型鑑賞は現場での鑑賞者とのやりとりだけがその技術ではありません。たとえば、鑑賞者の変化や学習を促すのに適した作品を選ぶこともファシリテーターの能力の一部です。先ほど少し触れましたが、作品を選ぶ際にはファシリテーターは作家の意図も本当は考慮する必要があります。作家の意図など気にせず、好きに作品を選んで、みんなで好きに話せばいいというわけではないのです。森さんの言葉をお借りするなら「生の目」でみても、観察や作品に基づく推論をファシリテーターが促しさえすれば、作者の意図の範疇に収まるような作品を鑑賞者のレベルに応じて選ぶことが求められています。アレナスもヤノウィンも、作家の意図からかけ離れた内容の鑑賞になるのはファシリテーターの能力の問題だと言っており、さらにヤノウィンは、誤解を生むような鑑賞は避けるべきで、そのような鑑賞になる場合は早々に切り上げて、作品を変えるべきだとまで言っています。作家の意図も考慮しつつ、鑑賞者の発達度合いやそれまでの鑑賞経験を踏まえながら、より高度なリテラシーがだんだんと獲得される作品の組み合わせや順番にしていくといったプログラム・デザインの能力もファシリテーターには求められているのです。

こうしたことができるようになるには、自身も鑑賞者として鑑賞に用いる思考やリテラシーの発達過程を経験し、それらと理論やプログラムの構造がどうつながっているかを体験的に理解した上で、ファシリテーターの技法やスキルにつなげていかなければなりません。だからこそ、ファシリテーターとして独り立ちした後の実践の場が単発のものだとしても、少なくとも育成の段階では継続的なプログラムが経験される必要があるだろうと思います。

■ファシリテーターの育成と課題

さて、ようやく本題であるファシリテーターの育成と課題の話にたどりつきました。

手がかりがないと考えにくいので、「ファシリテーター教育の4つの次元」[*5]というものをガイドにしてみようと思います。これはファシリテーションやファシリテーター教育の研究者であるグリン・トーマス（Glyn Thomas／サンシャインコースト大学）が提唱している分類で、『ファシリテーションとは何か』[*6]という本のなかでも日本のファシリテーター教育を検討する際の補助線として用いられているものです。

一つめの次元が「技術的な（technical）ファシリテーター教育」。二つめが「意図的な（intentional）ファシリテーター教育」。三つめが「パーソン・センタードな（person centered）ファシリテーター教育」で、最後の次元が「批判的な（critical）ファシリテーター教育」です。これらはそれぞれが別個にあるのではなく、より高次の次元の教育はそのなかに低次の内容を包含しているというのがトーマスの仮説です。

(1)技術的なファシリテーター教育

最初の技術的なファシリテーター教育は、いわゆるハウツー的な次元のことです。対話型鑑賞の手順や仕方、VTC／VTSのスキルや方法といったことを、「型」やマニュアル的に理解しているファシリテーターが育成される場合がここに当てはまります。

現状、日本における対話型鑑賞のファシリテーター育成は、ほとんどがこの技術的な教育の次元に留まっているように思います。そもそも対話型鑑賞をプログラムとして専門的に学んだ人が少ないため、技術面のみの教育にならざるをえないという課題がある上に、伝えられている情報や技法も断片的であったり不正確であったりすることが少なくありません。

一例を挙げると、対話型鑑賞のファシリテーションは三つの問いかけだけでできる、三つの問いかけしか使わないという話がわりと広く流布しているのですが、これも間違った理解です。たしかにVTC／VTSには中核となる三つの問いかけがありますが、それ以外にも必要なファシリテーションの技法があります。また、伝えられている問いかけの内容さえも間違っているケースがよくみられます。

対話型鑑賞が現在のように美術以外の分野の方々にまで関心を持たれ、実施されるようになったのは、山口周さんが『世界のエリートはなぜ「美意識」を鍛えるのか?』[*7]のなかでVTSを取り上げたことがきっかけになっています。

この本では、山口さん自身もファシリテーターとして企業でVTSを実施していると書かれていますが、僕が読む限り、少なくともこの時点の山口さんはVTSのことを又聞き程度にしかご存知なかっただろうと思います。というのも、この本に書かれているVTSの話は間違った内容ばかりなのです。おそらくは広義の対話型鑑賞とVTSを混同されていたはずです。

たとえば「VTSのセッションでは、通常の美術教育において行われるような、作者や作品に関する情報提供はほとんど行われません」と書かれていますが、VTSは情報提供を一切しません。これはVTSの一番と言っていいほどの特徴です。

他にもヴィジュアル・シンキングなのに、「感じる」ということを強調されていたり、おかしなところが多々あるのですが、極めつけは「具体的には、次のような質問をして、参加者に発言を促していきます」として、以下の三つが挙げられているところです。

1．何が描かれていますか?
2．絵の中で何が起きていて、これから何が起こるのでしょうか?
3．どのような感情や感覚が、自分の中に生まれていますか?

この本のおかげで世の中に対話型鑑賞が広まったという面もあるのですが、その反面、山口さんの本でVTSや対話型鑑賞を知った人のなかには、これがVTSの三つの問いかけだと誤解した人がかなりいて、今でもVTSの方法として伝えられたり実践されたりしていることがあります。

実際のVTSの問いかけは次の三つです。

・この作品で何が起こっているでしょう？
(What's going on in this picture?)

・作品のどこからそう思いましたか？
(What do you see that makes you say that?)

・もっと発見はありますか？
(What more can we find?)

この三つの問いかけは、VTSの背景理論やカリキュラムのデザインに紐づいた、最も根幹を成す問いであるため、そうしたことを詳しく知った上でこれらを変えたのであれば、ご自身の取り組みをVTSとは呼ばなかったはずです。

こうしたことが起きるのも技術的な教育の次元しかないことに起因する問題です。つまり表面的なやり方だけで、背景にある理論や思想、目的といったことと技法とが結びついて理解されていないのです。なんのためにそのような技法を用いているのかといったことを実施者もわかっておらず、それが変質や誤解を生み出すことにつながっています。

なお、先に述べたように、VTSには問いかけ以外にもポインティング、パラフレーズ、リンキング、フレーミングといった重要なファシリテーションの技法があります。さらに、VTCやACOPではVTSにないその他の技法も存在します。そうした意味では技術的なファシリテーター教育の次元すら十分ではないというのが現状だと思います。

(2)意図的なファシリテーター教育

現在の日本の対話型鑑賞に必要なのは、この意図的なファシリテーター教育の次元です。これは、背景となる理論と技法の結びつきをきちんと構造的に理解していることまでを求めるような教育の次元のことです。現状の対話型鑑賞にはまずここが必要で、自覚的に意図を持ってファシリテーションを行えるファシリテーターを育てていくことが課題だと思います。

実践をみせていただくと、率直に言って、なんとなくでファシリテーションをされている方が多いという印象を受けます。つまり、場面場面の状況に応じてなにをすべきかという判断軸を持っていないので、三つの質問をただマニュアル的に使うだけに終始していたり、あらかじめ決めていたであろう進行に沿って進めるだけで、司会者や進行役ではあっても、これをファシリテーターと呼ぶのは躊躇《ためら》われます。

鑑賞者に対してどのようなファシリテーションを行うかという都度の判断は、理論と照らしてその構造を理解していなければ本当はできません。ファシリテーターは勘や感覚でやっているわけではなく、ここではこの目的のためにこうした見通しを持ってこの技法を使うといった、究極的には一挙手一投足に至るまで意図が必要です。どんな作品を選んだか、鑑賞者のそれぞれの発言にどんな応答をしたか、その選択や判断の根拠や意図を、理論と紐付けて逐一説明できるぐらいまで訓練が必要なのです。

実際、技法と理論の結びつきについてのファシリテーターの理解度が対話型鑑賞の学習効果を左右するという研究もあるのですが、理論に基づかない我流の対話型鑑賞法で本来の継続的なプログラムで得られる効果をそのまま謳っているケースもよくみられます。これは倫理的にも危ういと思いますし、理論を踏まえていても単発実践での効果とプログラムの効果は違いますので、そもそも理論に基づかないのであれば謳われているような効果はあまり見込めないと、実施者は厳しめに思っておいたほうがよろしいかと思います。

ハウゼンの美的発達段階理論

ＶＴＣやＶＴＳは主にジョン・デューイの教育思想や、ジャン・ピアジェ、レフ・ヴィゴツキーらの構成主義的な学習理論を下敷きに、ハウゼンの美的発達段階理論というものに基づいてプログラムや技法が設計されています。

この美的発達段階というのは、美術作品をみる際に鑑賞者が用いる観察や認知、思考といったことのパターンを分類したもので、ハウゼンは膨大な鑑賞者の調査研究に基づいて、その変化や獲得には予測可能な一連の段階があることを見出し、以下の五つの段階に分類しました（12〜13ページも参照）。

第1段階：説明／物語（Accountive）の段階
第2段階：構築（Constructive）の段階
第3段階：分類（Classifying）の段階
第4段階：解釈（Interpretive）の段階
第5段階：再創造（Re-creative）の段階

発達は年齢だけで決まるものではなく、生物学的な成長と経験や学習とが掛け合わさって生じるものです。大人であっても作品とじっくり向き合うという経験が少なければ発達段階は低いままです。ハウゼンの研究では多くの鑑賞者が第1か2の段階にあることもわかりました。そのためVTCやVTSは、ほとんどの鑑賞者が当てはまるこの第1〜2段階を主な対象として設計されています。ですので、ここでは対象となる最初の二つの段階だけ詳しく触れておきます。今回お話ししているようなことや、理論や技法をまとめた本を現在執筆中ですので、詳しく知りたい方はそちらが出たら読んでいただけますとありがたいです。

美的発達の第1段階は説明の段階、あるいは物語の段階と訳されています。この段階にある鑑賞者は、作品をみる際の観察の仕方が部分的かつランダムで、体系的に走査することはしません。また、作中のものをなんらかの表現としてではなく即物的・具体的に捉えます。なにをしているかとか、どんな状況や場面かといった枠組みで作品をみており、これらに説明をつけるお話を、断片的に目にしたものをきっかけにして極めて個人的な感覚や記憶、連想でつくりだし、物語的に理解するという特徴があります。主観的な想像で作品の世界に没入するので、こうしたお話を情感豊かに語ってくれます。また、自分にとってわかるものか、自分が好むかという評価軸の思考をよく用いるのもこの段階の鑑賞者の特徴です。

第2段階は構築の段階です。第1段階に比べると客観的で、常識や自然法則、社会的、慣習的、通俗的な価値観といった一般的な意味での合理性を枠組みにして「アート作品」の理解の仕方を築こうとしている段階です。

ここで「アート作品」とわざわざ括弧をつけたのは、第1段階の鑑賞者はそれが「アート作品」であると意識して作品をみていないからです。もちろん、今、目にしているのが現実の光景ではなく人為的につくられたものであることは認知できますが、自覚的ではなく、基本は日常の光景を目にしているときと同じような認知や思考で即物的にみています。作家がいてなんらかの表現なりが行われている「アート作品」なる代物というふうにはみていません。

ですが、第2段階の人たちは今みているのが「アート作品」だという認識を基本的には持っています。そのため、単に没入するだけではなく、なぜこのようにつくられているのかといった客観的な思考が生じるようになり、作者の意図にも関心が向くようになってきます。これらを考えるために第1段階よりも詳細で体系的な観察が必要になり、連想や思考と観察を連携させて用いるリテラシーが重要になる段階です。

　この段階の鑑賞者は自分なりのアートの定義も持っています。ただ、それは主に慣習的、通俗的なアート観から構成されていて、たとえばアートは美しいもの、技巧の優れたもの、感覚的なもの、自由なもの、言葉にならないもの、気持ちや感情を表したもの、作家の自己表現といった感じです。この方々は合理性や社会一般的な枠組みを用いて思考するため、現実的かどうか、枠組みに適っているかどうかという評価軸で思考が働きやすく、そこから外れるものをみると不自然とかおかしいとか変だといったことが頭に浮かんだり、実際に発言されたりします。同様に、自身のアートの定義に当てはまらないような作品をみると、不安や抵抗を抱いたり、ときには不快感や怒りの反応を示したりすることもあります。

　ＶＴＣやＶＴＳはこうした段階の人々でも取り組むことができ、その認知や思考といったことの特性に応じた働きかけをすることで、それらの発達やリテラシー獲得を促すことを意図しています。三つの問いかけも発達段階の特性を考慮しており、たとえば「何が起こっているでしょう？（What's going on?）」という問いかけは、第1段階の人たちが用いる物語的な認知の根底にある問いのため、彼らでも無理なく取り組むことができます。また、単なる断片の観察に留まらせずに、作品を見渡しながら意味内容についても思考することが促される質問になっています。どういった技法を重点的に用いるかといった判断や、どんな作品をどんな順番でみせるかというカリキュラムのデザインも、この発達段階に紐づけて行われます。

　こうした発達段階の話も、最近になって対話型鑑賞を始めた実施者にはあまり知られていません。どんな作品が向いているのか、こういう場合はどうするのが正しいのかといった質問をよく受けるのですが、原則的には理論と照らしながら対象に応じてその都度考えるしかないというのが回答になります。もちろん、そもそも理論まで学べるような場がほとんどないという現実的な問題があるのは承知しているのですが、少なくともハウツーで簡単にできるようなものではないということは知っておいてもらった方がいいと思います。

観察の不足

　理論や意図の理解不足が引き起こしている具体的な問題として、作品の観察不足が挙げられます。

第1～2段階の課題の一つは作品それ自体を十分にはみないということです。第1段階の人たちは作品のなかで断片的に目についたものをきっかけに、そこから自分の想像の世界に飛躍してしまうため、作品に基づきながら考えていくということが苦手です。第2段階に入ると第1段階よりも作品をみるようになりますが、それでもまだディテールに至るまで観察したり、体系的、批判的に反証も探しながら観察を行ったりして、推論や解釈を観察で十分に裏付けるといったことまではなかなかできません。

だからこそ、ファシリテーターが鑑賞者に対して「作品のどこからそう思いましたか?」と意見の根拠を作中に求めることで、作品をより観察しながら考えることを促し、また、それらを描写してもらい共有することで、他の鑑賞者たちにも作中のより多くの要素を踏まえて作品を検討するように促しています。鑑賞者が作品をより観察するように促し続け、作品に基づいて考えるという行動が学習されるように促すのは、対話型鑑賞の基本であり最低条件です。

しかし、様々な実践をみてきましたが、ファシリテーターがここを適切に促せていないことが極めて多く、鑑賞者に意見や感想を話させることが目的化していて、残念ながら、作品自体をみることが疎かという対話型鑑賞が多いのです。それどころか鑑賞者が好きなようにみることを積極的に推奨し、肯定するファシリテーターも少なくありません。対話型鑑賞のベースにある目的や意図が理解されていないためということもありますが、作品に基づかないままでいることを推奨するのであれば、それはもはや作品鑑賞とは呼べません。

現状の対話型鑑賞の多くは作品をみるというそもそもの物理的な行為、つまりviewingという本来の目的が果たせていないとも言えると思います。対話型鑑賞はまずなにより作品をみるという習慣をつけることが入り口です。

見方の不足

見方の不足ということも理論や意図が浸透していないため生じている問題です。対話型鑑賞では「多様な見方」「いろいろな見方」といった言葉がよく聞かれます。しかし、対話型鑑賞の本来の目的や意図において、これは誤用であることがあります。

たとえば、頬杖をついた人物が描かれた作品をみて、悩んでいるとか、眠いのではないかとか、あるいは疲れているとか、虫歯が痛む、呆れている、思い出にふけっているといった様々な意見が途切れなく最後まで出続け、盛り上がったというような場合です。

一見すると多様な見方があって鑑賞者も盛り上がったため、ファシリテーターもうまくいったと思ってしまいがちですが、実はこれらは多様な「見え方」であって多様な「見方」ではありません。というのも、これらの発言はすべて「この人物はどういう状況か?」という一つの見方、第1段階の典型的な認知や思考の枠組みのみによって導かれているものだからです。

対話型鑑賞は、様々な見方、つまり認知や思考の仕方、用いる枠組み、問いの立て方や推論の組み立て方、観察の方略といったことのバリエーションが学習されていくように促すものです。そして、これらの適切な用い方や組み合わせ方を鑑賞のプロセスで実際に試行錯誤してみることで、鑑賞者が作品にアプローチするためのリテラシーを構築、獲得していくことを目的にしています。

したがって、ファシリテーターは鑑賞者が発言している「見え方」だけでなく、その発言内容を導いている「見方」、鑑賞者のなかで行われているプロセスに意識的であることが欠かせません。現状、多くのファシリテーターが鑑賞者の発言内容のみに注目して応答していますが、本来、ファシリテーターはその発言内容を導いている鑑賞者の観察や認知、思考の仕方、枠組みといったことを理解し、そこに応答して働きかけます。「見え方」ではなくて「見方＝見るための仕方」が拡がるように促していくのがファシリテーターの仕事です。

また、こうした発達段階や見方の話を踏まえると、「自分の見方で」「自由な見方で」といった言説に再考が必要である理由もわかるかと思います。多くの人が第1〜2段階にあり、基本的にはそれぞれの段階に特有の見方を用います。自分の自由な見方でみているつもりでも、実際には類型的で限定的なのです。「自分の見方で自由に」という見方しか選択肢がない不自由な状態から、いかに見方を拡げていけるかというのが対話型鑑賞の目指すところだという言い方もできるかと思います。

対話の不足

VTCやVTSでは対話のプロセスに二つのフェーズ（局面）が想定されています。まずは作品を観察しながら作中の要素の描写や、それらに基づく解釈や意見などを出し合う発散的なフェーズです。その上で、それらの意見を検討しながら、なにがみえてくるか、この作品ではなにを考えるべきかといったことをディスカッションする構築的なフェーズがあります。初歩の子どもを対象にするような場合は前者のみの場合もありますが、大人、特にファシリテーターのトレーニングとして行う場合には後者のフェーズまでが必要です。

しかし、多くの対話型鑑賞は大人であっても前者の発散的なフェーズしかなく、「いろんな意見が出た」で終わってしまうことがほとんどです。すべての意見を肯定するだけで、どういう見方が適切だったのかといったことを作品で根拠づけながら批判的に検討するような対話のプロセスが存在しません。

そのため、対話型鑑賞は作品を使ったブレインストーミング（ブレスト）的なものだと誤解している方がいるのですが、本当はブレスト的に出てきたものを統合していくとか、あるいはそれらをメタ（高次）的に考えていくようなプロセスが併せて必要です。ここがなければ、自分が試行した見方がリテラシーとして適切だったのかといったことも検討できず、リテラシー獲得という目的にも適いません。ヤノウィンは鑑賞者が満足を覚えるのは後半の過程だとも言っています。

また、前者のみではその作品だからこそ考えられることや得られる経験といったことも生じません。実際、対話型鑑賞の感想として紹介されているものに、作品に関する気づきや考えの記述はあまりみかけません。他の人の意見が聞けて面白かった、新鮮だったというのはあっても、この作品のこういうところが面白いと思えたとか、この作品からこういうことを考えさせられたというような感想は稀です。ということは、題材がその作品である必要性が生じていない状態だとも言えます。

作品や作者がないがしろにされているとか敬意が払われてないと批判されるのはここに起因するように思います。いろいろな「見え方」を楽しむだけでその作品である必要がないなら、それこそよく揶揄されるようにロールシャッハ・テストの模様や壁のシミ、雲の形が題材でいいわけです。そもそも発散だけなら対話というより放言です。「いろんな意見が出たからよかった」ではなく、他でもないそれらの意見を引き出したこの作品はいったいなんなのかといったことについても検討する対話まで、実施者はぜひ行って欲しいと思います。

ファシリテーターの鑑賞経験不足

こうした問題が生じる根本に、ファシリテーター自身の鑑賞者としての経験不足があると思います。対話型鑑賞が広まったためでもあるのですが、近年の傾向として最初からファシリテーターとして対話型鑑賞を実践しようとする人がとても増えました。特に美術以外の応用分野で対話型鑑賞を活用しようとしている人に多いという印象です。

対話型鑑賞のファシリテーション技術は、鑑賞者として作品鑑賞を行う際のスキルと表裏の関係です。鑑賞者としての経験を積まないと対話型鑑賞のファシリテーションはできません。鑑賞者の立場や思考を想像できないため適切な作品選びや働きかけができませんし、自分より進んだ発達段階にある鑑賞者の意見を適切に扱うことができないからです。

また、そうしたファシリテーターによくあるのが、鑑賞中に「ここで答えを出すと」とか「ネタばらしすると」といった言い方で作品に関する情報を伝えたり、作品や作家についての解説をしはじめるといったことです。情報提示が駄目だという意味ではありません。僕自身もファシリテーションのなかで作品の情報を使います。そうではなくて、鑑賞のプロセスでviewingと情報を適切に連携させながら活用するリテラシーというのは、viewing自体のリテラシーよりもさらに高度であるため、自身が鑑賞者としてそうしたリテラシーを構築して獲得するプロセスまで意識的に経験していないと使いこなせないということです。

ＶＴＳでファシリテーターが情報を出さない理由の一つがこれです。ＶＴＳは美術科以外の学校教員や専門的なトレーニングを受けてない人たちが実施することを想定しています。情報が作品鑑賞に不要だと考えているのではなく、そうした実施者は情報をviewingと連携させて活用するところまで進んでおらず、適切な情報の扱い方が判断できないため、情報提示はせずviewingに徹します。また、ファシリテーター自身の未熟な作品理解に鑑賞者を導いてしまうということを防ぐ理由もあります。

アレナスのギャラリー・トークや94年以降のＶＴＣ、ＡＣＯＰでは情報を提示することがありますが、これはあくまでファシリテーションの技法として行っていて、かなり高度な技術です。基本的にはファシリテーター自身が、先に示した発達段階の第4段階に差し掛かっていないと難しいと思います。というのは、それ以前の段階にある鑑賞者が情報をどのように受け取るかという情報の認知の仕方を俯瞰できて、その受け取り方自体に働きかけるということまでできる必要があるからです。

一つの目安として、「作品の情報」という言葉から連想をしてみたときに、「答え」「正解」「ネタバレ」「種明かし」といったような言葉がかすかにでも浮かぶ人はまだその段階にはないと思ってください。というのも、発達段階が進んでいくと「作品の情報」や「知識」といった概念自体が変容します。「作品の情報」と「答え」「正解」といったことが連想として結びつかなくなります。

ファシリテーター自身の発達段階は、情報や知識に対してだけでなく、そもそもの「対話型鑑賞」がどのようなものであるかという認識や、「アート」「作品」「鑑賞」「対話」といったこと自体の捉えにも関わっています。初歩のうちのそれらと、経験を積んで発達した後のそれらとでは捉えはまったく別物になります。詳しくなるといった量的な変化ではなく、概念それ自体が変容するのです。

もともとビジネスや自己啓発といった他分野でワークショップやコーチングなどをしていた人で、最初から対話型鑑賞の実施者になろうとする人には第2段階初期の方が多いように思います。この方々は発達段階の通り、「アートは自由なもの」といった通俗的なアート観があって、それに基づいて対話型鑑賞を説明したり行ったりするので、より一層誤解が生まれているところがあります。ヤノウィンはファシリテーターになる人の課題として、アートが一通りではないということをファシリテーター自身がどこまで理解できるかだと言っています。「正解」がある作品もあれば、文脈抜きにみるには不向きな作品もあるし、誤った不適切な作品理解というものもあるということはＶＴＣやＶＴＳでも言われているわけです。

「アートとはこういうもの」という通り一遍の理解ではなく、まずは鑑賞者として様々な作品の鑑賞や様々な見方を経験することが必要です。そうでなければ、対話型鑑賞を意図とあわせて理解し、実践することはできません。そうインスタントにできるものでもないのです。

ファシリテーターは熟達した鑑賞者

先ほど鑑賞のプロセスにおける二つのフェーズの話をしました。ただ放言するだけの発散のフェーズで終わっていると鑑賞者としてのリテラシーが身につかないと言いましたが、鑑賞者としての能力だけでなく、ファシリテーターになるための能力も向上しません。

本来の対話型鑑賞には意見同士を検討する構築的なフェーズがあります。そのため鑑賞者同士も互いの意見をしっかり聴いて頭に入れておくことが必要になります。そうやって意見を聴くようになると、今度は自分が鑑賞の際に行っているのと同じように、他の鑑賞者の意見に対しても検討や批判的な思考が働くようになっていきます。こうした過程を経ていくことで、自他の意見群を作品に基づきながら体系的、論理的に検討し、グループ全体でより妥当性の高い、より包括的な解釈を導いていくスキルが磨かれます。これはそのままファシリテーターとしての能力として応用することができます。様々な意見を聴きながら検討、判断を行い、それらを包括的に結び合わせていく能力は、まず鑑賞者として磨かれ、それがファシリテーターの土台になるわけです。

ですので、優れたファシリテーターを育成することは、一連の対話型鑑賞を通して熟達の過程を経験し、その経験から理論や技法の意図を理解した鑑賞者を育てるということと同義です。だからこそ応用ばかりではなく基本となるプログラムとしての対話型鑑賞が必要で、これがないままでは熟達した鑑賞者は生まれませんし、そうなれば必然的に意図的なファシリテーターも育っていきません。

現実問題として、前半で触れたような背景があって初歩のモデルしかなかったり、単発の鑑賞法として根付いてしまったこともあって、継続的なプログラムでの育成というのは難しい面もあると思います。ただ、だからといって上辺の技術的な育成だけを続けていても今起きている問題の解決にはつながっていきません。まずはこの意図的なファシリテーター教育の次元をどう実現するかということがこれからの課題だと思います。

念のために再度確認しておくと、今回はあえて保守の視点で話をしていますが、僕個人はＶＴＣやＶＴＳが最も優れていると思っているわけでもなければ、対話型鑑賞のあり方を統一すべきといった考えもありませんし、ＶＴＣやＶＴＳに批判的な部分もありますし、僕自身は実践で

VTCやVTSをそのまま用いることはしていません。

ですが、応用するにしてもその善し悪しをはかるために枠となる基本の理解は必要だと考えています。枠なしでは自分が行っている実践が発展的な応用なのか、単なる逸脱なのかを判断することができません。また、現在の対話型鑑賞はもとのプログラムに比べてその捉えが単純化されすぎているため、鑑賞者や鑑賞の場に起こっていることを繊細にすくい取れるだけの解像度に欠けます。うまくいかないという相談を受ける実践の多くは、基本のプログラムを参照するだけで改善の糸口が見出せると思われるケースがほとんどですので、改めて基本の重要性をお話ししているということです。

(3)パーソン・センタードなファシリテーター教育

次のパーソン・センタードな次元というのは、技法や理論、意図だけでなく、今ここの鑑賞者たちとの関係性や、ファシリテーターであるその人自身の資質や態度、ありようの質までが問われるようなファシリテーター教育のことです。ファシリテーター個人の対人におけるパーソナルな課題にまで立ち入ったレベルの質を問うことになるため、世の中の対話型鑑賞のトレーニングでここまで行われていることはほぼないと思います。

実際の対話型鑑賞の現場では、ファシリテーターが理論どおりに技法を用いていても、なぜかうまくいかないということが起こります。うまくいっていないことにファシリテーター本人が気づいている場合もあれば、本人はうまくやっているつもりでも、鑑賞者にはなんとも言い難い違和感や居心地の悪さが生じているといったケースも、明言されることは少ないでしょうが実際には結構起きてきます。

こうしたケースはファシリテーターの技法以前のありようが鑑賞者との関係性に影響している場合が少なくありません。話の理解不足でかみ合わないとか、発言に対する選り好みがあからさまであるとか、応答が事務的といったわかりやすいものもありますが、たとえば、発言への応答が、字面上では整合性がとれているのに理解されている気がしなかったり、肯定的な返答はしているものの、かすかに拒否感やディフェンシブな反応が混じっているように感じられるとか、意見に伴う感覚や感情をどこか避けていたり誤魔化しているような感じがするといった微妙なことまでが鑑賞者との関わりに作用するのです。これらはファシリテーター自身の不安や対人課題、あるいはファシリテーターとしての役割意識の持ち方といったことが、そのふるまいに影響して生じてきます。

一部のコーチング系の人たちの対話型鑑賞では肯定的な態度とか受容的なふるまいの指南がなされていたりもしますが、これらはテクニックであって、それはあくまで技術的な教育の次元です。パーソン・センタードな教育の次元というのは、むしろそうしたテクニックで鑑賞者との関係を扱えると考えているファシリテーターの姿勢が、鑑賞者との関係に本当のところなにをもたらしているかといったことまで問われる次元です。たとえば「鑑賞者の意見はすべて肯定すべき」とファシリテーターが考えている場合、あらかじめ相手へのふるまいが決まっているような肯定が、真にいま目の前にいる鑑賞者を肯定していることになるだろうかといった、ある種、哲学的な葛藤まで必要になるような次元のことです。

対話できないファシリテーター

この二日間で何度も出てきましたが、対話型鑑賞に関して「自由」とか「中立」「鑑賞者主体」「尊重」「多様」「否定しない」といったことが強調されます。こうした言葉に囚われて、鑑賞者に関わることができないファシリテーターが少なくありません。鑑賞者の発言の真意や背後にある見方を知るために掘り下げて詳しく聴くことや、作品と照らし合わせて鑑賞者に意見の再考を促すといったことをファシリテーターが躊躇したり、怖れるようなケースです。そもそも、鑑賞者の意見内容の検討や議論そのものを否定だと捉えるファシリテーターもいます。

このようなケースは、鑑賞者に関与しないよう、表面的な受け答えやオウム返しに終始してしまい、ファシリテーター自身の信条や不安が、本来の目的である作品鑑賞や学習を妨げる結果になります。これは育成の場でもよく起きていて、実践練習で互いのフィードバックをするときに、「○○さんらしいファシリテーションでよかった」とか「○○さんの個性だから」といった肯定ばかりが述べられるため、技術改善につながりません。

こうしたファシリテーターは、自身の不安や葛藤に直面するのを避けるために、鑑賞者にいかに労力を使わせないか、気分を損ねず心地よくさせるかということに注力しがちです。しかし、対話型鑑賞のファシリテーターに求められているのは、むしろ鑑賞者に質のよい不調和や不適応をその関与によってつくりだすことです。

対話型鑑賞の場がうまくできていると思うのは、どの意見も正解ではないというところです。「どの意見も正解」なのではなく「どの意見も等しく正解ではない」のです。そのため、鑑賞者は常に再考が必要な宙づりの状況に置かれます。ファシリテーターがこの状況を活かして、鑑賞者に作品をよりみるように、思考や学習を深めるように促し続けることができるデザインになっています。どの意見も等しく正解ではないということは、肯定か否定かというフレームをそもそも持ち込む必要がないということでもあります。そこで求められているのは、作品をよりみて、より考えるということだけです。作品を何度も見返して、考えを修正し続けるということをしなければならない場になるよう、はじめから意図して設計されているわけです。

しかし、ファシリテーターが鑑賞者に関われないと、この場が活かされないことになります。ファシリテーターが勝手に「こういうことが言いたいのだろう」と察したり、「そういう見方もありますね」と肯定して鑑賞者に考えさせずに済ますのは、鑑賞者から鑑賞や学習の機会を奪っていると思ったほうがいいと思います。学習とは言い換えれば適応の過程です。不適応がなければ学習は生じません。いかに質のよい不適応を起こして、鑑賞者がチャレンジして考えなければいけない状況を作り出すかということが大事なのです。

ですので、「自由」とか「中立」「鑑賞者主体」「尊重」「多様」「否定しない」といった文言を、鑑賞者に関わることへの怖れや、ファシリテーターの責任を回避するために使っていないか、結果的にそうなってしまっていないかということは常に自身に問うておく必要があります。

ちなみに、ＶＴＳも以前は「中立」ということを強調していましたが、近年になってファシリテーターの説明に「中立」という表現を使うのをやめたそうです。なぜかと言うと、たとえば作品鑑賞しているなかで人種やジェンダーなどに関して、発言者本人に差別的な意図がなかったとしても、差別的なステレオタイプに基づく推論や解釈の意見が出てくることがあります。そうしたときに、ファシリテーターが中立だからといって意見をそのまま受け入れ、放置することは、差別や暴力への加担ではないかという議論が起こり、中立だから無謬だとは言えない、そもそも真に中立であることはできないのではないかという方向にようやく舵を切ったようです。

日本の対話型鑑賞でも同じようなことは起きているため、こうしたことはもっと深く吟味されてよいと思います。対話型鑑賞は自由なものだと思考停止するのではなく、そもそも自由とはなにか？　中立とは？　尊重とは？　といった問いにファシリテーター自身が向き合って、それこそオープンに問い続ける姿勢が大事になると思います。

⑷批判的なファシリテーター教育

四つの次元の最後が批判的なファシリテーター教育です。近年の対話型鑑賞の動向を考えると、本当はやはりここまでなされなければいけないと個人的には思っています。どういうものかというと、対話型鑑賞やファシリテーションといったことを肯定的に捉えるだけではなく、その取り組みが持ちうるネガティブな側面や影響についても批判的に考えることを求める次元の教育です。

僕らは対話型鑑賞をよいものだと捉えがちです。もちろんよいものだと思うから取り組んでいるわけですが、そう思っていても、それがなんらかの副作用や弊害を引き起こすということは十分にありえます。特に、30年のなかで対話型鑑賞が活用されるフィールドは格段に広がり、今や社会問題とか社会課題へのアプローチとしてまで用いられるようになっています。だからこそ、対話型鑑賞に関わる人は単に肯定的な面だけをみるのではなくて、社会的な影響や倫理的な責任ということについても本当はかなり考えておく必要があります。全面的によいことだと妄信するのは危ないので、自分たちの取り組みについても批判的に考え、相対化しておくことが必要です。

現在の対話型鑑賞の語られ方は、まとめるとだいたい以下のようなものです。

〈知識や情報にとらわれず作品を自由にみて、個人の見方を大切にし、様々な見方や価値観を否定せず、多様性を尊重しながらコミュニケーションすることで、互いに気づきが生まれる鑑賞法〉。

文言だけみればとても美しいのですが、問題は質です。ともすれば実質は次のようになっている可能性を常にはらんでいます。

〈客観性は無視して作品を好きにみて、自分の主観を盲信し、見方や価値観は人それぞれの勝手なので、違いがあっても互いに立ち入らず肯定だけし合っておくことで、みんなが気持ちよくなれる鑑賞法〉。

みなさんはこの二つの違いを厳密に説明できるでしょうか。自分の実践が後者になっていないことを明確に説明するのはかなり難しいはずです。だからこそ、実施者は自分の実践が後者になっていないかを常に疑いながら問い返し続けている必要があります。

ここまで何度も触れたように、ＶＴＣやＶＴＳは「みること viewing」が十分ではない初歩の発達段階にある人たちに向けて、認知や思考の発達、リテラシーの獲得といったことを成熟に向けて促すプログラムです。未熟な状態であることをスタート地点に、よりよくしていくことを目指して行われます。

しかし日本の対話型鑑賞では、多くの場合、成長前の状態、つまり現状の素朴な見方でみることが自由で素晴らしいんだというふうに推奨されます。つまり、成熟しなくていいんだとか、成熟していない状態のほうが理想的なんだと反転しているわけです。少し意地悪な見方をすれば、むしろその変質があったからこそ、成熟しないことを肯定してくれるプログラムとして、現在、これだけ広く受容されているのではないかとさえ思う節もあります。

先に触れたように、ＶＴＣが紹介され、「対話型鑑賞」として普及していく過程で、日本では「自由」や「自分」といった言葉が強調されるようになっていきました。こうしたことが生じた90年代から２０００年代は、世の中でも「ありのままの自分」とか「自分らしさ」といった言葉が盛んに使われるようになっていった時期で、学校教育でも学習指導要領など含め、自由や個性の尊重ということが言われるようになった時期です。日本の対話型鑑賞の変質はこうした機運とも対応しているところがあるのではないかと思います。

こうした言葉は聞こえこそいいのですが、本当はもう少し慎重に文脈を考える必要があると思います。批判的にみると、この「自由」や「個性」、あるいは「自立」という言葉もフォーラムのなかで使われていましたが、これらは新自由主義や市場原理といった文脈にもつながっていて、「自己決定」や「自己責任」といった概念とセットでネオリベラリズムの流れのなかで推進され、流布されてきた思想や価値観でもあります。こうした思想や価値観が結果として現在の格差や社会的分断といった問題を生み出してきたということは、他の文脈も絡んでいるにせよ否定はできません。

対話型鑑賞が社会課題へのアプローチとして、コミュニティやコミュニケーションの創出、孤独や孤立の問題、社会的な包摂といったことへの取り組みとしてまで用いられるようになっている以上、よほどきちんと考えておかないと、課題解決のつもりが当の課題を生み出してきたのと同じ価値体系をさらに流布し、強化することにもなりかねません。そうなれば問題解決どころか問題の再生産に加担することにもなりえます。

安易な個人主義や多様性の称揚といったことが、コミュニティの崩壊や分断、排除といった問題と無関係ではないことは、社会学の領域ではかなり昔から指摘されてきたことです。また、「自分の見方でみる」ことの無批判な肯定は、自分たちのものの見方を是として普遍化する自己中心的・帝国主義的なあり方や、偏見や差別、陰謀論といったこととも十分に地続きです。

対話型鑑賞は社会的な課題に対する有効なアプローチになりえると僕も思っていますが、本当にそうなるためには対話型鑑賞の実施者が自らの活動を批判的な視点からもオープンエンドに問い続け、考え続けておく必要と責任があると思います。

■対話型鑑賞による意味の創造

ここまで少し批判的な話が多くなりましたので、最後に継続的な対話型鑑賞プログラムが行われた先の可能性について話をして終わろうと思います。appreciation としての対話型鑑賞の可能性とも言えるかも知れません。

自己紹介で触れたように、僕自身は福先生が展開するＡＣＯＰという対話型鑑賞プログラムに携わってきました。ＡＣＯＰがＶＴＣやＶＴＳと異なるのは、もともと芸大生のトレーニングとして、大学生や大人を対象に改良・発展してきたプログラムだというところです。将来的にアート界でプロとして働く可能性がある人材の育成ですので、ＶＴＣ／ＶＴＳよりも高い発達段階までが目標として視野に入っています。

ＶＴＣやＶＴＳは第1～2の発達段階にある鑑賞者を主な対象としており、appreciation の基礎となる体系的な観察や論理的な思考を駆使して作品を鑑賞するリテラシーを身につけることが目的です。そのため構築的な対話のフェーズでは、鑑賞者から出た意見を根拠と照らしながら論理的に検討し合い、より合理性の高い推論を行うことを目指します。一方、ＡＣＯＰでは、こうした線形の論理を用いる推論に加え、連想や類推、抽象化、比喩や文脈の読み替えといったことも行いながら、作品解釈や意味を構築していくリテラシーまで獲得することを目指しています。

　合理的な推論では、根拠となる要素を論理に基づいて組み立てていく過程で、より整合性が高いと思われるいくつかの仮説に収斂していく反面、その仮説との関連性が低いとみなされた要素は棄却されていく傾向があります。ですが、作品に基づいて発せられた鑑賞者の言葉は、そのようなロジカルな仮説には当てはまらなくても、その作品のなんらかの側面を表象しうることがあります。ＡＣＯＰで行っている対話型鑑賞では、こうした可能性についてもファシリテーターや鑑賞者が考えていきます。

ギュスターヴ・クールベ《出会い、こんにちはクールベさん》を例に

具体例がないとわかりにくいと思いますので、ギュスターヴ・クールベの《出会い、こんにちはクールベさん》という作品の鑑賞を例に話をしてみます（図1）。

　この作品で対話型鑑賞をしていると、向かって右側の人物について、服装や持ち物から探検家や冒険家、旅人ではないかといった意見や、背負っている荷物から画家とか測量士ではないかといった、この人物の属性に関する意見がよく出てきます。実際にはこの人物はクールベ自身です。したがってこの人物は画家であり、推論という観点で言えばそれ以外の鑑賞者の仮説は間違っていたことになります。

　実際、よくある対話型鑑賞では「正解を言うと……」とファシリテーターから情報が出され、以降の対話では、それ以外の仮説はなかったことになっていたり、「事実と違っても、その人が感じたことが正解」とうやむやにして済まされることが多いと思います。でも、探検家や冒険家、旅人、測量士のようにみえたことに本当に意味はないのでしょうか。

　たとえば、探検家や冒険家のようにみえるという視点で言えば、クールベは神話や宗教を題材に描くことが当然だった時代に、「羽根の生えた天使なんか描かない。そんなものはみたことがない」と言ってそこから飛び出し、写

図1　ギュスターヴ・クールベ《出会い、こんにちはクールベさん》
Gustave Courbet, *Bonjour Monsieur Courbet*, 1854　Musée Fabre所蔵

実主義という新たな地平を切り拓いた画家です。その意味では「探検家的」で「まるで冒険家のような」画家と言えます。そのような文脈で考えると、こうした情報を知らずに作品をみた鑑賞者の「この人は自信家で野心が強そうなので、人がまだ踏み入っていないようなところに好んで冒険に行きそう」という言葉は、クールベがどのような画家だったかということをそのまま描写しているかのようにも聞こえてきます。

また、測量士という意見も結構な頻度で出てきます。測量士という単語が出てこず、「あれです、距離を測る人」と言われたことも何度かあります。この作品はクールベがパトロンと出会った場面を描いたもので、真ん中の人物がパトロンです。先のように、クールベは当時の常識から外れた「冒険的」な作品を描くため、批判も多く、なかなか評価されなかった画家です。そうしたなかで自身を支持するパトロンと出会った場面に、鑑賞者から「距離を測る」という言葉が出ることにはどんな意味が見出せるでしょうか。

この作品は、パトロンから肖像画の依頼を受けてクールベが描いてきたものだという説もあります。そうした話を抜きにしても、パトロンよりも自身を大きく、しかも陽の当たる場所に描いていたり、パトロンを前にふんぞり返ってあごを突き出した姿で描くなど、なかなか挑戦的です。また、道端には標石のようなものが描かれていますが、クールベはその手前に立っており、パトロンの側には足を踏み入れていません。こうしたことを考慮すると、このようなクールべの「冒険的」なふるまいは、それを受け入れる度量がパトロンにあるか、本当に信用に足る人物なのかを試し、その距離を測っているかのようにも感じられます。なお、顛末としては、パトロンはこの作品を喜んで受け取ったと言われており、クールべもパトロンとの出会いについて、生涯の理解者を得たと語っています。

　旅人という意見については、旅を終えて迎え入れられている場面と、旅に出るのを送り出している場面という2パターンがよく出てきます。クールべはこのとき、パトロンのもとに訪れるためにパリからモンペリエまで旅してきているので、推論としては前者の仮説が正しいことになります。ですが、鑑賞者の言葉をもう少し象徴的に捉えるのであれば、この作品は未踏の地平を孤独に冒険してきた画家が、ようやく理解者を得て一人旅を終える場面を描いたものでもありますし、画家がパトロンという理解者の支援を得て、これから新たな冒険に旅立つことになる場面を描いた作品とも言えるわけです。

　このように鑑賞者の言葉は、この人物の属性は何かといったもともとの問いに対する仮説としては正しくなくても、その作品をなんらかの形で象徴していたり、作品になんらかの意味を付与しうることが少なくありません。しっかりと作品を踏まえていれば、鑑賞者から発せられた言葉や表現にこうした意味を見出せる、あるいは生み出せる場合が多いのです。

　もちろん、viewingが疎かであればこれらは生じませんし、ファシリテーターや鑑賞者が情報を「答え」だと捉えている段階ではこうした鑑賞はできません。ＡＣＯＰでは鑑賞のなかで作品の情報を提示することがありますが、情報を「答え」だと思っている段階の鑑賞者は「この作品はクールべがパトロンと出会った場面を描いたもの」と聞くと、「そうなんだ」と作品をわかったつもりになってしまいがちです。

　しかし本当のところ、作品にどのような出会いの「質」が現れているかは情報からはわからず、作品をみた鑑賞者たちの言葉を借りてしか浮かび上がってきません。作品を鑑賞することによって浮かび上がるものは、情報や単純な論理で語ることができるものよりもはるかに多層的・多義的で複雑なのです。

　また、これは鑑賞者の発言をその人が意識上で語っている文脈や意図のままにただ肯定し、尊重しているだけではみえてこないものでもあります。というのも、鑑賞者自身も自分が作品について語った言葉がなにを意味しうるかということまでは知りようがなく、鑑賞のなかで発された言葉は発言者の手を離れたところで意味を持つことがありえるからです。つまり、鑑賞者の言葉も作品と同様に鑑賞され解釈される対象になるということです。その点では、このレベルの対話型鑑賞になってくると、鑑賞者は作品に対して鑑賞者本位という意味での「主体」ではなくなっていきます。そのため、ＡＣＯＰでは鑑賞者が作品について話していることのなかに、「作品が鑑賞者たちに語らせていること」を聴き取る／見出す力やリテラシーまで必要になり、それを継続的なプログラムを通してファシリテーターや鑑賞者が身につけていきます。

上田薫《なま玉子 B》を例に

ＡＣＯＰでの対話型鑑賞は、「いろんな意見があった」で済ませるのではなく、それらの言葉を様々に捉え直したり、つながりを考えたりしていくことで、作品の解釈や意味を構築することまで目指します。これがどのような対話型鑑賞になるのか。今回、ファシリテーターの応答内容は誤解を招くため省きますが、鑑賞者の話を中心にもう1作、上田薫の《なま玉子 B》という作品を例に少しだけお伝えできればと思います（図2）。

この作品はアメリア・アレナスの『なぜ、これがアートなの？』にも取り上げられていて、日本の対話型鑑賞では初期から定番の作品です。この作品を鑑賞していると次のような発言がよく出てきます。

> 目玉焼きをつくるところ／日常的に見慣れた光景／たまごが割れた瞬間を写真に撮ったもの／本物のなまたまごじゃなくて食品サンプル／すごいリアル／割っている手がないから写真ではなく描いた／中身が生まれ出てきたような感じ／男性器みたいなシルエット／本当のたまごと比べて落ち方が不自然／白身にキッチンが映り込んでいる

たとえば「たまご」「目玉焼き」「食品サンプル」「キッチン」のあいだには「食」というつながりが考えられます。「たまご」「生まれる」には「生」が、そうすると「割れた」ということには「死」という意味もあるかもしれません。「男

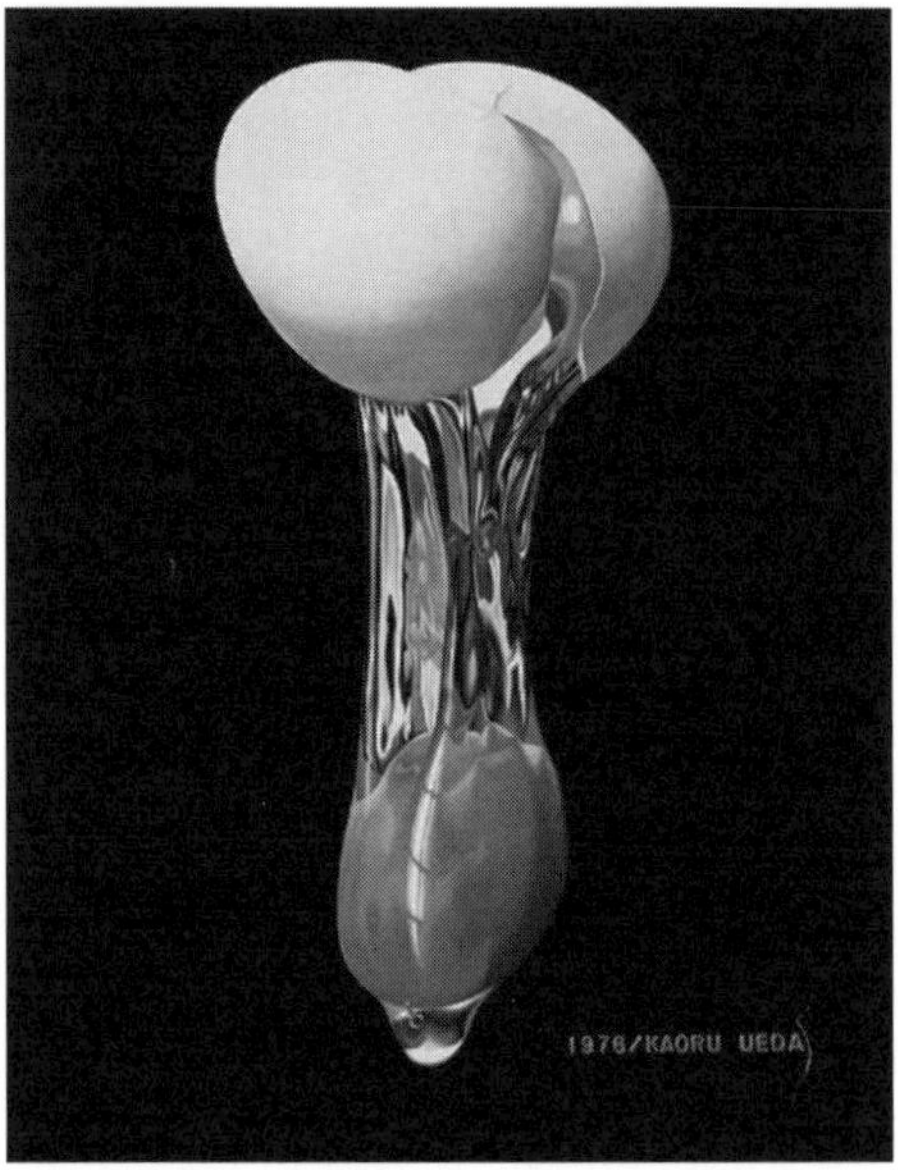

図2　上田薫《なま玉子B》1976年、東京都現代美術館所蔵

性器」という言葉もありました。「たまご」はメスの卵（ラン）ですので、ここには「生殖」や「性」という関連性も見出せそうです。これらをつなげて考えることで「生命」というテーマがこの作品にあるのかもしれないといった話が展開したりもします。さらには、「たまご」には生物としての「卵」と、食品としての「玉子」があるといった発想が新たに生じたり、そうなると「食」は「生」につながっていると同時に、他の生き物の「死」でもあるといった話が生じたりします。

また、この作品が写真なのか絵なのかという議論もよく起こります。写真にしては「手がない」とか「落ち方が不自然」なので「描いた」とか、絵にしては「映り込み」まであって「リアル」だといった発言が出てきます。さらに、絵だとしたら、どうやってこの「瞬間」を描いたのかという話も生じます。こうした話に至ると、この瞬間が肉眼では捉えることができないものだということが鑑賞者たちに意識されます。

自分たちが作品をどう考えるかという段階のうちは、ここで制作方法の推論のみに展開していきやすいのですが、作品が自分たちに語らせていることはなにかということを考えるリテラシーが育っていると、この瞬間をみることができないのは作家だけでなく、自分たちにも当てはまることだと考える鑑賞者が出てきます。

「リアル」という言葉には現実という意味もありますが、日常の語用では「食品サンプル」のように現実や本物に似てはいるが現実や本物ではないものを形容する際に使われます。また「不自然」という言葉も、自然の状態を前提に、そこから外れていることを指す表現です。ですが、この作品に描かれているのは、鑑賞者が「見慣れている」と思い込んでいるが、実際には本物や自然の状態をみたことがない場面です。そのため、自分たちもみたことがないにもかかわらず、なにと比べて「不自然」とか「リアル」と評したり、「本物の」「本当の」という言葉を使ったりしたのかという省察までが作品鑑賞を通して生じます。自分たちは現実と比較していたのではなく、メディアや自分が思い「描いた」イメージを現実だと思い込んでいたのではないか、自分たちのイメージが「映り込んでいる」現実をみているのではないかといったことにまで鑑賞者の話が及んでいきます。

そうなると、この作品が写真のように描かれた絵画であることが、現実であるかのようにイメージを思い描いている自分たちとリンクしているようだといった解釈や、手がないのは、絵画であることを示しているだけじゃなく、自分たちの想像という手が本当は加わっているのに、手が入っていない「なま」の現実だと思い込んでいることの比喩のようだといった再解釈が行われたりします。同じものが生命の「卵」にみえたり食品の「玉子」にみえたりする私たちは、いったいなにをみているのか、なにが現実なのかといった問いが対話型鑑賞を通してこの作品から生じてくるわけです。

様々な意見や要素がただバラバラにあるだけではなく、それらがつながることで発言者の意図や線形の推論を超えて意味を成していくということの一端がわかるかと思います。

次に紹介するのは、実際にＡＣＯＰでこの作品を鑑賞した学生たちの感想です。

> 私たちは実際にみたことがないのにもかかわらず、黄身の形や白身の透明さを変だと言っていた。その事実に、自分を含め誰も気づかない恐怖を経験した。

> 見たことがないもののイメージと比較し、たとえそれが現実であったとしても歪んで見えてしまうということは、今までの授業で気が付いた分よりも遥かに偏見にまみれているということである。

この作品はスーパーリアリズムというジャンルに分類されるものです。彼らの感想はこの文脈にも沿うものだと思います。授業では、鑑賞後にネット上の「スーパーリアリズム」の解説を学生に読み上げてもらいましたが、その解説だけでは意味がわからないというのが大学1年生の反応でした。

「スーパーリアリズム」について調べようとすると、検索候補に「写真でいい」や「つまらない」が出てきた。

もしＡＣＯＰで彼の作品を鑑賞する前に作品集をみていたら「この人はよほど卵が好きなのか卵というモチーフに対して異常な執着があるんだろうな。それにしても写真みたいにリアルな絵だな～」で終わっていた気がします。

一概に対話型鑑賞だからジャンルや文脈を扱えないとか毀損するということではないと僕は思っています。ファシリテーターがきちんと訓練を積んで意識していれば、むしろ解説では届かないものを、対話型鑑賞を通して理解、実感してもらうことも可能です。最後にもう一つ、学生の感想です。

今回の卵のような作品を生み出す人たちは、自分や社会を広く多くの目で見ることができ、様々な切り口でモノをみており、絵は単なる娯楽ではなく、描いた人が見た世界を物理的に描き起こしたものだと思った。鑑賞者は作家の見た世界の側にいながら、作家の目を通してもう一度世界を認識し、他の鑑賞者の解釈から作家も気づかなかった世界が生まれる。作品鑑賞は永遠に終わらないものだと今回改めて感じた。

こうした言葉が作品や作家をないがしろにするものだとは、僕にはやはり思えません。ここに述べられているのは作品や作家を利用したり消費したりする発想とは真逆のものです。敬意を払うべきものだと教え込まれてそうしているのではなく、作品を鑑賞することによって、鑑賞者のうちにこうした感覚がおのずと生じたというのが大事なところだと思います。

これからの対話型鑑賞

こうしたことが生じるには、単に「いろんな意見が出たから多様でよかった」で済ますのではなく、一見、カオスにみえる多様な意見や見方のあいだに、どうしたらつながりや秩序を見出すことができるかということにまで取り組むことが重要です。

対話型鑑賞の題材が壁のシミや雲ではなく、アート作品であることが必要な理由もここにあるように思います。壁のシミや雲の形は多様な見え方はしても、それらのあいだになんらかの秩序や関係性を見出すことは多くの場合できません。また逆に、意見に幅が生まれず一通りの見方しか生み出さないような題材もあります。経験上、アート作品は個々の鑑賞者に様々な考えや印象をもたらしつつも、それらのあいだになんらかの関係性や秩序が見出せるような言葉や表現、反応を鑑賞者から引き出すように思います。むしろ、表層的にはわからない深いところでこうした秩序や関係を生み出させる潜在性を持つものこそをアート作品と呼ぶのではないかとさえ思うところもあります。

対話型鑑賞が多様性やダイバーシティといったことと関連づけて語られることがありますが、これらにはもともと生物多様性といった生態系的なモデルがあります。ですので、そこでいう多様とは、合目的的ではないにしても、単にバラバラということではないはずです。様々な異なる意見を一つにまとめてしまうのではなく、かといって完全にバラバラのままということでもなく、多様なまま、そのあいだにつながりや秩序を見出し／生み出していくような対話が必要で、そうした対話型鑑賞は社会や公共性といったことのモデルになりうるのではないかと僕は思っています。

対話型鑑賞が深まると、単に対象である作品についての話だけではなく、その作品をそのようにみる自分たちのものの見方やあり方を問い返したり、考え直すということも起こります。この作品に私たちがこのような反応をするのはなぜなのか、こういうものの見方をしてしまう今の時代や自分たちが属する社会がどういうものなのかといったことまで省みることにつながっていきます。

たとえば、作品に黒人と白人が描かれていたとして「白人の人のほうは○○で、黒人の方のほうは○○です」という発言があったとします。黒人にだけ「黒人の方」という言葉遣いをしていることに気づいたでしょうか。ＡＣＯＰの場合には、これが作品のテーマとつながるのであれば、そういうところまでファシリテーターが拾い上げて対話の組上に載せることがあります。これは発言者個人を差別的だと糾弾するためではなく、こうした問題に対して僕らもニュートラルではないことを自覚し、他人事にせずに実感を持って一緒に考えていくためです。

みなさんにもこうしたことをするのを推奨しているわけではなく、対話型鑑賞の可能性として、そこまですることがあるのだという一例です。ただ、これからのファシリテーターはこうしたことも視野に入れていかなければ、対話型鑑賞を通して自分たちの社会や文化について考えたり、新たな公共性やコミュニティを創出していくといったことには、本当の意味では届かないのではないかとも思います。

ここまで、「対話型鑑賞」という名称を入り口にいろいろと話をしてきましたが、とはいえ、僕はこの名前を結構気に入っています。対話と鑑賞、どちらも同じものさしを共有しない外部や異物である他者に触れ、自己が揺さぶられるような営為を指す言葉で、対話型鑑賞が持つ射程の本質をよく表していると思うからです。

だからこそ、安易な対話型鑑賞の捉えに対しては、自分のものの見方や世界観の絶対視、あるいは他者への無関心や不干渉な社会の醸成に無自覚に加担してしまうことにも十分なりえると、僕はそこについてはかなりの危機感があります。対話型鑑賞はあくまで作品や鑑賞者という他者と出会い、鑑賞や対話を通して私たちのあり方を問い直すことで、新たな社会や関係性、自己を生み出していくような営みだと僕は捉えています。この先30年、できればそうした営みとして対話型鑑賞が世に広まっていくことになればありがたいと思っています。

＊１　アメリア・アレナス『なぜ、これがアートなの？』福のり子訳、１９９８年、淡交社

＊２　ＥＴＶカルチャースペシャル「最後の晩餐ニューヨークを行く―僕たちが挑むレオナルドの謎」（１９９９年9月4日放送）

＊３　アメリア・アレナス『mite! ティーチャーズキット』全三巻、木下哲夫・他訳、２００５年、淡交社

＊４　上野行一監修『まなざしの共有―アメリア・アレナスの鑑賞教育に学ぶ』２００１年、淡交社

＊５　Glyn Thomas "Dimensions of Facilitator Education." S.Schuman ed., *The IAF handbook of group facilitation: Best practices from the leading organization in facilitation*. Jossey Bass, Ed. & Pub., 2005. Glyn Thomas "Facilitate First Thyself: The Person-Centered Dimension of Facilitator Education.", *Journal of Experiential Education January 2008*. SAGE Publications., 2008.

＊６　井上義和・牧野智和編『ファシリテーションとは何か―コミュニケーション幻想を超えて』２０２１年、ナカニシヤ出版

＊７　山口周『世界のエリートはなぜ「美意識」を鍛えるのか―経営における「アート」と「サイエンス」』２０１７年、光文社

八章　対談

対話型鑑賞の今後

登壇者
北野 諒
大阪成蹊短期大学 幼児教育学科 講師
平野 智紀
内田洋行教育総合研究所 主任研究員

フォーラム閉会のようす

はじめに

本章は、フォーラムにおいて複数のパートでモデレーターを務めた北野諒と平野智紀の対談という形で、本書全体をふりかえるものである。二日めの最終ディスカッション「対話型鑑賞の今後」（森功次・伊達隆洋・北野諒・平野智紀）の記録に代えて、そこでは扱いきれなかった内容をあらためて語り直す「対話型のあとがき」を企図している。

北野諒は、京都芸術大学アート・コミュニケーション研究センターにて研究員を前任し、学校・美術館・博物館・地域芸術祭など様々なフィールドで、対話型鑑賞を応用したワークショップの開発・実践を行ってきた。現在は京都文教大学こども教育学部の講師として勤務。幼児の表現活動や遊びを手懸りにしながら、非言語的な交感までを含めた対話のかたちを探求しているほか、アーティストとして作品制作も行っている。パネルディスカッション「学校教育と対話型鑑賞」（三章）「科学／医療と対話型鑑賞」（四章）のモデレーターを務めた。

平野智紀は、同センターの共同研究者として外部からさまざまなプロジェクトを支援する一方で、「六本木アートナイト」や「あいちトリエンナーレ２０１９」など、現代アートプロジェクトでの対話型鑑賞のファシリテーター育成に携わってきた。ＡＣＯＰをフィールドとした対話型鑑賞のファシリテーションに関する博士論文をもとにした書籍を執筆している（『鑑賞のファシリテーション：深い対話を引き出すアート・コミュニケーションに向けて』あいり出版）ほか、東京の企業に勤務するビジネスパーソンとしての顔もある。当日はパネルディスカッション「ビジネスパーソンと対話型鑑賞」（五章）及び「対話型鑑賞の今後」のモデレーターを務めた。

本章の議論が、読者それぞれにとって、これまでに述べられてきた本フォーラムの議論をふりかえりながら「対話型鑑賞のこれまでとこれから」を展望するきっかけとなれば幸いである。

テンプル、フォーラム、ラボ……

北野　さっそく冒頭から進めていきますか。逢坂理恵子さん、福のり子さんの対談「対話型鑑賞の黎明期」（一章）から「美術館と対話型鑑賞」（二章）あたりまで。

平野　対話型鑑賞が、ミュージアムから始まってミュージアムで受け入れられたところからスタートしてるんだなという点は再確認しましたね。

北野　そうですね、「受け入れられる」にあたっての波乱万丈のストーリーが語られ……レジェンドたちの武勇伝ではないですけれども（笑）。もちろん歴史を振り返って客観的な事実を押さえる部分もありつつ、肉声といいますか、一個の身体を持った個人の観点からどんなふうに感じて、どんなエピソードがあったのか、それが語られたことがすごく良かったなと感じていました。

平野　ドクメンタのときに、ちょうど同じホテルになって翌日同じ電車に乗って意気投合してみたいな話とかですね。客観的な歴史として語られるというより、個人の記憶というか思い出というか、リアリティがすごかったです。

北野　対話型鑑賞って人間と人間が向き合ってコトを起こしていくものなんで、ヒストリーと同時にストーリーもすごく大事ですよね。黎明期に携わっていた方々の語りを、多声的に聞くのが重要なのかなと。

平野　芥川龍之介の『藪の中』みたいな話ですね。見る人によって見え方が全然違っていて、いろんな角度からそれが見えていたのですよね。

北野　「対話型鑑賞の黎明期」というお題自体を、複数の当事者・関係者で対話型鑑賞するような取り組みが大事かもしれませんね。

　さて、対話型鑑賞の起源としてのミュージアム、という流れで、続いて美術館パートのパネルディスカッション「美術館と対話型鑑賞」（二章）がありました。平野さんはどういうふうに聞かれましたか。

平野　レジェンドという意味でいうと、黒澤伸さんなどはまさにレジェンドというところで。紹介してくださったワークショップ「アバカノヴィッチ探検隊」も、盛り盛りの思いが詰まったワークショップだったなと。

　黒澤さんもそうだと思うのですけれど、学芸員さんって制作をやってこられた方も結構多いですよね。そうすると、「みる」ことと「作る」ことが自然とつながっているというか、鑑賞のワークショップがアート制作にもなっているというか、そういうことをすごく感じたんですね。

北野　僕も黒澤さんのお話を聞いていて、黎明期のワークショップ、対話型鑑賞ではないんだけれども、ある種の対話的な状況を構成するようなワークショップって、「これまで」の話に留まらず「これから」の展開を示唆する部分が大いにあると感じていました。だからこそ、ワークショップのアーカイヴや記録は何らかの形で残しておく必要がある、という思いを強くしました。

僕自身も目隠しして鑑賞を行う「ブラインド・トーク」というワークショップを実践していますが、アーカイヴが残ってないと忘れ去られていったりとか、対応関係や影響関係がわかんなくなっちゃったりとかするよな……と、しみじみ思いました。

平野　私もブラインド・トークをこの間、中高生向けにやったんですけど、それを普段スポーツの看護をされている看護師の方が見てくださって。ブラインド・サッカーでもトレーニングのために同じようなワークショップをやるんですよ、みたいな話をしてくださったんですよね。結構同じような手法が、いろんな領域で意外と参照されないままに同時多発的に起こっているのかもしれないですね。

北野　モデレーターの都築《つづく》正敏さん、そして稲庭彩和子さんの話のなかでは、キャメロンの「テンプルからフォーラム」へという整理が紹介されましたね。原泉さんのYCAM《ワイカム》っていうのは、フォーラムかつ「ラボ」とも言えると思うので、テンプル、フォーラム、ラボみたいな流れをイメージして聞いていました。で、僕の頭の中では「ワークショップのアーカイヴ問題」が残響していましたので、「ワークショップ自体がコレクションされているようなミュージアムは考えられないのかな、あるとしたらどんな場所の比喩が適しているんだろう」とか考えていました。

平野　北野さんの2013年の論文[*1]で、アートが関係性の構築へと変化してきている、という指摘がされていたことを思い出します。作品が中心であった時代から、福さんがよく講演でおっしゃっているように、モノとしてのアート作品とコトとしてのアートを分けて考えるようになり、今や関係性をつくること自体がアートになってきている。そうなってくるとワークショップとアートの切り分けが難しくなっていって……そうすると、北野さんのおっしゃるような、ワークショップが展示されている美術館のような構想ともつながっていくのかもしれないです。

北野　ただそこには課題もあって、ワークショップの実体って何なのかという。ワークショップの設計図がアーカイヴされていたらよいのか、活動のドキュメントが残っていたらよいのか、再現可能性をどう担保したらよいのか。悩ましい問題です。

平野　テンプルからフォーラムへ、という議論と相似形の話で、モデレーターの都築さんは、ミュージアムが第1世代、第2世代、第3世代と変化していくというミュージアムの世代論について紹介してくださいました。第3世代のミュージアム以降、活動や学習がますます中心になる中で、モノではないコトをどのようにミュージアムが扱っていくのか、コレクションしていくのか、展示していくのかという点は、すぐに答えが出せるものでもなさそうです。

北野　テンプルがモノ、フォーラムがコト、ラボがモノゴトの生成メカニズムを扱うと図式的に整理すれば、ワークショップは語義的にも「工房」ですし、ラボに近い。ラボ＝ワークショップでは、原さんのＹＣＡＭの事例が示しているように、もはや展示やコレクションという概念自体が変性していきますよね。

この図式を少し別の観点から揺さぶれないか、ということで思い付きで喋りますが、日本人の感覚からすると、「ある意味でテンプルも人が集まるフォーラムだったのでは？」という気もします。もちろんテンプルには秘仏や襖絵などありがたいモノもあるわけですが、縁日に屋台がいっぱい出ていたりとか、射幸心にあおられた人が富くじに押し寄せたりとか、そこではコトもまた起こります。聖と俗が混じり合ったある種のフォーラムとしてテンプルがあったよなと思って。

平野　だんじりが有名な岸和田出身の北野さんならではのご意見ですね。

北野　そこをコネクトしますか（笑）。確かに、だんじりというモノに対するフェティッシュがあり、そこに集った人間によって曳《ひ》き回してコトを起こすのがだんじり祭りですね。地域共同体に継承されている祭礼は、アーカイヴの究極的な形態とも言えるかもしれません。しかしそうなると、ワークショップを本気でコレクションするには、多くの方々が人生をかける必要がありますね（笑）。

平野　だんじりに限らず、祭りに命をかけている地域の方っていますよね。そうすると、テンプルでもありフォーラムでもありラボでもあるというか、それぞれの人によって引き出しが違っても受け入れられるという点が、これからの美術館のあるべき姿になっていくのかもしれないですよね。

北野　あと、共生やウェルビーイングという話をしたときに、多様な他者を受け容れることがポイントになってくると思うんですけど、テンプルには死者もいるっていうのが結構大事かなと思っていて。

盆踊りというのは死者の霊魂と一緒に踊っているのだ、という説があるように、テンプルは生者と死者がコミュニケーションする場所でもあるかな、と。作品って言わば「遺品」でもあって、多くの作者はもうこの世にいないんだけれども、ある種の形見として遺された作品と現世の私達が関わりを持つことはできる。そうして、死者や遺品が異質な生者たちを結ぶ縁になる。そういう意味でも、テンプルの別の側面にあらためて着目することもできそうですね。

「アート思考」という問題提起

北野　次は僕がモデレーターとして登壇したパネルディスカッション「学校教育と対話型鑑賞」（三章）ですね。まずは平野さんの方から、どのように読まれたかコメントをいただけますか。

平野　はい。この章は、うまく北野さんの視点からまとめられているなと思って拝読しました。

「表現と鑑賞の往還」という形で整理をされていましたよね。似内《にたない》達吉先生の実践も、末永幸歩さんの「アート思考」の実践も、対話型鑑賞をした後に表現の活動がある、というのはもちろんですが、表現の活動の中にも鑑賞と表現の要素が含まれている、ということでした。先ほど話題にあがった黒澤さんのワークショップも、表現と鑑賞の往還がまさにあるようなワークショップでしたよね。
　それから北野さんは、沼田芳行先生が取り組まれていた朝鑑賞を、鑑賞による「関係の造形」として捉えられていました。対話型鑑賞を導入することが教職員間の関係性、教員と生徒の関係性をつくるという、「関係の造形」の取り組みとして見ることができるのか、というのは、なるほどと思ったところではありました。

北野　ありがとうございます。自分が登壇し、文章の編集もしたパートなので、なかなかコメントが難しいんですが……どこまで論点をクリアに示すことができたかな、と何となく煮え切らない感じを持っています。というのも、もちろん素晴らしい事例もあり、同時に取り組むべき個別の問題や課題もあるんですが、大局をみたときに、学習指導要領が唱えている内容とあんまり変わらないんですよね。それでいいのだろうか、みたいな。そこは気になってるんですよ。
　たとえば、鑑賞と表現を一体的に扱いましょうとか、主体的で対話的な深い学びとか、カリキュラム・マネジメントによる学校組織の改革とか、教育行政の中でも盛んに言われていることですよね。このあたり、平野さん何か感じられていました？

平野　他の教科と比べて図工美術科はかなり特殊なところがあると思っています。何を題材として教えるか、どのように教えるかがかなり現場に委ねられていますよね。
　私は「美術検定」[2]という検定試験の問題監修アドバイザーをしているんですが、２０２２年１級の論述問題のテーマが「公教育において美術教育を行う意義」についてでした。世界には、図工美術科を設置していない国もあるんですね。そんな中で日本では図工美術科が学習指導要領に位置づけられているわけで、でも国として全員が芸術家になってほしいと思っているわけではないですよね。論述問題の回答では、それこそ「アート思考」を育むとか、鑑賞教育を行うことで将来の文化芸術の受け手・支え手を育成するのだという論がたくさんありました。それもひとつだと思いますが、学校教育の中で児童生徒にどんな経験をしてもらいたくて、どんな資質・能力を育みたいのかを、現場の先生方が明確にする必要があるなと思っています。

北野　そうですよね。別に指導要領を目の敵にする必要はないんですが（笑）、何から何まで借り物のままだとマズイんじゃないか、という。

そうなると、構造的なボトルネックというか、大局的な論点をあらためて切り出すとすると、「現場の先生方が学習指導要領を具現化する」コストやリスクをどう扱うんですか、ということになるかもしれません。つまり、ただでさえ学校現場がすごく忙しくて疲弊しているのに、「主体的で対話的な学び」を本当にやろうとすると、これまでよりも圧倒的に手間暇がかかるぞ問題、ですね。対話的な学びでは、教師自身も変容していくことになるんで、本来ものすごくストレスも時間もかかる。そのリスクとコストは勘定に入っていますか？　具体的にどういう戦略で実装していくんですか？　ということは考える必要があるだろうなと思っています。

平野　沼田先生の取り組みは、いわゆるアクティブラーニングを手法の問題ではなく組織の問題として捉えて取り組まれた点がすごかったところかなと思っています。やっている対話型鑑賞自体は朝5分とか、すごくシンプルなものではあるんですけれども、それをきっかけにしながら先生方の意識を変えていくとか、すべての先生方が学校としての教育方針を合意するときに対話型鑑賞があるという方法を取られているのが、さすがだと思いました。

北野　沼田先生の事例のように、実質化されるとすごくいいのですが。「今年度の授業のなかで対話的な取り組みをした部分はどこですか、5つエクセルに書いてください」みたいに形骸化されがちですよね（笑）。「やってる感」を演出するアリバイ工作が、逆説的に対話の機会と時間を奪うことにならないか、よく注意すべきでしょうね。

あと、今話していて思いましたが、「論点を明確に示しにくい」こと自体が、学校教育領域の問題点なのかもしれません。末永さんはベストセラー『「自分だけの答えが見つかる」13歳からのアート思考』を書いて社会的な反応や議論を喚起したわけですけど、「アート思考」に比して、学習指導要領の「造形的な見方・考え方」という文言は世間一般にはほぼ認知されていません。本当は両者に通底する部分はあるし、その意味や価値を社会全体でどう捉えるか、それこそ対話があってしかるべきだと思うんですが。

平野　「アート思考」といったときに、造形的な見方・考え方と捉えることもできると思いますが、今回の学習指導要領は教科横断的に資質・能力を育成していこうという考え方がありますよね。[3] 私はどちらかというと、「アート思考」は全教科を横断する資質・能力として捉えるのがいいのかなというふうに思っていますね。

北野　「アート思考」の方がより射程が広いかもしれないですね。いずれにしろ、社会との対話が上手くいってない感じがあります。最近、学校教育関連で世間の耳目を集めたのはツイッターなどのSNSを賑わせた「#教師のバトン」くらいで、あれも教育行政の意図とはかけはなれた議論を巻き起こしたわけで。個々の教師・実践者の事例や課題だけではなく、もう少し構造的・制度的な論点も考えなければいけないですね。

アートの「わからなさ、割り切れなさ」

平野　次の章の話題に移りますけれど、「科学／医療と対話型鑑賞」（四章）で扱われた科学とアート、医療とアートって一般的に食い合わせがいいものではないですよね。だからこそ、なぜアートなのかをきちんと説明しなければならなくて、アートの特殊性が表出しやすい領域なのではと思います。当日の議論では大野照文先生が、理性と情動と繋げるとか、言葉にしきれないものがアートにはある、みたいな語り方をしてくださっていましたね。

北野　僕も意外だったのは、美術の側の人が言いそうなことを理系の側の人が言ってくれているというか、そこが反転していたのが興味深かったです。

平野　京都大学の三成《みなり》寿作先生も「未知のものを未知なままに語る」みたいな語り方をされていて、なるほどと思いました。わからないままにしておくことができるというか、それを語ることができる対象なのがアートだ、という面白さはあるのでしょうね。

北野　科学というのは「分かっていくプロセス」というか、事物を分けていく、分節化していく営みかと思うんですけれども、分けきれないものをどう扱うかというところでアートへの着目があったのかな、と。

医療の文脈でも、この治療法が基本的には第一の選択肢で、しかしこういう副作用もあって、こちらだと……というのは科学的な統計値や予測としては出てくるんだけれども、一つの身体でそれを経験するとなったときには、合理的な判断だけには尽くされませんよね。割り切れないものとどう折り合いをつけるか、ということになってくる。

それで言うと、今回のフォーラムがコロナ禍を背景に行われたことは象徴的だなと思っています。専門家が様々なメッセージを発したんだけれども、社会全体で合理的な判断が遂行されたかというと、それはどうもよく分からない。というか、何をもって「合理的」とするのか自体が揺らいでいたと思います。

平野　医学的な診断の場面について、森永康平さんもお話ししてくださっていましたけど、科学的に正しいっていうことだけでは割り切れない場面はありますよね。

たとえば、ほかならぬ家族が重篤な状態だったときに、医学としての定石はあるにせよ、この思いはどこへやったらいいのか、みたいなことって、やっぱり一個人として診断を聞く場面では出てきちゃいますよね。そうなってくると、合理性とか論理性だけではない、患者さんがどんな生き方をしてきたのか、どんな価値観を持っているのか、そういうところも考慮に含めていかないと、人に寄り添った診断は難しい、のかなあ。

北野　合理・非合理、言語・非言語。まあしかし、壮大なテーマが掲げられたセッションでした。やはり、大野先生の問題提起がすごく大きかったですね。顕在意識と潜在意識、意識と無意識って言い換えてもいいと思うんですけど。対話型鑑賞における無意識を考えるとどうなるのか。

平野　それは、伊達さんが七章のレクチャーで黒人と白人の描かれた作品を例に触れられていたような、意識せずに思わず出てしまう言葉の中に自分の無意識の価値観が現れている、みたいなお話とつながりますかね。

北野　個と個の関わりにおける無意識の掬《すく》い上げみたいなことは、対話型鑑賞の非常に重要な部分ですよね。一方で、大野先生のお話は「種としての無意識」という側面もあったかと思います。人間が生物として持っている本能や生得的な傾向というか。そこまで含めて、対話のバックグランドで作動している無意識をどう扱うか、というのはすぐには応答できない深遠な問いですね。

創造の起点としての「自分」を見出す

平野　「ビジネスパーソンと対話型鑑賞」（五章）は、私がモデレーターをしたところですけど、とりあえず読んでいただいての北野さんの感想から伺ってもいいですか。

北野　まずは加藤種男さんのパートだけ語りおろしで残された平野さんの意図はすごくよく分かったというか、もう語り口が単純に面白いですよね（笑）。身体とか一個の存在ということをこの対談で繰り返し言っているような気がしますが、「加藤さん」でしか語りえない対話型鑑賞の揺籃期における空気が切実に伝わってきました。

　あとは「対話の学習かアートの学習か」という論点で、アートが都合のいいように流用されているのではないか、という問題意識がアフタートークで挙げられていたことも印象的でした。ここは、確かに自制が求められる部分もあるよな、と思いつつ、ビジネスとアート、資本とアートの関係はそう一筋縄ではいかないよな、とも感じました。

　というのも、アートと資本、あるいはその背後にある権威との関係って、ある種のアート作品を鑑賞するときには、考えざるを得ないはずだと思うんですよね。中世の王族、宗教、アカデミー、パトロン、アートマーケット等々……それらとどう手を結んできたか、あるいは裏をかきあってきたか、資本や権威との折衝のなかでどう作品が作られてきたのかっていうことは、アートの営みの欠かすことのできない歴史になっています。現代のビジネスとアートの関係も、そういった経緯をふまえて全否定でも全肯定でもなく議論する必要があるように思います。

　加藤さんの話を聞いていると、旦那衆とかタニマチのような、顔の見える関係で芸者や役者を支援している人みたいな雰囲気があって。芸術とお金の関係って、正邪と善悪で割り切れないところがあるよな、とあらためて感じました。

平野　加藤さんは本当に、若いアーティストと直接触れ合って来られた方だと思います。アサヒビール芸術文化財団でそういう顔の見える人たちを支援してこられたっていうところがあると思うので、実際、顔が見えているんでしょうね。

北野　加藤さんに続いて、藤原綾乃さんのお話があって……これはあくまで僕の主観的な意見ですが、福武財団が瀬戸内でやろうとしていることって、それこそ新しいテンプルを作る試みのようにも感じました。パーマネントな展示や、神殿あるいは遺跡的な建造物もあるんだけれど、そこは藤原さんが紹介されたような様々なワークショップの場にもなっているし、地域共同体には芸術祭という継時的なリズムも刻まれている。

平野　瀬戸内国際芸術祭や大地の芸術祭で総合ディレクターをされているのはアート・ディレクターである北川フラムさんですよね。フラムさんがよくおっしゃるのが、アートってすごく手のかかる赤ちゃんみたいな存在で、お世話をしてあげないと全然ダメなんだけど、気になる存在だと。[*4] 大地の芸術祭であれば、作品に雪がかぶって放っておくとつぶれてしまうんだけれども、ちゃんと手をかけて地域の人たちがお世話をしてあげることによって、地域に残っていくというところがあるといいます。だんじりの話とつながるかもですが、ただテンプルがあるのではなく、テンプルを通じてフォーラムやラボが生まれていく場所とも考えられるのかなと思います。

北野　そこから、臼井隆志さんのお話。臼井さんのワークショップでいつも面白いなと思うのは、対話や鑑賞のなかに自然とアウトプットする部分が組み込まれているということです。ディスカッションのテーマを表現するダンスを手の動きだけで作って、言語とは別の形で表現して、さらにそれを鑑賞してってていうサイクルが生まれていて……上手いな、と（笑）。

平野　臼井さんはミミグリの中でアートエデュケーターを自ら名乗られていて、臼井さんの取り組みにおけるアートは「みる」ことと「つくる」ことの両方を含むんですよね。

北野　加藤さんからも「創造という部分をどう扱うのか」という問題提起がありましたが、一般的には二つの答え方が想定されると思うんですよ。まずは「鑑賞する行為の中にも創造的なプロセスがあります」っていう答え方。もう一つは、実際にモノ作りに展開するパターン。個人的には、その中間ぐらいが良いのかなと（笑）。

手でダンスを作るって、がっつりとした制作やモノ作りほどはハードルが高くなくて、その場で即興的にできて、ちょっと頼りないんだけど何らかの形や表現がそこにある、みたいな状態ですよね。「作る」「創造する」と言われるとちょっと腰が引けるけど、これぐらいだったらできそう、みたいな「作ることの半歩手前」をうまくセッティングすることが、この問題への一つの応答になりそうです。

平野　私の知人で、アート鑑賞をしたときの経験を、レゴ®で表現して対話するレゴ®シリアスプレイ®を活用したワークショップをされている方がいらっしゃいます。それからシステムアーティストの安斎利洋さんがされている「トロルをさがせ！」ワークショップも想起しました。街中に隠れている生き物のようにみえるものをトロルと名付けて写真を撮ってくるというワークショップです。

レゴ®とか写真とか、誰でもとりあえずやってみることができるような、表現のハードルが低い形式、でも言語ではない形式で表現することが、対話の幅を広げるのかもしれないです。

北野　いやしかし、対話型鑑賞を契機としたワークショップが、ビジネス領域においても多様に展開していることを、まざまざと実感しましたね。その状況をふまえて、最後に根本的なところに立ち戻ってみると、鑑賞においてある対象に意味や価値を見出していくこと、つまり価値を創出することって、まさにビジネスの核心でもあるよな、とあらためて考えさせられました。

平野　ビジネスで何かを生み出そうとするときに、それをやろうとしているあなたは何に価値を見出しているの？ということが見えないままにビジネスの議論をしていても、あんまりブレイクスルーがないような気がしています。私という人がどういう人か、何に価値を見出している人かを表出してもらったりして、自分について新たな気づきを得る機会をつくるときに、対話型鑑賞が一つのフックにはなるかもしれないとは思います。

北野　そうなんですよ。ビジネス自体が価値生成的な行為だと考えれば、対話型鑑賞との親和性は高い。アメリアのギャラリー・トークを見るためにVIPがプライベートジェットで通っていたとか、すごく象徴的な話ですよね。

対話型鑑賞の「重たい」課題

北野　さて振り返りもいよいよ終盤にさしかかってきました。森功次《のりひで》さんのレクチャー「対話型鑑賞の功罪：美的知覚の観点から」（六章）と伊達隆洋さんのレクチャー「対話型鑑賞ファシリテーターの育成と課題」（七章）。まずは森さんのお話はどうでしたか、平野さん。

平野　北野さんも当日「二日間のコース料理の最後に『重たい』のが来た」とおっしゃっていましたが（笑）。
　でも基本的にはおっしゃる通りというか、そうだよねというところです。鑑賞をすると言ったときに、それこそ情動の話が科学／医療のパートで出ていましたが、そもそも美的な質を言語化することは突き詰めていくとできないのだ、という話もそのとおりだと思います。さらに、作品についてしっかりと鑑賞を深めるという意味で言えば、作品の文脈を踏まえる必要があるという話を、スーラの点描画を参照しながら論じられていました。鑑賞における美術史的情報の活用は、私自身も博士論文をもとにした書籍で論じている点です。[*5] ですので、すごく対話型鑑賞についてよく理解をされた上で語ってくださっているなという感じがしていましたけれども。

北野　森さんが挙げられた対話型鑑賞への懸念って、続く伊達さんの話で危惧されていたポイントと、かなり重なる部分がありましたよね。問題意識を共有したうえで、美学の観点から考えるとどうなるのか、というお話が聞けたのは本当にありがたかったですね。

　一方で、今回のレクチャーをふまえて、さらに「美学を専門にする方と協働でワークショップをつくるとしたらどんなことができるのか」など、より踏み込んだ議論まで本来はいきたかった、という思いも感じました。

　伊達さんの話にも共通した感想を持ちましたが、これだけ対話型鑑賞を巡る議論が拡散している状況だと、共通の土台をまず整えるのにものすごく労力がかかるという……。

　そういう意味で、森さん、伊達さんは本当に「重たい」

役割を担ってくださったと感じています。

平野　森さん自身はどのように対話型鑑賞に取り組まれているか、あまり深掘りできなかったなとは思っています。最後の質疑のところでちらっと森さんがおっしゃっていたと思うんですけど、学生とは「相手の知覚を変えさせろ」ということを目標として対話型鑑賞をしていますというお話で、それすごく面白いなと思いますよね。そういう実践のお話ももう少し聞けたらよかったなとは確かに思います。

　それから「アートは自由だ」と言うのは現代の西洋を中心とした一時代のアート観にしか過ぎない、みたいな話も森さんはされていて、それもおっしゃるとおりだなと思って聞きました。私もこれまで、六本木アートナイトやあいちトリエンナーレなど現代アートを題材として対話型鑑賞する機会が多かったので、アートは自由ですよって現在の作家こそ言いがちなんだけど、文脈を踏まえないと現代アートこそ見ることが難しい、というのは実際そうですよね。

北野　アートと一口に言うのではなく、いつの時代のどんな文脈におかれた「アート」なのかを意識すべきであるのと同様、対話型鑑賞って言うときも、一体どんな「対話型鑑賞」なのかきちんと場ならしをしてから語りましょう、というのが伊達さんのレクチャーでしたね。その具体性というか、解像度の高さがお二人の話には貫かれていましたね。

平野　森さんは「作品の十全な鑑賞を目指す」という言い方をされていましたっけ。

北野　そうですね。森さんは「十全な鑑賞を目指すイベント」として論じていて、伊達さんとしては「十全な鑑賞」が第一義的な目的ではなくて、教育プログラムの一部としての「対話型鑑賞」という位置づけだったかと思いますね。

平野　伊達さんは「プログラム」という上位概念におけるねらいがあってこその対話型鑑賞だという言い方を強調されましたね。

　私は当日、試論として、師匠である東京大学の山内祐平先生によるアクティブラーニングのレベルとワークショップデザインの考え方を参照して、①メイン活動の準備としての対話型鑑賞（活動レベル）、②メイン活動としての対話型鑑賞（ワークショップレベル）、③組織や文化をつくる対話型鑑賞（プログラムレベル）を整理していました[*6]。

たとえば似内先生の実践は、絵画制作に向けた準備として対話型鑑賞が取り入れられており、大野先生の「貝体新書」は、鑑賞（観察）そのものがメイン活動になっていました。森さんの前提も②だと思います。一方で藤原さんや臼井さんの実践では、鑑賞そのものを超えて、鑑賞を通じた経営理念の自分ごと化などが目指されていました。伊達さんの議論は、③があってこその②だろう、という考え方であったと言えるかと思います。どのレベルで対話型鑑賞が取り入れられているかは、実践によってかなり異なっているんですよね。

北野　これから、対話型鑑賞っていう言葉を使ったり、実践したりするときには、そこをきちんと見定めないといけないですよ、ということが、このフォーラムのひとつの結論でもあるかと思います。ＶＴＣやＶＴＳの考え方を体系として想定するのか、そうでないのか、美学的な議論をどこまで考慮するのか。複眼的あるいは複線的に対話型鑑賞を捉える必要がありますね。

平野　ＶＴＣやＶＴＳが本来どのようなものであったのかを「保守的」という言葉をあえて使って、改めて美的発達段階の話から確認をしてくださったのが伊達さんのレクチャーだったと思うので、本フォーラムでそれを一旦整理できたものとして「対話型鑑賞のこれから」を考えていけたら良いのかな、とは思いますね。

北野　ここまでの議論を踏まえたうえで「十全な鑑賞」とは、あるいは「十全な対話型鑑賞」とは、さあ何なのか、どうすればよいのか、と行ければ良かったんですが、当日は完全に時間も体力も切れていましたね（笑）。この場で少しだけ話を付け加えておくと、最近、ある美術教育学者でかつ作家の人と対話型鑑賞の話をしていて、あらためてハッとしたことがあったんですよ。その方に、「作品のコンセプトがその作品の本質じゃないよね」って言われて……そこは勘違いしがちだよな、と思いまして。

つまり、作品の意味や価値のコアを何とか言語で記述したものを「コンセプト」と呼んで、それを作品の本質と見定めがちなんですけど、それだけではないよね、と。直感で喋りますが、これは森さんのお話であった非美的質と美的質の間のジャンプみたいなものとも、関連しているように思います。客観的に認識可能な非美的質、あるいは言語による意味や価値の記述、それらをある独特の感覚の質をもって身体で受けとることではじめて「十全な鑑賞」が成立するのだ、「作品の本質」が顕現するのだ、と。概念としてのコンセプトではなく、受胎・受肉としてのコンセプションを目指すのが「十全な（対話型）鑑賞」と、ひとまず僕としては言いたいなと思います。

平野　コンセプトについて、伊達さんはフォーラムの中で《なま玉子B》の例を使って語ってくださっていました。何回も同じ作品を対話型鑑賞していると、その作品から出てくる意見について、カオスの中にコスモスが見えてくるように、類型や布置みたいなものが見えてくることが確かにあります。その作品を見てきた何百人、何千人という人の言葉を煮だしたコンソメみたいなものがコンセプトなのかなと、私はなんとなく思っています。

北野　その「煮だしたコンソメ」っていうところがすごく大事かなと思って（笑）。その部分は、ある種の身体感覚を通してしか語れないんですよね。

AIは対話型鑑賞の夢を見るか？

北野　さて、これで議論が一巡しましたので、もう一度、逢坂さんと福さんの対談に立ち戻りたいんですが、あそこで最後にＡＩの話が出たのは示唆的だなと思っています。この対談が収録されている２０２３年４月現在は、「対話型」ＡＩであるＣｈａｔＧＰＴが旋風を巻き起こしている最中なので。平野さん、これについてどう思われますか。

平野　意外と鑑賞の壁打ち役にはなります。遊びでＣｈａｔＧＰＴを相手にブラインド・トークをしてみたんです。私が説明役になって、ある作品について説明を入力して、どれくらい伝わるか試してみました。そうするとＣｈａｔＧＰＴ側は「はい、わかりました。もう聞くことはありません」みたいな感じですぐ「わかっちゃう」んですね（笑）。今わかっていることをこちらに説明してくださいと伝えると、十分じゃない部分が見えてくるので、説明を加えてあげると、ＣｈａｔＧＰＴ側の理解が精緻化されるんですが。

北野　どこまでいっても、ある言葉の後にどの言葉が来るかっていう確率だけで文章を作っているんで、もちろん意味や人格や感情はそこには介在してないわけですけど、この後その精度が高くなってきて、ブラインド・トークとかでもいい感じに聞き返してきたり、ファシリテーターみたいなことをやり始めたりとかすると、また状況が変わってきそうですね。

平野　現時点では対話型ＡＩには歴史とか経験がないんですよね。鑑賞者が人生の中で見てきた、あるいは夢に出てきたアレと似ているなと想起する、みたいなことはできない。

ＡＣＯＰで北野さんと私も関わって、東京大学と一緒に取り組んだ「ロボットと一緒にアートを見よう」（一章24ページ参照）というワークショップがありましたよね。あれはロボットに人間が言葉を打ち込んで、ロボットがそれを喋ってくれるというスタイルでした。あれの中身が人間でなくＡＩに切り替わっているのが現在の状況かなと思います。

でもその当時やりたかったことは現在と結構通じるところがあるなと思っていて。「ロボットと一緒にアートを見よう」では、ロボットが喋ってくれることによって、一緒に鑑賞している人間にさらなる気づきを与えてくれることを目指していたと思います。そういう意味で言うと、ＡＩとかロボットを、ほかならぬ人間の鑑賞にどう役立てることができるか、考えられるといいかもしれないです。

北野　おっしゃるように、サポートツールとしてＣｈａｔＧＰＴだったりとかが機能して、鑑賞や思考が深まるっていうのが穏当な形なのかなと思うんですが……もう少し不穏な雰囲気も対話型ＡＩに関しては感じますね。ＡＩ自体の加速度的な進化もさることながら、人間の側のＡＩに対する反応や感情がどう変化するかが、ひとつの分水嶺になるような気がしています。

あと「夢」ということで言うと、記憶／記録の確率的な組み合わせを探索しているという意味で、生成系ＡＩとは人類全体がみている巨大な夢なのでは、とも思います。ただ、対話型ＡＩに将来のことを尋ねると大抵「私は未来予測をするわけではありません」という禁欲的な答えが返ってくるように（笑）、明日を想像するという意味での「夢」をみるのは、今のところ人間らしい特性だとも言えるでしょう。そんなわけで、対談の最後に、対話型鑑賞はこれからどうなっていくか、我々の考えを共有しておければと思います。

平野　私は、二章の黒澤さんのお話に戻っちゃいますけど、黎明期の実践が「これから」を示すことがありますよねと北野さんがおっしゃってくださっていたところは、そうだよなと思うんですよね。あのワークショップは、対話型鑑賞が定式化する以前に、対話型鑑賞的な要素を取り入れたワークショップだったと思っています。

私はもう、対話型鑑賞をそのままやらなくていいんじゃないかな、と思っているところがあります。ただ、対話型鑑賞がもともと目指していた考え方は踏まえておく必要がある。それを踏まえた上で、それぞれの領域で新しいワークショップを作ったり、プログラムに組み込んだり、その中で鑑賞や対話という活動を取り入れたらいいのだと思います。対話型鑑賞が何を目指していたのかを理解した上で、本フォーラムを出発点にして、新しいワークショップができていくといいのかなと思います。

北野　そうですね。僕も、対談の途中で平野さんが出してくださった「関係の造形」という言葉を最近のテーマにしていて、対話型鑑賞のエッセンスは含みつつも、また異なった類のワークショップを開発しています。非物質的な関係性・現象・行為などを、ある種の手触りのある形・形態・形式として捉えて、それを「造形」していくことができないかと考えています。

でも平野さんがおっしゃったみたいに、対話型鑑賞っていったい何なのかということも……「灯台」っていう表現を三章の原稿の中でしましたけど、道標として持っておかないとダメだろうなと。ひとまず今回のフォーラムで、「対話型鑑賞はこちら！」という看板が乱立しているフィールドに対して、ひとつの「地図」を描くことはできたのかな、とは思います。ただ、あくまで地図であって「目的地へのナビゲーション」ではないので。地図を手にしてどこに向かうかは、それを読む人にかかっていますよ、と。さて、どこに出かけましょうか。

平野　まずは迷子にならないように、自分がどこにいるのか、どちらを向いているのか、この本で再確認してみましょう。

（２０３３年４月21日　オンラインにて）

＊１　北野諒（２０１３）「半開きの対話：対話型鑑賞における美学的背景についての一考察」美術教育学：美術科教育学会誌。34, 133–145.

＊２　一般社団法人美術検定協会が毎年実施している検定試験。https://www.bijutsukentei.com/（２０２３・５・２５閲覧）

＊３　文部科学省（２０１７）幼稚園教育要領、小・中学校学習指導要領等の改訂のポイント。https://www.mext.go.jp/content/1421692_1.pdf（２０２３・５・２５閲覧）

＊４　東京アートビート（２０２２）北川フラムが語る過去・いま・未来。「困難があればあるほど、普遍に行き着く」https://www.tokyoartbeat.com/articles/-/Fram_Kitagawa_Interview-2022-10（２０２３・５・２５閲覧）

＊５　平野智紀『鑑賞のファシリテーション：深い対話を引き出すアート・コミュニケーションに向けて』あいり出版。２０２３年。

＊６　下記の論文および書籍を参考にした。
山内祐平（２０１９）「教育工学とアクティブラーニング」日本教育工学会論文誌，42(3), 191-200.
山内祐平、森玲奈、安斎勇樹（２０１３）『ワークショップデザイン論：創ることで学ぶ』慶應義塾大学出版会。

おわりに

伊達隆洋

本フォーラムおよび本書の企画の発端は、福のり子先生が京都芸術大学アート・コミュニケーション研究センター所長を退任されることになり、最後の公式な来日（福さんはアメリカ在住である）にあたって「せっかくなら、なにかテーマを設けてシンポジウムでもやらない？」と福さんから提案があった際、私が「ＶＴＣ紹介からちょうど30年ですしね」と口走ったことにある。

あれよという間に企画は動き出し、福さんは逢坂さんをはじめ、各領域の登壇者の方々に早々に約束を取り付け（日本の対話型鑑賞30年を語るのに欠かせないが、日程の都合で残念ながら登壇が叶わなかった方々もいたことはここに記しておく）、各種団体・機関の協力を得て、ものすごいバイタリティとその人徳でフォーラムの開催を実現させた。一章に収められている黎明期の行動力は今もなお健在であった。

こうしてフォーラムは現実のものとなったが、私には対話型鑑賞の30年をただ言祝《ことほ》ぎ、礼賛するだけの機会にしたくはないとの思いもあった。対話型鑑賞の広がりに伴い、様々な誤解や問題が生じていると認識していたし、それによって「対話型鑑賞はダメだ」という一括りでの否定もまた広がっていることを知っていた。実体があいまいなまま資格ビジネスの商材になり始めている一方で、美術館のエデュケーターが「対話型鑑賞はもう終わった。次はなにが流行るんだ？」と話すのも耳にしてきた。対話型鑑賞が抱える課題も考えていかなければ、現在の流行ともいえる状態が終わるころには消費し尽くされ、焼け野原が残るだけだという危惧があった。

なによりここ数年、大学の授業で対話型鑑賞をすると「なんで根拠を聞かれたり、考えなくちゃいけないんですか？　私がそう思ったんだからそれが正解じゃないんですか？」と不快感をあらわにした反応が学生から返ってくることが稀ではなくなってきた。聞けば、高校までに学校や学外ですでに対話型鑑賞を経験し、そのように教わってきたという。はたして対話型鑑賞が30年かけてめざしてきた地平はここだったか。

対話型鑑賞のあり方に当事者からも問題提起が行われ、批判と向き合うような対話が生まれていかなければ、「これから」を考えることにはならないと思い、対話型鑑賞に批判的な言説も発表されてきた森功次さんの登壇を推薦し、福さんも了承してくれた。フォーラムの来場・視聴者や本書の読者にとって、森さんや私のパートはあまり心地のよいものではなかったかもしれない。ただ、私も森さんも批判はしているが否定的なわけではない。まだまだ考えられること、やれることはたくさんある。「これから」に向けた対話へのお誘いだと前向きに捉えていただければありがたい。

もちろん批判だけでなく、各領域の実践者の方々からは対話型鑑賞の様々な可能性を提示していただいた。ご登壇いただいた皆様には改めて感謝申し上げます。

また、フォーラム開催にあたって特別助成をいただいた公益財団法人石橋財団の皆様には、本フォーラムの意義と重要性を深くご理解いただき、開催を後押ししていただいた。この後押しがなければこれほどの規模でのフォーラムの実現はなしえなかった。ここに格別の感謝を申し上げます。

加えて、ご後援をいただいた文部科学省、一般社団法人 全国美術館会議、全日本博物館学会、日本ミュージアム・マネージメント学会、内田洋行教育総合研究所、経営学習研究所の皆様、また当日運営にあたっていただいた株式会社 TASKO にも心よりお礼を申し上げます。

本書の刊行にあたり、日本での対話型鑑賞に関する著書を黎明期から多数出版してきた淡交社の編集局長・滝井真智子さんには大変お世話になった。ありがとうございました。

ほかにも、フォーラムおよび本書実現の裏には様々にお力添えをくださり、奔走してくださった方々のご尽力があった。ここにお一人おひとりの名前をすべて挙げられないのは心苦しいばかりだが、ご協力いただいた皆様に心より感謝申し上げます。

日本で30年かけて独自に模索されてきた対話型鑑賞は、「もう終わった」どころか、この30年を基盤にいよいよ「これから始まる」。本フォーラムおよび本書が対話型鑑賞の今後の豊かな発展の一助になれば幸いである。

［編集および一章］

福　のり子（ふく・のりこ）

京都芸術大学 名誉教授

コロンビア大学大学院で美術教育学を学んだ後、ニューヨーク近代美術館にて研修。90年代はじめよりインディペンデント・キュレーターとして活躍するとともに、作品と鑑賞者のコミュニケーションの重要性を唱えてきた。２００４年度より京都造形芸術大学（現・京都芸術大学）にて、対話型鑑賞を体系的に学び実践する、日本の大学で唯一のカリキュラム「アート・コミュニケーション・プロジェクト（ＡＣＯＰ）」を展開。２００９年には、鑑賞者の育成およびファシリテーターの養成を目的としたアート・コミュニケーション研究センターを同大学に設立。その他、主に現代写真の展覧会を日米およびヨーロッパにて多数企画している。共著に『美術館ものがたり』（淡交社）、訳書に『なぜこれがアートなの？』（アメリア・アレナス著、淡交社）、共訳書に『どこからそう思う？学力をのばす美術鑑賞 ヴィジュアル・シンキング・ストラテジーズ』（フィリップ・ヤノウィン著、淡交社）他、多数の展覧会カタログを執筆。

［編集および三章・四章・八章］

北野　諒（きたの・りょう）

京都文教大学こども教育学部 講師

京都芸術大学アート・コミュニケーション研究センターにて研究員を前任し、学校・美術館・博物館など様々なフィールドにて、対話型鑑賞を応用したワークショップの開発・実践を行う。現在は研究テーマを「関係の造形」として、幼児の表現活動や遊びを手懸りにしながら、非言語的な交感までを含めた対話のかたちを探求している。対話型鑑賞に関連するテキストとして、共訳書に『どこからそう思う？学力をのばす美術鑑賞 ヴィジュアル・シンキング・ストラテジーズ』、主な論文に「半開きの対話：対話型鑑賞における美学的背景についての一考察」がある。大阪成蹊短期大学幼児教育学科講師を経て２０２３年より現職。

［編集および五章・八章］

平野　智紀（ひらの・ともき）

内田洋行教育総合研究所 主任研究員

企業内研究所に勤務する傍ら、各地の美術館やアートプロジェクトで、対話型鑑賞を応用したワークショップの実践やそれを通じた人材育成を担当。２００９年に京都造形芸術大学（現・京都芸術大学）の鑑賞プログラム「ＡＣＯＰ」と出会い、対話型鑑賞の学習と評価について複数回の参与観察研究を行う。東京大学大学院にてその成果を博士論文にまとめ、『鑑賞のファシリテーション：深い対話を引き出すアート・コミュニケーションに向けて』（あいり出版）として出版。共訳書に『どこからそう思う？学力をのばす美術鑑賞 ヴィジュアル・シンキング・ストラテジーズ』。博士（学際情報学）。

［二章］
原　泉（はら・いずみ）
独立行政法人国立美術館　国立アートリサーチセンター　ラーニンググループ　研究員

京都造形芸術大学（現・京都芸術大学）芸術表現・アートプロデュース学科にて対話型鑑賞と出会い、「アートとは鑑賞者と作品の間に生まれる不思議で深淵なコミュニケーション」だと学ぶ。人が作品をみる時の脳と視覚の関係について卒業論文を書いた後、九州大学大学院でユーザー感性学専攻（修士）、大阪大学大学院生命機能専攻（博士）で同様のテーマを研究。修士（感性学）。山口情報芸術センター［ＹＣＡＭ］エデュケーターを経て２０２３年より現職。

［六章］
森　功次（もり・のりひで）
大妻女子大学国際センター　准教授

専門は美学・芸術哲学。主な論文に「美的なものはなぜ美的に良いのか：美的価値をめぐる快楽主義とその敵」（『現代思想』２０２１年１月号）。訳書にロバート・ステッカー『分析美学入門』（勁草書房、２０１３年）、ノエル・キャロル『批評について：芸術批評の哲学』（勁草書房、２０１７年）、ドミニク・マカイヴァー・ロペス、ベンス・ナナイ、ニック・リグル『なぜ美を気にかけるのか：感性的生活からの哲学入門』（勁草書房、２０２３年）など。対話型観賞に関しては、「『ビジネスパーソンのためのアート』本の流行と、教育的に注意すべきこと」（『人間生活文化研究』31、２０２１年）、「美術作品の教材化の功罪：「ビジネス×アート」における対話型鑑賞が取りこぼすもの」（『美術手帖』２０２１年９月号）などを執筆。大妻女子大学国際センター専任講師を経て２０２３年より現職。

［七章］
伊達　隆洋（だて・たかひろ）
京都芸術大学芸術学部　准教授
同アート・コミュニケーション研究センター　所長

専門は人間科学・臨床心理学。２００７年に京都造形芸術大学（現・京都芸術大学）の対話型鑑賞教育プログラム「ＡＣＯＰ」の分析に携わったのをきっかけに２００９年より同大学にて対話型鑑賞の実践と研究に従事。全国の美術館・学校教育関係者の研修のほか、対話型鑑賞を応用した医療従事者の養成や企業での研修なども多数手がける。「日本に対話型鑑賞は定着するか」（『ARTcollectors'』２０２１年10月号）、共訳書に『どこからそう思う？　学力をのばす美術鑑賞　ヴィジュアル・シンキング・ストラテジーズ』など。２０２３年より現職。

［監修］

京都芸術大学アート・コミュニケーション研究センター

アートの可能性を多角的に探る研究機関として京都造形芸術大学（現・京都芸術大学）に附置された研究センター。ニューヨーク近代美術館で開発された鑑賞教育プログラム「VTC（Visual Thinking Curriculum）」を日本に紹介した第一人者、福のり子を初代所長に2009年4月設立。対話型鑑賞教育プログラム「ACOP／エイコップ（Art Communication Project）」を広義のアート・コミュニケーションと捉え、人が人との間で生きていくために最も重要な要素である、コミュニケーションのあり方・育て方に美術の分野からアプローチしている。ACOPの実践展開に加え、対話型鑑賞のファシリテーターの育成、各領域の実践者の交流や情報交換、技術研鑽のコミュニティの運営を行い、アート・コミュニケーションのハブも担っている。また、全国の美術館や他大学との共同研究、芸術祭・アートプロジェクトなどと連携した地方創生やコミュニティ創出、社会的包摂への取り組みや、ACOPを応用した医療・福祉など対人援助者の研修、2012年度からは企業と提携した社内研修やビジネスパーソンに向けた人材育成の取り組みも展開しており、年々その活動の領域を広げている。https://www.acop.jp

制作　北村英之・吉原和音
装幀　北野由佳
撮影　菊池友理（33・63・87・111・113・139・171・211ページ）

ここからどう進む？

対話型鑑賞のこれまでとこれから

アート・コミュニケーションの可能性

2023年9月18日　初版発行

監修　京都芸術大学アート・コミュニケーション研究センター
編集　福のり子・北野諒・平野智紀
発行者　伊住公一朗
発行所　株式会社　淡交社
本社　〒603-8588　京都市北区堀川通鞍馬口上ル
営業　075-432-5156　編集　075-432-5161
支社　〒162-0061　東京都新宿区市谷柳町　39-1
営業　03-5269-7941　編集　03-5269-1691
www.tankosha.co.jp

印刷・製本　亜細亜印刷株式会社

ISBN978-4-473-04563-8

なぜ、これがアートなの？

アメリア・アレナス／著
福 のり子／訳

本書に登場するアメリア・アレナスが、「美術は好きだけれど、現代アートはどうも……」という日本人のために１９９８年に書き下ろした美術鑑賞術の名著（現8版）。美術愛好家はもとより、全ての教育者にとって必読の一冊です。

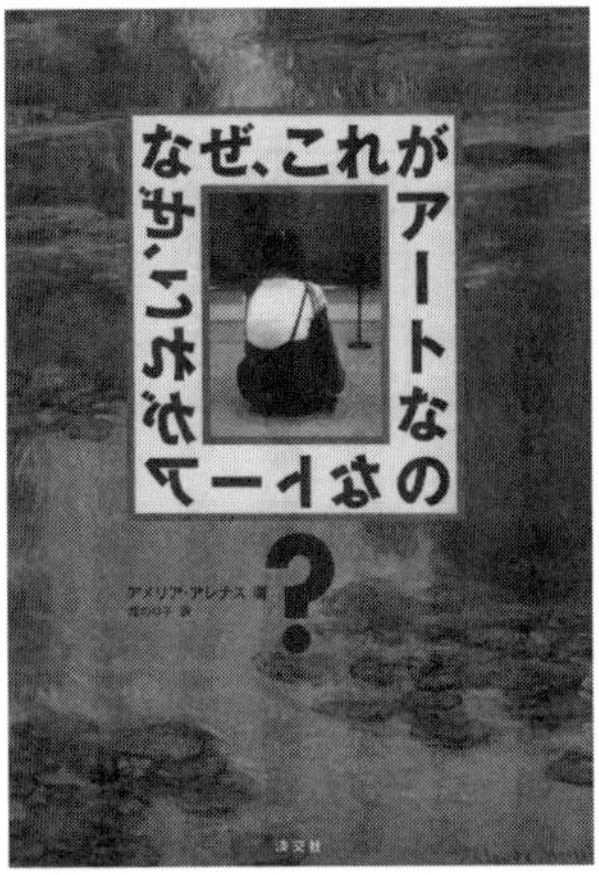

ISBN：978-4-473-01578-5
A5 判 200 頁（カラー 40 頁）
定価：本体 2,500 円＋税

どこからそう思う？ 学力をのばす美術鑑賞
ヴィジュアル・シンキング・ストラテジーズ

フィリップ・ヤノウィン／著
京都造形芸術大学アート・コミュニケーション研究センター／訳

フィリップ・ヤノウィンが提唱した教育カリキュラム「ＶＴＳ——Visual Thinking Strategies」を、具体的な方法を説きながら解説する、日本で唯一のテキスト。本書のサブテキストとなる一冊です。

ISBN：978-4-473-03979-8
A5 判 240 頁
定価：本体 2,500 円＋税

■電子書籍も好評発売中